LES VOILÉES DE L'ISLAM

Le Nadir
collection dirigée par
Jean-Pierre Péroncel-Hugoz

Hinde Taarji

LES VOILÉES DE L'ISLAM

ÉDITIONS BALLAND

33, rue Saint-André-des-Arts,
75006 Paris

A mon père.

A ma mère.

Avant-propos

Je suis marocaine. Musulmane. Journaliste. Voilà pour la fiche d'identité. Nourrie, pour ne pas dire gavée de culture occidentale, je reste profondément attachée à mon patrimoine culturel. Dans ce qu'il a de meilleur comme dans ce qu'il a de pire : il est mien et en cela, jamais il ne saurait être question d'y renoncer. Mais cela ne m'interdit pas de croire en l'universalité de certains principes et de certaines valeurs.

Le Maroc à qui la géographie et l'histoire ont permis de bénéficier de divers apports culturels jouit de cette faculté extraordinaire de pouvoir s'ouvrir sur le monde et la modernité tout en conservant une tradition très vivante. Dans les rues de ses villes, les femmes portent indifféremment la djellaba ou la mini-jupe. Si certaines, par respect des coutumes, ne se sont jamais départies de la première, les jeunes qui revêtent la seconde n'ont aucun complexe à revenir par moment aux confortables ampleurs d'antan. Surtout que la mode a rattrapé la vénérable aïeule, devenue sous son lifting plus coquette qu'une jouvencelle. Depuis une dizaine d'années, le paysage social s'est enrichi d'une nouvelle venue : la tenue « islamique » de celles que l'opinion publique désigne communément sous le nom de « sœurs musulmanes ». Proscrite la fantaisie, condamnée la désinvolture, le corps réintègre la prison dont nos mères avaient forcé les portes. La robe austère tombe jusqu'aux chevilles et le *hijab** qui couvre la gorge part à la chasse du moindre cheveu rebelle.

---

* Les mots suivis d'un astérisque (*) sont expliqués dans le glossaire de fin d'ouvrage. L'astérisque n'apparaît qu'à la première occurrence du mot dans le corps du livre. Les notes numérotées sont renvoyées en fin d'ouvrage.

Comme beaucoup de mes amies assoiffées de liberté, je ne comprenais rien à cet accoutrement. Cela me dépassait. Alors je condamnais, je rejetais, pis encore, je ne voulais pas le voir.

Aussi quelle ne fut ma suffocation lorsque Latéfa, mon amie et collègue ramena à *Kalima*, un reportage sur les étudiantes voilées de l'université de Casablanca où perçait une certaine sympathie. A mon avis, aucun dialogue ne pouvait s'instaurer avec ces « filles-là », avec ces « fanatiques ». Barricadée dans mes certitudes, je chassai bien vite le sourd malaise qui m'effleura devant la virulence de ma réaction. Jusqu'au jour où, pour les besoins d'un colloque, je dus me pencher sur le thème du fondamentalisme musulman ; je rencontrai donc ces mêmes étudiantes.

Que m'attendais-je à découvrir ? Des hallucinées, des hystériques au regard de braise, brûlant toutes du feu intérieur de la purification et de la foi ? Allaient-elles me parler ou se contenteraient-elles de psalmodier des litanies ? Mes fantasmes, nourris de mes lectures, battaient la campagne en une sarabande païenne à souhait.

Sur le visage de ma première interlocutrice, rien dans les traits, harmonieux, ne donnait matière à mes noires pensées et à mes sombres soupçons. *Hijab* ou pas, ses joues rebondies à souhait rosissaient comme souvent chez les jeunes filles de vingt ans. Elle m'accueillit dans la chambre de la cité qu'elle partageait avec cinq « sœurs » qui formaient une communauté de prière et d'étude. On me demanda aimablement de me déchausser. Sur la table, la couverture d'un livre attira mon regard ; ce n'était ni le Coran, ni un recueil de *hadiths** mais le dernier ouvrage que j'aurais cru pouvoir trouver en un tel lieu : *La femme eunuque* de Germaine Greer, la prophétesse du féminisme américain.

Malgré la répulsion viscérale que provoque en moi le dogmatisme du discours religieux, la sincérité et la passion qui animaient leurs propos m'atteignirent de plein fouet. Leur revendication d'une société plus juste et plus égalitaire, leur aspiration fervente à fonder une société idéale inspirée par l'islam sonnaient haut et clair. Quand, autour de nous, la misère étale ses plaies béantes, l'injustice s'exhibe dans une royale impunité et l'arbitraire orchestre en maître l'ample ballet des relations humaines, comment ne pas céder à la tentation de l'Absolu ? A l'illusion des solutions miracles ?

Dix ans plus tôt, celle-là même qui arbore son *hijab* comme un oriflamme aurait exprimé son légitime besoin d'utopie dans une société sans classes. Sans doute eût-elle été, de surcroît, une féministe pure et dure. Au cours de notre entretien, n'a-t-elle pas lancé cette phrase, martelée par tant d'autres avant elle : « Je veux qu'on me reconnaisse comme un esprit et non comme un corps, objet de désir. » Devant ces championnes de la cause de Dieu, je me suis sentie soudain désarçonnée : comment comprendre que, pour transformer une réalité oppressive, l'on en vienne à invoquer le recours à l'instrument dont les puissants usèrent et abusèrent pour asseoir leur tutelle : la religion ? Pour ma part, j'éprouve à l'endroit de celle-ci... un saint rejet. Née et éduquée dans une société où je me dois de « croire » parce que tout le monde croit, je me suis par principe révoltée contre ce que je considère comme une atteinte à ma liberté. Cette foi sur commande est dénuée de sens : exiger de quelqu'un d'être musulman, chrétien, juif ou bouddhiste au prétexte que ses parents le sont me paraît le comble de l'absurdité ; on est ce que l'on croit, non ce que l'on naît !

Tout comme le judaïsme et le christianisme, l'islam repose sur une logique patriarcale : l'homme, chef de famille, a la prééminence et chaque sexe est confiné derrière sa grille de droits et de devoirs. Mais chez nous, pas de laïcité et pas de féminisme comme en Occident pour titiller les trop confortables « évidences » encroûtées dans les esprits par les siècles... Notre vénérable *Oumma** continue de fonctionner à l'abri de ses registres ancestraux, non sans s'alléger à l'occasion de certains devoirs, modernité oblige. Chose curieuse, les femmes, elles, demeurent les sempiternelles perdantes.

Partout autour de nous, le pouls de la planète va en s'accélérant, et voilà que des bataillons entiers de notre jeunesse entreprennent d'écrire leur avenir avec la plume du passé. Une fois n'est pas coutume, là, hommes et femmes se donnent la main, les premiers ayant convaincu les secondes que seule la bannière de Dieu mérite une lutte ; une fois parvenus au terminus de la vie, ne redevient-on pas tous égaux ?

Pour ma part, les subtilités et les sortilèges de tels raisonnements me laissaient de glace. Néanmoins, je ne pouvais continuer à jeter un regard distant et hostile sur ces jeunes femmes voilées qui tentent à leur manière de donner un sens à leur vie. Au fond, dans notre société, que traversent de si complexes mutations, nous pataugeons tous...

Autant était-il aisé pour nos parents de se laisser couler dans un système où tout était régi une fois pour toutes, autant chaque moment de notre vie exige-t-il désormais de nous une réflexion permanente pour l'affronter. Sous les forceps de la colonisation, la modernité a vu le jour dans ce pays d'antique tradition ; mais le traumatisme de l'accouchement a laissé des séquelles que la médication administrée aggrave chaque jour un peu plus.

Pour les nantis comme moi qui eurent la chance d'accéder à l'instruction sans se ruiner la vue à la lumière des quinquets, de grandir dans un univers où les livres sont là à portée de main, de ne souffrir d'aucune de ces agressions mesquines qui rendent tout effort fastidieux, la vie, sous le chaud soleil de la Méditerranée, ou de l'Atlantique, est belle.

Du moins, tant qu'on ne se pose pas la question : « Et les Autres... »

Les autres en revanche ne digèrent pas facilement cette phase de transition qui, lorsqu'on est armé pour l'appréhender, offre un terrain fabuleux pour la créativité ; à devoir chercher en permanence des réponses nouvelles, on finit, bon gré, mal gré, par avancer. Mais pour ce faire, il faut avoir à sa disposition une sacrée dose de carburant. Quand modernité rime avec pauvreté, novation avec privation et frustration, comment veut-on qu'à la bourse des valeurs, hier ne soit pas à la hausse ? Un hier millésimé, de surcroît, de quatorze siècles.

L'Occident, du haut de sa splendeur passée, pousse des cris d'orfraie ou de vierge effarouchée. Et les médias de jongler à l'aide des mots de « liberté », de « droits de l'homme », de « démocratie » et de « terrorisme » avec les grâces d'un saltimbanque sûr de ses effets sur un public acquis d'avance. Or quand on sait — et chacun sait — quelle part de responsabilité ce même Occident si volontiers donneur de leçons porte dans le chaos où se débattent certains des pays les plus pauvres, un peu de retenue s'impose. Bien sympathique de jouer aux apprentis-sorciers, mais il ne faut pas ensuite venir crier au scandale parce que la boîte de Pandore a été ouverte !

Soudain, j'ai eu une envie, une envie très forte d'aller à la rencontre de cet autre moi. Ce moi occulté, relégué en quelque coin obscur de mon être et interdit de parole. Ce moi, ou plutôt cet envers de moi, je le retrouvai — paradoxe — dans ces jeunes *mouhajjabates**. Ce n'est pas sans raison que leur simple vue provoquait en moi le rejet. Et l'intolérance. L'intolérance à cause de la peur.

Je suis en effet ce que l'on pourrait appeler un « pur produit du système éducatif français ». Mission française, bac français, études universitaires françaises, mon regard ne se portait que dans une direction unique : l'Ouest. A la maison, mon père s'acharnait à nous imposer l'usage de la seule langue arabe ; peine perdue, un mot sur deux filait dans la langue de Voltaire... Le résultat est fameux aujourd'hui ; hors les questions de salon dès lors qu'il s'agit d'esquisser la moindre théorie, le plus modeste argument, en arabe, je m'empêtre de manière lamentable. Ce faisant, il ne s'agissait pas pour moi d'évacuer mes contradictions mais au contraire de les aborder de front. De reprendre acte de cette évidence si aveuglante qu'elle s'oublie aussitôt ; que toute vérité est relative. Armée de mes convictions, je suis partie à la rencontre de celles pour qui il n'en existe qu'une ; le verbe de Dieu. Subjectivité contre subjectivité, parole contre parole, nous avons progressé jusqu'à entrevoir le point où s'atténuent nos différences et où apparaissent des ressemblances. Au cours de ces pérégrinations à travers un monde musulman en proie à des déchirements violents, je ne me suis que rarement heurtée au fanatisme tel que je le redoutais. Par contre, au-delà des différences nationales, une constante autrement plus profonde surgissait en permanence ; la quête éperdue de dignité d'une jeunesse ballottée au gré de ses inquiétudes.

L'Égypte

L'avion de la Royal Air Maroc amorce sa descente sur l'aéroport international du Caire. Les cinq heures de vol qui séparent Casablanca de la capitale égyptienne se sont écoulées sans qu'aucun événement ne vienne alléger mon appréhension. J'ai eu beau prendre un air inspiré, réajuster mes lunettes, lever le sourcil droit puis le gauche, rien n'y a fait : mes compagnons de voyage savouraient une bienheureuse somnolence, sans s'apercevoir le moins du monde de ma présence.

A mon côté se trouve une jeune fille, marocaine elle aussi, qui se rend en Égypte pour poursuivre ses études. Apprenant qu'elle s'y rend pour la seconde année, je la bombarde de questions dans l'espoir d'apprivoiser à distance cet espace inconnu qui m'attend : du Caire, je ne connais rien ni personne.

Arriver de nuit pour la première fois dans un endroit inconnu ne manque pas d'inspirer de l'appréhension. Dans la nuit noire, nous passons sans transition de la carlingue de l'avion aux locaux de l'aéroport. Et quels locaux ! Le Caire est pourvu de deux aéroports : l'un ancien, celui-là, et un nouveau, réservé aux lignes occidentales et aux pays arabes... du Golfe. Les Africains, dont les Maghrébins, doivent se contenter, Tiers-monde oblige, d'une immense salle-hangar. Prise dans le flot des voyageurs à grande majorité masculine, je suis le mouvement, un peu hébétée par le décalage horaire, les cinq heures de vol et l'heure tardive. Avant de parvenir au contrôle des passeports, quelques privilégiés se font cueillir qui par un cousin, qui par un frère ou un ami. Pour eux, pas d'attente ni de tracasseries douanières. Je reconnais du premier coup d'œil un compatriote parmi la foule. Ouf ! le message est passé : on m'attend.

Pour une fois, je n'ai aucun scrupule à profiter de ce traitement de faveur. Mon passeport confié à ce mentor, j'attends patiemment la fin des formalités. Devant les deux boxes de contrôle de police, une interminable file d'attente. Pendant de longs moments elle demeure immobile, le rythme de passage des voyageurs ne s'égrenant qu'avec une lenteur désespérante. Tous ne passent pas le contrôle en une seule fois. Après avoir récupérer leurs passeports, on leur demande de retourner s'asseoir sur les bancs en bois qui meublent le hall. Et ils attendent, attendent jusqu'à en avoir, de fatigue et d'énervement, le cœur au bord des lèvres. Une bonne demi-heure s'écoule avant que je puisse enfin parvenir à la sortie. Nous ne quittons cependant l'aéroport que deux heures plus tard car il a fallu aller à la rescousse de la jeune étudiante, aux prises avec des douaniers chicaneurs. « A chaque arrivée de la Royal Air Maroc, ce sont les mêmes histoires, bougonne Si Omar, mon guide. Ils bloquent parfois des passagers pendant des heures avant de clore leur enquête et de les autoriser à entrer. — Mais, me suis-je étonnée, à l'ambassade égyptienne au Maroc, on m'a certifié que les Marocains n'avaient pas besoin de visa. — C'est ce qu'ils disent ! En théorie oui, mais dans la pratique, ils l'établissent à l'arrivée et n'ont aucun scrupule à refouler qui leur déplaît. ». Hum ! l'unité arabe m'apparaît soudain sous un jour nouveau. D'abord, la discrimination entre les « frères » argentés et les « frères » désargentés, ensuite ce visa qui ne dit pas son nom, je n'ai aucune culpabilité à avoir profiter des relations de Papa ! Sans cela, en tant que journaliste venue faire risette aux islamistes, j'avais de fortes chances de découvrir l'Égypte par correspondance.

A la pension *Mayfair,* une chambre m'a été réservée. Une amie qui y a séjourné lors d'un récent passage au Caire m'en avait communiqué l'adresse. Située à Zamalek, le quartier chic cairote, devenu aussi aujourd'hui celui des représentations étrangères, elle offre l'avantage d'être bien placée tout en restant accessible aux budgets taille fine comme le mien. Un personnel affable compense un confort des plus rudimentaires et, à la fin de mon séjour, je finirai presque par considérer cette demeure avec sympathie, tout lépreux que soient ses murs. Mais ce premier soir, où la fatigue du voyage se conjugue avec le dépaysement me font faire grise mine. Dédaignant les draps qui ne m'inspiraient guère confiance, je m'enfonçai dans mon duvet. Demain est un autre jour...

Au matin, tirée du lit par un soleil radieux, je bondis avide de sentir les pulsations de cette ville, ivre du bourdonnement de ses quatorze millions d'habitants, et où, dit-on, l'esprit de la fête danse avec celui de la foi. Le ciel, d'un bleu pur, rend royalement les honneurs à un mois de janvier bien entamé, où l'hiver ne manque pas néanmoins de faire frissonner.

A peine la porte de ma chambre refermée, l'aventure peut commencer. La veille, je n'ai pratiquement pas ouvert la bouche. Ce matin, par contre, c'est Ahmed, l'un des deux hôteliers, qui manque de s'étrangler lorsque je m'adresse à lui. Pas dans une langue étrangère, non. En arabe. Mais dans « mon » arabe, l'arabe marocain. Il ne comprend pas un mot sur deux de ce que je dis et il ne comprend pas que je ne le comprenne pas, parce que tout le monde comprend son arabe à lui, l'arabe égyptien. Cet étonnement, je vais devoir y faire face, mon séjour durant. Les télévisions arabes diffusant à longueur de temps des films égyptiens, l'égyptien est en effet devenu compréhensible jusqu'au fin fond du Maghreb. Mais pour les malheureux comme moi, peu portés sur la TV et encore moins sur ces feuilletons de série B, il demeure un dialecte au même titre que les autres. Par la suite, quand mon oreille s'y accoutumera et que j'aurai appris à incorporer dans mon vocabulaire quelques rudiments d'égyptien pour mener à peu près correctement une conversation, je me fis un point d'honneur de remettre les pendules à l'heure : non, le dialecte marocain n'est pas une langue corrompue par la colonisation ; elle a ses propres vertus, ses particularités et ses lettres de noblesse n'ont rien à envier à celles de l'antique Égypte.

Mais ce premier matin, je n'en mène pas large. Tant que mon interlocuteur est en face de moi, je parviens, en m'aidant si nécessaire de mimiques et gestes de la main, à communiquer. Mais dès qu'il s'est agi de recourir au téléphone, c'est la catastrophe. Comme je ne connais pas les personnes que je contacte, leurs noms m'ayant été donnés par diverses relations qui ont épluché leur carnet d'adresses pour me rendre service, il me faut à chaque fois expliquer les raisons de mon appel. Je me répète à satiété, à y perdre mes propres mots à force d'essayer de les « égyptianniser » sans être sûre que le message soit compréhensible. De plus, comble de malheur, je tombe régulièrement sur la mère, la grand-mère ou la voisine d'à côté, bref sur tout l'entourage sauf sur qui je veux car qui je veux n'est pas là. Un poème ! Déclamé au milieu du hall de la pension avec spectateurs à l'appui, une chambre à quinze livres la nuit offrant difficilement un direct au-dessus de la tête du lit.

Au bout du quatrième ou cinquième coup de fil infructueux, j'abandonne la partie momentanément et décide de me rendre au C.E.D.E.J. situé dans le quartier El Mouhandissine, à deux pas, m'explique-t-on de Zamalek. « Ne donne pas plus d'une livre, une livre et demie », me conseille Ahmed qui s'est pris de sympathie pour moi. Le C.E.D.E.J. (Centre d'études et de documentation économique, juridique et sociale) est, comme son nom l'indique, un centre de recherche français affilié au C.N.R.S.. Là au moins, je suis assurée de ne pas rencontrer de problèmes de langue. Il me sera possible de plus d'y établir quelques contacts ; les chercheurs francophones travaillant sur la société égyptienne font nécessairement le détour par le 22 charii *Charii El Fawakii* (rue des Fruits).

Rues spacieuses, hautes maisons campées dans des jardins autrefois luxuriants, Zamalek, telle une femme dont la beauté, meurtrie par le temps, n'en conserve pas moins des éclats assourdis, garde par endroits des airs de nonchalance tranquille. Mais une fois abordé le boulevard du 26-Juillet, artère à deux voies qui court sous le pont d'une autoroute aérienne, une cacophonie monstrueuse saisit à la gorge.

Poussière engrangée par le vent du désert, gaz carbonique libéré par les tuyaux d'échappement, klaxons en folie et embouteillages permanents, aucun ingrédient ne manque pour la célébration d'une messe à la migraine. Avec un cocktail aussi relevé, le knock-out est total. Dans sa stratégie de séduction, Le Caire a d'abord pour tactique d'agresser les sens. Une fois traumatisés à souhait, ils se règlent sur son rythme et finissent par céder à l'envoûtement de cette ville où la rationalité n'a guère de place. Pour le moment, je suis encore sous le choc.

Mes oreilles bourdonnent. Le klaxon occupe ici une fonction fondamentale. On ne peut pas tenir un volant sans l'actionner régulièrement, même si la route est totalement dégagée.

Hélant un de ces innombrables petits taxis noir et blanc qui sillonnent les rues, je lui donne l'adresse du C.E.D.E.J. et le prie de m'y accompagner. Or j'ignorais qu'au Caire l'adresse en elle-même ne suffit pas. Pour être sûr d'arriver à bon port, il est impératif de fournir au chauffeur des points de repère. A défaut, il vous fait tourner pendant trois heures, surtout si vous conjuguez la double qualité d'être étranger et perdu.

Je n'ai pas, on s'en doute, échappé à ce scénario. M'allégeant de trois livres (le double du prix normal), il me dépose dans une rue en me lançant : « C'est là ». Le temps de réaliser que le nom indiqué par la plaque est « Nakhil » et non « Fawakii », il a déjà filé. Respirant un bon coup pour faire redescendre la moutarde qui me monte au nez, je regarde autour de moi à la recherche d'une bonne âme pour m'orienter dans la bonne direction. Un motocycliste sur le point de démarrer s'offre à ma détresse, je l'accoste. Heureusement pour moi, il connaît la rue El Fawakii. Comme je ne comprends rien à ses indications — frappée d'hébétude, je suis comme un animal sur un territoire étranger — il me propose de m'y accompagner, et c'est à califourchon sur une Mobylette que je finis mon parcours.

Comme tout centre d'étude, le C.E.D.E.J. dispose d'une bibliothèque, donc de bouquins et de chercheurs le nez plongé dedans. Procédant par étapes et en toute logique, je jette un coup d'œil sur le contenu des différentes étagères, traîne un peu dans le couloir avec le vague espoir de ne pas avoir à faire le premier pas avant de m'armer de courage et d'accrocher le premier malheureux qui passe. Le handicap de la langue en moins (le bonheur !), j'explique qui je suis et pourquoi je suis là. « Des Égyptiennes, se marre mon interlocuteur, mais vous en avez tant que vous le désirez ici. Voyez dans la salle de documentation, vous y trouverez certainement Hoda, Magda ou Nawal. »

Débarquer dans un endroit et déclarer : « Je veux rencontrer des femmes », comme si celles-ci étaient en voie d'extinction, relève du gag quand on y réfléchit mais sur le moment, il n'y a pas dix mille tactiques possibles. Dans la salle en question, elles sont effectivement trois à travailler autour d'une grande table ovale au milieu des dossiers et des téléphones. Gênée de devoir troubler leur concentration, je débite néanmoins mon petit discours en ayant le sentiment d'être un magnétophone bloqué sur la même bande. Polies, elles me donnent des indications sur qui je dois voir, où je dois aller. Rien de déterminant mais, petit à petit, la glace se rompt. Je m'installe à leurs côtés, note des noms, feuillette des publications du centre en échangeant des propos avec l'une ou l'autre. « Les jeunes souffrent beaucoup actuellement, remarque Hoda. Comme ils ne parviennent pas à réaliser leur désir dans ce bas monde, ils travaillent pour l'autre. Ils tiennent par conséquent à obéir rigoureusement à toutes les prescriptions religieuses mais ils ne se rendent pas compte que cela est en contradiction avec leur vie, avec leur comportement général. »

A l'autre bout de la table, l'aînée des trois, Nawal, demeurée obstinément silencieuse depuis le début de la conversation, sort soudain de son mutisme et lance : « L'islam n'a jamais dit que la femme doit se montrer craintive, qu'elle ne doit pas regarder les gens en face. Au contraire. Si on appliquait vraiment les règles de l'islam, l'homme serait extrêmement libre et la femme aussi. Ils mèneraient leur vie côte à côte et non l'un étouffant l'autre. A partir du moment où l'on fait preuve d'ouverture d'esprit, on y découvre des trésors. Mais si on se contente de répéter les paroles des idiots... »

Surprise par la fougue de son intervention, je m'apprête à réagir quand Magda, une pétillante brunette s'exclame : « Nawal, au fait, cette question du hijab te concerne directement. » « Nawal a gardé un bonnet sur la tête durant tout un mois, m'explique-t-elle et aujourd'hui, elle s'interroge encore sur la nécessité de porter ou non le hijab. C'est avec elle que vous devriez commencer vos entretiens. »

Prise de court car je ne m'attendais vraiment pas à rencontrer des mouhajjabates* éventuelles parmi ces parfaites francophones, je me tourne à mon tour vers l'intéressée : « Vous acceptez ? — Pourquoi pas », me répond-elle d'un air désabusé. Je remarque alors combien l'expression de son regard est soucieuse, torturée presque. Coupés à la garçonne, ses cheveux achèvent de mettre à nu un visage aux traits tirés. Un visage sans âge où on ne lit que la fatigue.

D'entrée de jeu, Nawal me prévient qu'elle se débat dans un écheveau de contradictions. Sans me laisser vraiment le temps de lui poser des questions, elle tente de mettre un peu d'ordre dans la confusion de ses pensées : « En effet, reconnaît-elle, je pense souvent au hijab. Je n'en rejette pas le principe. Cet été, je me suis rendue au pèlerinage de La Mecque et j'y ai vécu une expérience marquante. Tout le monde était habillé de la même manière, hommes comme femmes. Cette égalité me donnait une paix intérieure, une sérénité. Au mont Arafat aucune ségrégation n'existait entre nous. Nous vivions tous sous la même tente, dormions côte à côte dans le plus grand respect et la plus grande décence. Ce fait m'a particulièrement émue. A un moment donné, nous avons eu des problèmes de logement avec des Saoudiens. Nous avons été choisies, une collègue et moi pour représenter le groupe auprès de la police. Pour cela, il n'a pas été tenu compte de notre sexe mais de notre capacité à mener à bien cette tâche. Comme le veulent les prescriptions islamiques, seuls mon visage et mes mains étaient découverts ; pourtant, je me sentais très libre. Quand je suis revenue au Caire, j'ai porté une espèce de bonnet pendant un certain temps mais je n'ai pas pu continuer. Autant l'obéissance à La Mecque me procurait de grandes satisfactions, autant ici... En ne portant pas le voile, est-ce que je désobéis vraiment à Dieu ? Le porter, est-ce de l'obéissance ? Je ne sais pas. Je n'ai pas de réponse.

Elle se tait un instant. Adolescente, je voulais porter le hijab et faire partie des Frères musulmans. Mais je n'aime pas les communautés fermées. Je n'aime pas être ainsi étiquetée. Je suis enfermée dans des contradictions, qui m'ont fait rater beaucoup de choses. Je me suis mariée jeune, j'ai eu des enfants, je les ai élevés parce que c'était là mon premier devoir. Pour cela, il m'a fallu renoncer à ma vie intellectuelle durant cette période. Je me demandais s'il était possible de concilier les deux. Le moment le plus cruel de ma vie fut celui où je me suis soumise parce que j'étais passive. J'ai horreur de la passivité. Si je me décide à porter le voile, ce ne sera pas dans un esprit de soumission, mais de libération.

Pour retrouver ce que j'ai ressenti à Arafat. Pour moi, porter le hijab signifierait avoir une vue critique des choses. Je pourrais discuter avec des islamistes et des non-islamistes sans avoir à opter pour la version des uns ou des autres. Rejeter ce que je n'accepte pas. Voir jusqu'où je peux changer les choses.

— Changer quoi ? En tant que femme ?

— Imposer mes idées, en tant qu'être humain et non en tant que femme.

— N'avez-vous pas le sentiment qu'avec le hijab vous reniez votre spécificité de femme ?

— Je n'ai pas à la renier, elle est là, elle saute aux yeux. Avec le hijab, je ne la renie pas, je l'impose.

— Mais n'est-ce pas une certaine manière de s'asexuer que de cacher les atouts de la féminité ?

— Cette idée existe, mais je ne l'ai pas en tête. Quand j'ai porté le hijab à La Mecque, je n'ai pas eu l'impression de me renier mais de m'élever.

— Quelles sont les idées que vous souhaiteriez défendre par le fait de porter le hijab ?

— La liberté de pensée.

— Mais quand on considère la démarche des islamistes, n'est-ce pas plutôt le contraire qui se produit ?

— J'ai horreur de l'extrémisme sous n'importe quelle forme. J'aime beaucoup le hadith suivant ; un jour, on demanda au Prophète quel était son modèle d'homme. Il désigna alors un homme simple qui ne priait pas beaucoup et agissait en tout avec modération. Si je me voile, je ne voudrais pas l'imposer aux autres parce que je ne conçois pas d'imposer mes idées aux autres. Mais si je me voile, il me faudrait agir de la sorte. Je tombe dans la contradiction. Il y a des moments où j'hésite, où je doute. Passés ces moments, je sens que je n'ai pas besoin de le porter.

— Quelqu'un vous empêche-t-il de penser comme vous le désirez ?

— Ni mon mari ni personne.

— Donc porter le hijab ne vous apportera rien de plus.

— Oui, c'est pourquoi je ne pense pas que je le porterai.

— Dans votre famille, quelqu'un est-il voilé ?

— Ma fille. Elle porte le hijab depuis l'âge de quatorze ans à la suite de problèmes de racisme rencontrés à l'école. Une école religieuse catholique. Il y a eu des accrochages entre chrétiens et musulmans, échange d'insultes de part et d'autre. Pour défendre son identité religieuse, elle a pris le parti des extrémistes musulmans.

— Se maquille-t-elle ?

— Oui, et ça je ne peux pas le comprendre.

— Comment l'explique-t-elle ?

— On ne s'explique pas parce qu'on se dispute. Elle a aussi des amis garçons. Son mari, elle l'a rencontré à l'université. Ils se sont aimés. Contradiction. Ils sont "sortis" ensemble avant de se marier. Contradiction. Il est impossible aujourd'hui de suivre à la lettre des préceptes vieux de quatorze siècles. On demande par exemple aux enfants d'obéir à leurs parents ; mes enfants ne m'ont jamais obéi. *Hamdoulillah !* (Louange à Dieu). J'ai eu des scènes avec ma fille. Au moins, elle est assez forte pour imposer sa personnalité. Dans l'islam tout est question d'interprétation.

— Comment peut-on donner la "bonne" interprétation ?

— Par la liberté de pensée, l'ouverture, la compréhension de l'autre. On peut même être athée à un certain moment de sa vie, car ce ne sont pas les étapes qui comptent mais la fin. Être profondément soi-même. Je ne comprends pas comment on peut forcer quelqu'un à croire ! L'attitude extrémiste de certains islamistes me dégoûte. L'apparence de piété me dégoûte. Nous sommes très arriérés, nous marchons à reculons. Si on donnait vraiment aux jeunes la possibilité de produire, ils ne se perdraient pas dans ces questions métaphysiques. Mais quand tout est bloqué, que voulez-vous faire, on se tourne vers l'infini. »

Le Caire, tous voiles dehors

En Égypte, le thé noir est une véritable calamité. Acre à force d'infuser, il accroche au palais en y laissant une amertume désagréable. Pendant plusieurs jours, ce stupide détail m'a valu de démarrer la journée en grimaces. Quel ne fut donc mon bonheur, lorsque je découvris à quelques centaines de mètres de l'endroit où je logeais une petite pâtisserie-salon de thé où celui-ci avait un goût familier. Chaque jour, à huit heures tapantes, les deux jeunes serveuses prirent l'habitude de me voir attablée, mon bloc-notes dans une main et un citron dans l'autre (la maison ne les fournissant pas). Du coup, Le Caire m'est devenu sympathique ; j'en avais apprivoisé l'espace.

Ce matin, avant d'entreprendre la valse des rendez-vous pris tant bien que mal, j'engage un brin de causette avec la plus jeune des employées. Une vingtaine d'années, un visage épanoui et souriant, elle est habillée avec la coquetterie d'une fille de son âge. Travaillant à mi-temps, elle poursuit ses études en parallèle, à l'image de la grande majorité des étudiants égyptiens.

« Que penses-tu des filles qui portent le hijab ? lui ai-je demandé sans recourir à des détours superflus.

— Elles ont absolument raison. J'aurais bien aimé en faire autant, mais mon fiancé ne veut absolument pas en entendre parler.

— Et toi, pourquoi tiens-tu à le porter ?

— Dieu l'exige. Et si je reste comme ça, je vais aller en enfer ! »

Avec des pensées aussi pieuses, je m'étonne que ma jeune interlocutrice se promène encore les jambes nues. Dieu merci (c'est le cas de le dire), l'amour constitue un bon antidote. Sur ces entrefaites, un client pénètre dans le salon et prend place à la table voisine. Sa barbe broussailleuse attire aussitôt mon attention. Le journal qu'il tient à la main achève de me le confirmer ; c'est un « frère »*. A la manière dont il commande son café, on remarque qu'il est un habitué de la maison. Pourtant celle-ci, en raison de son emplacement, a généralement une clientèle très occidentalisée. On y entend plus fréquemment parler anglais ou français qu'arabe. Aucune expression réprobatrice n'alourdit son regard quand il se pose sur nous, toutes « safirat »* que nous soyons. Le jeune dévot ne paraît pas vraiment préoccupé par la nécessité de faire la chasse aux suppôts de Satan. Un homme comme un autre, qui vient prendre son café et ses croissants, lire son journal, échanger deux trois mots avec la serveuse et repartir vers son travail.

Mon petit déjeuner avalé, je décide de marcher un peu avant de me rendre à la rue Champollion, dans le centre de la ville, où aura lieu mon rendez-vous. Le boulevard du 26-Juillet s'est maintenant complètement réveillé. Étalant leurs légumes frais à même le trottoir, les paysannes occupent leur carré d'asphalte comme chaque matin. Assises en tailleur, elles haranguent les passants d'une voix forte. Leur longue robe noire tranchant sur le jaune vif des citrons et le vert éclatant des poivrons, le tableau est relevé par les rayons obliques du soleil.

Tout le long du parcours, je les croise, marchant d'un pas assuré et la tête haute. Des êtres soumis, ces femmes-là, avec ce regard qui vous jauge ? Difficile à concevoir. La campagnarde égyptienne est connue pour sa forte personnalité et son franc-parler. Loin de se cloîtrer chez elle, elle contribue activement au budget familial dont elle tient généralement les cordons de la bourse. « *Une fellaha chatra* (une paysanne dégourdie) écrit Mona Abbazza [1] doit être réputée non seulement pour la bonne marche de sa maison mais aussi pour son aptitude à réaliser des bénéfices. » Parmi les réflexions qu'elle a recueillies au cours de son enquête, certaines sont très explicites quant au statut reconnu à ces travailleuses de la terre : « La fortune est le fait des femmes. » « Ici, les femmes sont des hommes. » « Une femme intelligente doit contrôler l'économie. » « Mais, note-t-elle cependant, la forte émigration des hommes du village vers les pays du Golfe a influé sur les mentalités... Là-bas, disent ces derniers, les femmes sont toutes polies, toutes voilées ; pas comme les nôtres qui n'ont pas peur de parler haut et fort et de se pavaner. Cette nouvelle génération voudrait par conséquent voir les femmes à nouveau recluses, estimant, à la différence de leurs pères, que leur présence sur la place du marché est une exhibition honteuse et indécente. » En attendant, durant leur absence qui, souvent, s'est prolongée pendant des années, ces hommes ont laissé les femmes assumer seules la responsabilité du patrimoine familial. Une féminisation de plus en plus accrue du travail agricole s'est ainsi développée. Au regard des nombreuses silhouettes drapées de noir qui arpentent les rues du Caire les fellahattes ne paraissent pas encore très affectées par les fantasmes de leurs époux.

Pour qui se passionne pour la sémiologie du voile, l'Égypte offre un champ d'étude d'une richesse inégalable car, dans l'art de jouer les variations en la matière, les Égyptiennes ont acquis une dextérité étonnante. Habituée à l'austérité vestimentaire de nos « sœurs musulmanes » locales qui, sorties de la coupe « tente », ne connaissent rien d'autre, je suis restée stupéfaite devant la diversité des styles du hijab égyptien. Conjugué à tous les modes, du plus rigide au plus extravagant, il témoigne de l'incroyable capacité des femmes à adapter, contourner et récupérer une situation à leur avantage aussi contraignante soit-elle.

Cela précisé, l'Égypte des rondeurs pulpeuses généreusement exposées au regard a baissé pavillon. Les manches trop courtes, les dos et les épaules dénudées n'ont plus leur place dans la cité. Tant que l'on circule en voiture d'un cercle fermé à un autre, aucune excentricité n'est impossible mais à pied, en bus, en taxi ou en métro, le poids des regards décourage toute audace. De plus, face à cette misère qui suinte de partout, ce qui est de l'ordre de la liberté individuelle ailleurs relève vite ici de la provocation. Je ne réalisais pas combien l'Égypte était pauvre. Déguenillés, le visage maculé de saleté, des enfants consomment leur enfance en traînant à travers les dédales de la ville. Leurs yeux sont immenses ; ils dévorent tout ce à quoi leur ventre n'a pas droit. Ces enfants, malgré la pellicule de crasse qui les recouvre, sont beaux. Et cette beauté rend l'injustice de leur condition encore plus révoltante.

Un corps aux membres tordus me barre le passage. J'avale ma salive de travers. Autant la pauvreté, commune à toutes nos sociétés, m'est familière, autant la vue de ces malheureux qui agitent leurs moignons sous le nez des passants me révulse. Pourtant, à force, il me faudra m'y accoutumer car le nombre des amputés et des handicapés dans les rues cairotes est surprenant. Le pays des pharaons a conservé sa superbe mais bien lointain est le temps de la magnificence !

Me voilà enfin arrivée à la rue Champollion. Tiens, l'adresse correspond à une maison de production cinématographique. Quand, en acceptant ma demande d'entretien, Asmaa me l'a communiquée au téléphone, je n'y ai pas prêté grande attention. Maintenant, en attendant d'être annoncée, je réalise combien le décor jure avec l'image que je me suis faite de ma future interlocutrice. Une fois devant elle, le choc, lui, est total. Dans mon esprit, ce premier nom sur ma liste de personnes à contacter correspondait à celui d'une mouhajjabate. Une vraie, avec hijab, versets coraniques et tout le reste.

Or qui me reçoit ? Son antithèse ! Asmaa El Bakri emplit par sa présence tout l'espace de la pièce. Vêtue à la diable d'un pantalon et d'une chemise noire, elle « roule des mécaniques » mieux qu'un chef de bande. J'apprends qu'elle est réalisatrice, qu'elle est en passe de porter à l'écran le livre d'Albert Cossery *Mendiants et orgueilleux* et que ce lieu où nous nous trouvons n'est autre que la maison de production de Youssef Chahine [2].

Un lieu particulièrement approprié pour discuter religion surtout avec une personnalité comme Asmaa dont le franc-parler doit en terrasser plus d'un. « Les gens sont devenus stupides et idiots. Idiots et stupides parce qu'incultes, m'assène-t-elle d'ailleurs dès le début de la conversation.

— Pourtant, l'Égypte est l'un des pays arabes qui compte le plus fort pourcentage d'universitaires.

— Ce n'est pas parce qu'on a étudié à l'université qu'on est instruit. Le système de l'enseignement est ainsi conçu qu'il abêtit plus qu'il n'éveille l'esprit. Les étudiants subissent un bourrage de crâne qui laisse à leur sens critique peu de chance de se développer. Les professeurs n'admettent pas la contestation. Tout ce qu'ils débitent doit être considéré comme une vérité absolue. Aussi, quand des individus comme les islamistes viennent prêcher leurs salades, ils ont facilement prise sur une jeunesse à qui on n'a pas appris à réfléchir. De plus, l'émigration vers les pays du Golfe a complètement bouleversé la hiérarchie sociale. Le pouvoir de l'argent est passé entre les mains de gens qui n'ont jamais fréquenté l'école, alors que les intellectuels se paupérisent chaque jour davantage. Après avoir séjourné quelques années en Arabie Saoudite ou au Koweït, ces émigrés reviennent avec les idées de là-bas qu'ils essayent de nous imposer ici. Auprès d'eux, les islamistes ont trouvé les moyens de financer leur propagande. Mais le scandale de Rayan [3] leur a porté un coup très dur. Certaines personnes ont perdu toute leur fortune avec la faillite de ces banques qui se disaient « islamiques ». J'espère que cela servira de leçon à ceux qui croient aux discours de ces hypocrites.

— Mais comment vous expliquez-vous la séduction exercée par celui-ci sur les femmes en particulier ?

— Beaucoup suivent par mimétisme, pour des raisons économiques et sociales qui n'ont rien à voir avec la conviction religieuse. Nous avons un exemple parmi nous, celui de notre secrétaire. Un jour, sans crier gare, elle est revenue en hijab. Quand nous l'avons acculée par nos questions, elle a fini par reconnaître que c'était plus pratique pour circuler et sortir quand elle le voulait. Je vais l'appeler, vous allez voir vous-même... Youssef, demande-t-elle au coursier, va me chercher Mouna. »

Les cheveux dissimulés par une écharpe vert tendre qui rappelle les motifs de sa robe longue mais à fleurs, Mouna déborde de cette jovialité typiquement égyptienne. Une touche de rose sur les lèvres et un trait de khôl autour des yeux parent son visage. Une mouhajjaba certes mais une mouhajjaba qui souhaiterait complaire à Dieu sans offenser le sens esthétique de ses créatures...

A ma question rituelle, elle me dévide l'explication classique : Dieu et l'obligation de lui obéir. Son sourire se fait toutefois un peu emprunté. Asmaa, chez qui ce discours engendre une allergie immédiate, lui tombe dessus à bras raccourcis : « Pourquoi te maquilles-tu alors si tu ne veux pas séduire ? » Accrochée à ses justifications comme une moule à son rocher, Mouna refuse d'admettre qu'il y ait contradiction dans son comportement. Aucune conviction n'anime cependant ses paroles. Elle sait que nous ne sommes pas dupes, ne l'est pas non plus mais, peut-être, simplement, pour le plaisir de laisser Asmaa mariner dans son exaspération, elle s'en tient à l'argument de sa soumission de croyante sincère quoique imparfaite.

Mouna partie, je demande à Asmaa si sa liberté d'action en tant que femme se trouve compromise par la dérive islamiste de sa société. « Je vais où je veux, quand je veux et comme je le veux. Je me comporte comme bon me semble et personne ne m'amènera à me dicter ma conduite. » Le contraire eût été surprenant !

Une silhouette blanche, sur le campus...

Certains lieux du Caire donnent le sentiment, dès que l'on en franchit le seuil, d'avoir quitté le territoire égyptien. D'être projeté à Londres, à New-York ou à Paris. Quoique nichée en plein cœur de la place Tahrir, l'université américaine en est le prototype. Derrière ses hauts murs, le brouhaha baisse de plusieurs crans, la poussière bat en retraite et le vert des arbres éclabousse le bleu du ciel. Pour les heureux élus qui, grâce au solide portefeuille de leurs parents, évoluent dans cette enceinte, la vie coule comme un long fleuve tranquille. Branchés sur *la Voix de l'Amérique,* ils sont plus au fait des dernières phobies de Michael Jackson que du prix du sucre ou de la viande. Petites chaussures à lacets, mini-jupe moulante ou coiffure afro, les impératifs de la mode n'y souffrent aucune dérogation. A croire qu'une virée au boulevard Saint-Germain s'impose tous les trois mois. Entre deux cours, les étudiants viennent prendre le soleil sur les chaises disposées ici et là sur les pelouses. Ça papote dans une atmosphère d'insouciance et de bien-être saisissante pour qui arrive les oreilles encore assourdies du tumulte de la rue. Pourtant, parmi cette jeunesse dorée dont l'allure ne déparerait pas la plus huppée des universités occidentales, des jeunes filles voilées de la tête aux pieds rompent cette harmonie. Oh, elles ne sont guère nombreuses, trois ou quatre au plus mais suffisamment pour que le regard s'y arrête. Ainsi, même là, dans l'antre du grand Satan, le hijab a réussi à pousser la porte. Une autre image me saisit ; celle d'un étudiant, tout de blanc vêtu, dont la silhouette se profile derrière les vitres fumées de la bibliothèque. Mordillant son stylo, il a le regard lointain. Où ses songes l'ont-ils conduit ? Peut-être vers cet « âge d'or » qu'ils invoquent tous. Dans sa longue tunique immaculée, le visage auréolé d'une légère barbichette et une calotte plantée sur le chef, il semble avoir remonté la machine du temps pour venir, figure anachronique, heurter la logique d'un ensemble.

Je rejoins Madiha dans son bureau et j'attends qu'elle en termine avec l'une de ses étudiantes avec laquelle elle est en discussion. Comme dans les longs couloirs blancs qui longent les salles de cours, leur conversation se déroule entièrement en anglais bien que l'une comme l'autre, soient égyptiennes. Madiha enseigne la sociologie. Sa manière de s'habiller, de se coiffer et de se maquiller témoigne d'un joyeux appétit de vivre.

Elle porte le regard du professionnel sur la poussée fondamentaliste :

« Traditionnellement, les femmes vivaient séparées des hommes. Le voile représentait alors le symbole de leur ségrégation et de leur réclusion. C'est pour rompre avec cette condition qu'une femme comme Hoda Charaoui [4] a publiquement arraché son *néquab* (voile du visage) en 1923. Aujourd'hui, le retour au port du hijab (voile des cheveux) reflète en premier lieu une préoccupation religieuse. La plupart des mouhajjabates estiment qu'il s'agit là de l'authentique tenue islamique, l'islam ayant demandé à la femme de ne laisser exposés au regard que son visage et ses mains. D'autres sont amenées à se couvrir sous la pression des hommes de la famille, le père, le frère et parfois même le fils. Ce mouvement fait en effet beaucoup d'adeptes dans la jeune génération, et nombre de fils essaient de convaincre leur mère de la nécessité de se revoiler. Certaines choisissent aussi le hijab pour des raisons économiques. Parce qu'elles n'ont pas les moyens de respecter les diktats de la mode. On le voit en particulier à l'université. Le fait que nous ayons autant de problèmes socio-économiques a conduit beaucoup de gens à chercher une solution dans l'islam, les autres ayant échoué ; le socialisme arabe avec Nasser et le libéralisme avec Sadate. Le fossé entre les différentes classes sociales ne fait que se creuser ; on rencontre de plus en plus de pauvres nargués par une minorité de gens très riches. A l'école, les jeunes sont confrontés à des problèmes. A l'université encore plus. Une fois leur diplôme en poche, ils ne trouvent pas d'emploi. Quand ils en ont un, ils sont payés une misère. La vague va grandissant. Il s'agit d'un phénomène strictement urbain car c'est en ville que l'on est le plus exposé à la crise. Cela a commencé par la petite classe moyenne qui, submergée de difficultés, n'a plus les moyens de ses ambitions. Puis la classe populaire, à son tour, a été atteinte. Là, à mon sens, le hijab est devenu plus tenue nationale qu'islamique. On le porte en somme pour faire comme tout le monde.

— Pensez-vous que le développement de ce mouvement fondamentaliste constitue un danger pour les droits de la femme ?

— Oui. Je ne suis pas contre l'islam car je suis croyante et j'essaie de pratiquer dans la mesure du possible. Mais dans le fondamentalisme, il y a des distorsions. Les plus fondamentalistes par exemple sont contre le travail de la femme. Si l'apport du salaire féminin au budget familial n'était à ce point nécessaire, je suis sûre que ce courant aurait définitivement renvoyé les femmes à la maison. Le nombre des femmes à l'université se réduirait également. Actuellement, il n'a rien vraiment changé à notre situation. Les femmes portent le hijab mais continuent de travailler parce qu'elles en ont besoin. Mais on relève une infiltration de plus en plus profonde des islamistes dans la société. Dans certains endroits, une ségrégation entre hommes et femmes s'installe petit à petit, comme à l'université. Dans la vie publique, en règle générale, les femmes se mélangent moins aux hommes. Or cela n'est pas l'islam...

— Vous en tant que musulmane, que pensez-vous de l'affirmation des mouhajjabates selon laquelle le hijab est une obligation religieuse ?

— Elles ont raison. C'est un impératif mentionné dans le Coran. En l'enfreignant, je vais peut-être à l'encontre des préceptes islamiques mais des raisons pratiques ne me permettent pas de m'y soumettre. Je ne peux pas porter le hijab et me mouvoir librement ; aller et venir, monter dans les bus, marcher et courir. Avec notre émancipation, cette obligation est tombée en désuétude mais, en Islam, il est vrai qu'ainsi doit être vêtue la femme. Ceci étant dit, je pense que Dieu attend surtout de nous d'être décentes. Et ça, je le suis ! »

La question du voile de la femme fait l'objet d'un grand nombre de hadiths qui décrivent avec précision la manière dont une femme doit être vêtue. Tous s'accordent à dire que le corps de la femme dans son ensemble est *awra** (parties excitant le désir sexuel) sauf les mains et le visage. Mais certains *foukahas** vont jusqu'à estimer que ces derniers eux aussi doivent être voilés pour proscrire tout risque de *fitna** (désordre). Par contre, le Coran reste plutôt vague sur le sujet. Dans la sourate *Nour* (La Lumière) cependant, il est demandé aux femmes de « rabattre leur châle (*khimar**) sur leur poitrine » et de cacher leurs atours aux mâles non membres de la famille. C'est à cette sourate en particulier que les mouhajjabates font référence pour justifier l'obligation du hijab, l'authenticité du Coran, à la différence de celle du hadith, ne pouvant être controversée.

Maha, bien dans sa peau, bien dans son siècle

Contrairement à l'université américaine qui trône au centre de la ville, l'université d'Aïn Chems se situe à Abbassiya, sur le chemin de Masr-El-Gadida (le Nouveau-Caire), extension moderne de la capitale. Entendez par là à Perpète-les-Oies. Pour s'y rendre, il n'est pas question d'une petite marche matinale qui vivifie le sang mais d'une interminable procession capot contre capot. Bouchon flottant dans une marée d'acier, le taxi picore les kilomètres avec l'appétit d'un anorexique.

Parvenue à destination, je m'extirpe du véhicule avec le désormais inévitable pincement au cœur qui précède toute rencontre. Il faut dire que, ne sachant jamais où me mènent mes contacts un peu aléatoires, j'appréhende en permanence de me retrouver face à une véritable « folle de Dieu » comme les journaux se délectent à les présenter. Maha, dont le nom m'a été communiqué par son professeur de thèse, est assistante au département de littérature française. Au lieu de nous épuiser dans une gymnastique linguistique pour faire concorder les mots de nos dialectes respectifs, nous aurons ainsi tout le loisir de recourir à la langue de nos chers colonisateurs. C'est déjà là une angoisse en moins.

L'université d'Aïn Chems s'étend sur une large superficie. Évoluant par grappes, les étudiants qui en occupent l'enceinte offrent au regard une image de foisonnante multiplicité. Terreau privilégié sur lequel croît avec exubérance la plante islamiste, l'université condense dans son périmètre tous les profils de mouhajjabates que compte la société égyptienne. Là, un simple hijab enchâsse les contours d'un visage nu. Deux mètres plus loin, des fanfreluches incroyables transforment le même carré de tissu en support à pièce montée. Une superbe silhouette, par contre, m'arrache en mon for intérieur une exclamation admirative. Vêtue avec une extrême sobriété d'une longue jupe noire évasée qui laisse deviner un corps aux membres élancés, d'un chemisier rouge et d'une veste également noire, elle arbore un port de tête princier. Le voile qui dissimule entièrement sa chevelure tombe en plis gracieux autour de sa gorge, accentuant davantage sa prestance naturelle. Rehaussé d'un turban rouge délicatement noué, il lui confère l'aura des princesses turques de jadis. Pour avoir une aussi fière allure je suis prête à obéir à tous les commandements du bon Dieu...

D'ailleurs, ces étudiantes me paraissent autrement plus coquettes que ne le sont mes compatriotes. Rares sont celles qui se montrent sans maquillage ni mise en plis. Je comprends maintenant pourquoi, parmi les explications données par les uns et les autres sur les motivations des mouhajjabates, revenait systématiquement celle de la lassitude et de l'incapacité matérielle à aller régulièrement chez le coiffeur. Ici plus qu'ailleurs la chevelure de la femme est perçue comme « son diadème ».

Le hijab n'empêche pas les mouhajjabates d'évoluer avec autant d'aisance que leurs autres camarades auxquelles elles se mêlent avec aisance. Aucune frontière ne paraît les séparer. Il en va de même pour les relations entre les sexes, la mixité étant présente partout. De plus, il n'est pas rare d'apercevoir, un peu en retrait du plus grand nombre, des couples où la jeune fille est voilée. Hijab ou pas, les élans du cœur obéissent à leurs propres lois...

Maha m'attend en compagnie d'une amie à elle, copte. Pour une « islamiste », l'entrée en matière est pour le moins originale.

De grands yeux noisette dans un petit minois, une peau laiteuse tachetée de points de rousseur, et un sourire franc qui va droit au cœur. Son écharpe colorée ne constitue en rien une barrière à la communication. Avec ses bottes et sa jupe midi, Maha offre l'image de ce qu'elle est : une jeune fille bien dans sa peau et dans son siècle.

Fille de diplomate, Maha a passé son adolescence à voyager de pays en pays avec ses parents. Aussi sa vision du monde ne s'arrête-t-elle pas aux frontières de la société égyptienne. Ayant reçu une éducation très ouverte quoique traditionnelle, elle a effectué une partie de sa scolarité dans un lycée de la Mission française et vit entourée de copains des deux sexes. Bien que l'idée du hijab lui trotte dans la tête depuis longtemps, elle ne l'a mise en application que deux ans plus tôt : « J'ai toujours été profondément croyante même si je n'ai commencé à prier qu'à l'âge de seize ans. Je savais que le hijab était un *fard* (une obligation) mais je craignais que son port n'altère ma vie et mes relations avec mes amis. Je me disais donc : peut-être après le mariage. Ma mère l'a adopté à quarante-cinq ans mais jamais elle n'a exercé de pression sur moi pour que j'en fasse autant. Bien au contraire, mes parents se sont opposés à ma volonté, estimant que j'étais encore trop jeune. Ils craignaient surtout que je ne puisse pas, avec mon hijab, trouver de mari. J'étais très "garçon manqué". J'adore les pantalons, surtout les jeans. Je pensais que je n'allais pas pouvoir m'en passer mais, finalement, porter le hijab s'est avéré plus facile que je ne l'imaginais. Un matin, je ne sais pas ce qui s'est passé dans ma tête, j'ai senti comme un besoin de changer. L'après-midi, je me couvrais la tête. Je n'avais pas les vêtements qu'il fallait mais cela n'a pas posé de problème. J'ai continué à porter les mêmes choses qu'avant (exception faite des pantalons) avec simplement des jupes plus longues, des manches et une écharpe.

— Le fait de devenir mouhajjaba a-t-il changé quelque chose dans votre vie ?

— Je me sens en paix avec moi-même. Avant, les gens me regardaient comme n'importe quelle fille. Maintenant... c'est comme si j'étais une image de l'Islam. On fait plus attention à mon comportement, aux attitudes que j'adopte. Je dois donc davantage mesurer mes mots et mes gestes. Mieux me contrôler.

Avantage subsidiaire du hijab mais non négligeable : ne plus être « embêtée » dans la rue. « Avant c'était abominable. Les voitures qui s'arrêtent, les hommes qui nous importunent. Maintenant, j'ai vraiment la paix. Avec mes amis, j'ai gardé les mêmes relations. Mes deux meilleures amies ont eu des réactions différentes l'une de l'autre : alors que Maria l'a très bien pris — passé le premier étonnement — elle a même trouvé que cela m'allait très bien ; Selma, bien que musulmane, a commencé par avoir une attitude de rejet parce qu'elle avait très peur que je ne change.

— Ne ressentez-vous pas comme une injustice le fait de ne plus pouvoir porter ce que vous voulez ?

— Non. Le fait de ne plus offrir prise aux regards, comme lorsque par exemple je me mettais en maillot, constitue pour moi une revanche. J'en éprouve une satisfaction. D'un autre côté, à qui ai-je envie de plaire ? A mon mari. Or à la maison, je porte tout ce que j'aime ; short, mini-jupe, pantalon, etc. De son côté, mon mari, quand il voit une belle fille passer ne se retourne pas. Il me dit d'ailleurs que toutes ces mini-jupes et ces maillots ne correspondent pas vraiment à ce que veulent les hommes.

— Que pensez-vous des réformes apportées à la *Charia**, comme l'abolition de la polygamie en Tunisie par le président Bourguiba ?

— Je ne suis pas pour des réformes mais pour des *ijtihadates** dans certaines limites. On ne peut pas faire dire au texte ce qu'il ne dit pas. On n'a pas le droit d'abolir la polygamie mais n'importe quelle femme peut imposer à son mari, au moment de la conclusion de l'acte du mariage, de ne pas prendre un seconde épouse. Certes, les femmes sont souvent victimes de la mauvaise application de la Charia. Elles ignorent tout de leurs droits, faute d'instruction. Tout le problème vient de là. Il faut coûte que coûte arracher la femme à son ignorance. La première action des associations féminines devrait consister en l'organisation de campagnes d'information sur les droits qui sont reconnus à la femme par l'islam. Prenons la question du divorce. Lorsque la femme les connaît, elle peut recourir aux différents hadiths qui lui permettent de divorcer quand elle le désire. Au temps du Prophète, une femme est venue voir ce dernier pour lui dire qu'elle ne souhaitait plus continuer la vie commune avec son mari à qui elle n'avait, par ailleurs, rien à reprocher. Quand le Prophète a essayé de la raisonner, elle lui a répondu : "Je l'ai vu parmi les autres hommes : c'était le plus petit et le plus moche. Je ne l'aime plus. Je ne veux plus rester avec lui." Le Prophète a alors accédé à sa demande en lui demandant simplement de rendre à son époux ce qu'il lui avait donné comme *sdak**. Ce hadith constitue la preuve que la femme peut divorcer même sans motif sérieux... Avant de me marier, j'ai tout lu car je voulais connaître parfaitement mes droits et mes obligations. Je m'étais fiancée une première fois avec quelqu'un dont mes parents ne voulaient pas. Pour les convaincre, j'ai recouru à des arguments religieux sur base des hadiths qui m'autorisent à choisir mon conjoint et ne leur permettent pas de m'imposer quelqu'un que je n'aime pas.

— Comment avez-vous connu votre mari ?

— A la radio où j'ai travaillé un moment.

— Avant lui, aviez-vous eu d'autres relations amoureuses ?

— J'avais un ami. Nous pensions nous marier. Je l'ai connu avant de mettre le voile, et notre relation a continué après l'avoir mis.

— N'était-ce pas contradictoire ?

— Je nous considérais comme presque fiancés. Mes parents étaient au courant. Je ne faisais rien de mal. Ici le "flirt" n'a pas la même signification qu'en Europe. Il y a des limites. On se voyait, on discutait, on faisait des plans pour l'avenir mais on ne se "touchait" jamais. C'est très mal vu aussi bien chez les musulmans que chez les coptes.

— Que pensez-vous de la mixité ?

— J'y adhère complètement. Quand nous étions au Maroc (le père de Maha y a été envoyé en représentation pendant quatre ans), j'étais dans une école mixte. Puis je suis venue ici et j'ai continué mes études au Sacré-Cœur où il n'y avait que des filles. Maintenant, à l'université, je suis à nouveau avec des garçons. Je préfère cette situation. Les filles ont beaucoup trop de complexes. Avec les garçons, il y a une plus grande spontanéité. Les rapports sont plus sains. Je me suis toujours sentie mieux en compagnie des garçons que des filles. J'ai d'ailleurs beaucoup plus d'amis garçons que d'amies filles. »

L'hospitalité arabe aidant, Maha m'invite à l'accompagner chez elle pour y rencontrer les siens, sa mère en particulier dont elle porte encore parfois (à la maison) les superbes robes des années 60, ces robes qui soulignaient la taille, mettaient en valeur la poitrine et montaient au-dessus des genoux. « Les femmes, à cette époque, comme le montrent les vieux films, étaient d'apparence très libres. Mais il n'était pas question pour une fille de rester seule avec un homme pendant plus d'une minute, si elle ne voulait pas voir sa réputation irrémédiablement compromise. Ma mère a beau s'être habillée à la Marilyn, quand je suis entrée à l'université, sa première mise en garde a été : "Ne reste jamais en tête-à-tête avec un étudiant". »

A peine arrivée à son domicile, Maha s'excuse de me laisser seule un instant, afin d'aller se changer. « C'est la première chose que je fais quand je rentre ; j'enlève "l'uniforme". » Elle revient après avoir enfilé un pantalon fuseau et libéré ses cheveux. La transformation est étonnante ; plus jeune, elle a également perdu au passage un « je ne sais quoi » qui retenait le regard. Tout paradoxal que cela puisse paraître, je la trouve un peu moins jolie. Plus quelconque. Le hijab aurait-il des vertus cachées ?

Youssef et Ali, les deux frères de Maha, tous deux étudiants en médecine me sont présentés. Alors que l'aîné Youssef aura besoin de temps pour sortir de sa réserve, Ali, tout heureux de pratiquer son français, se lance dans une conversation à bâtons rompus. Ayant passé son adolescence au Maroc, il est avide de ranimer le souvenir de ces années-là, pleines de désinvolture et d'éclats de rire. La discussion, toutefois, dévie rapidement sur les motivations qui m'ont conduite à entreprendre ce voyage. Sur l'Islam et l'islamisme. Sur la foi. Sur l'intolérance. Entre-temps leur mère, Leïla, nous a rejoints. Portant le hijab à l'ancienne et une *galabiya* (djellaba) d'intérieur, il émane d'elle un détachement empreint de sagesse. Son tricot à la main, elle participe à la conversation en prenant bien soin de ne pas intervertir ses points au détour d'une phrase.

Sa décision de mettre le hijab, elle qui avait toujours aligné sa garde-robe sur les derniers modèles des magazines de mode, elle l'explique sans chercher à jouer à la brebis égarée qui retrouve enfin le droit chemin : « Mon fils a été atteint d'une méningite cérébrale extrêmement grave. Ses jours étaient en danger. Je ne savais plus quoi faire, quoi mettre dans mes prières. Je me suis alors tournée vers Dieu en lui promettant de me voiler s'il me le sauvait. Mon fils s'en est sorti et j'ai tenu parole. » Elle ajoute : « Vous savez, quand on avance en âge, l'idée de la mort se fait de plus en plus présente. »

A un moment, je me laisse aller à reconnaître que, pour ma part, je ne suis absolument pas pratiquante. Plus encore : que je ne croyais en aucun dogme religieux, la main de l'homme me paraissant présente dans tout. Malgré leur trilinguisme et leur allure très « air du temps », les deux frères me regardent avec effarement comme si, de leur vie, ils n'avaient entendu proférer pareille énormité. Leïla, quant à elle, continue tranquillement à tirer sur ses fils de laine, nullement choquée ou décontenancée par mes propos. Dans cette Égypte secouée par tant de turbulences, l'ouverture d'esprit des aînés surpasse de loin celle de la jeune génération qui, à bien des égards, s'avère en être cruellement dépourvue. Sur ces entrefaites, vient se joindre à notre petite assemblée, Magda, la voisine de palier que Maha m'avait précédemment présentée comme une véritable militante islamiste. Très jolie femme d'une trentaine d'années, Magda est médecin. Issue de l'aristocratie cairote, elle a effectué une partie de ses études en France dont elle parle d'ailleurs couramment la langue. Sa décision de porter le hijab est le fruit d'une démarche personnelle à laquelle son époux comme sa famille ont opposé la plus grande résistance. Mieux encore, c'est à Paris, loin de tous, qu'elle a réussi à sauter le pas. Et grâce à qui ? A une amie française fraîchement convertie à l'islam.

« Dans ma famille, m'explique-t-elle, les femmes sont très élégantes. Quand ils m'ont vu revenir avec le hijab, ils — surtout ma mère — ont poussé des cris d'horreur. Ma sœur, qui vit aux États-Unis, me prend pour une folle. Quant à mon mari, nous en sommes arrivés au stade du divorce. Nous avions l'habitude de beaucoup sortir et de beaucoup recevoir. Maintenant, je me refuse à participer à des réunions où l'alcool circule. Où hommes et femmes ont des attitudes qui contreviennent aux règles les plus élémentaires de l'islam. Mon mari continue sa vie comme avant, notre couple vacille mais mon obéissance aux commandements de Dieu prime sur le reste. » Discours trop lisse ? Soumission trop avidement acceptée ? « Je suis musulmane, me dit-elle. Or *mouslim* signifie soumis à Dieu. Soumise à Sa loi. Telle que Lui me la dicte ; je l'accepte et je ne la discute pas. »

Quelques jours après cette première rencontre, je lui téléphone. Un coup de fil épique dont je me souviendrai longtemps. Comme à l'accoutumée, je commence par expliquer le sens de ma démarche en insistant sur le fait que mon désir est de donner écho à différents points de vue. « Mais à l'issue de notre conversation, allez-vous vous laisser convaincre par ce que je vous aurai dit ? », me demande-t-elle de but en blanc. Un peu interloquée, je réplique qu'il est difficile de préjuger l'issue d'une conversation mais que, d'une manière ou d'une autre, je respectais ses positions aussi divergentes des miennes soient-elles, l'essentiel étant de pouvoir dialoguer. Mes dons de persuasion, ce jour-là, ont montré leurs limites quand, d'une tirade, elle me laisse sans voix : « Je sens que vous avez des convictions bien ancrées et que je ne vous ferai pas changer d'avis. Donc, il ne sert à rien de nous rencontrer. Mais mon devoir, ma sœur, est de vous mettre en garde. N'allez pas écrire des choses contre l'Islam dans votre livre car Dieu ne vous le pardonnera pas. Vous irez en enfer. Mon obligation de *dawa** me commande de vous rappeler la parole divine et d'essayer d'ouvrir votre cœur mais si vous ne voulez pas m'entendre, je ne peux rien pour vous. »

Posant le combiné, je libère le rire qui gonfle au fond de ma gorge. Mon premier contact avec une pure et dure a enfin eu lieu mais je n'en retiens qu'un incroyable goût de farce. Ainsi c'est donc ça ! Je n'ose croire que de telles méthodes puissent avoir un impact sur des gens sensés. Si tel est le cas, ce n'est pas d'un éclat de rire qu'il faut partir mais d'un éclat de rage, d'un torrent de larmes !

Maha, que je n'avais plus revue depuis, m'appelle un beau matin pour me dire que ses frères avaient été vivement intéressés par la conversation que nous avions eue et souhaitaient me revoir pour la poursuivre. N'y voyant aucun inconvénient — bien au contraire, cela m'offrait une opportunité de pénétrer un peu l'univers mental du jeune Égyptien — je lui propose de les convier à venir me rendre visite.

Dans l'après-midi, on toque à ma porte. J'ouvre ; c'est Youssef, le plus âgé des deux frères, celui dont la réserve avait mis le plus de temps à tomber la fois précédente. Ce qu'il a fait de son cadet, je l'ignore mais, pour ne pas l'embarrasser davantage, j'adopte d'entrée de jeu le ton de quelqu'un qui s'adresse à une vieille connaissance. Allant sur ses vingt-cinq ans, Youssef termine sa médecine et s'apprête à quitter le cocon rassurant de l'université pour le monde chaotique du travail.

Mis peu à peu en confiance, il m'avoue qu'il lui est très rarement donné de discuter aussi librement avec quelqu'un. Les seuls moments où il peut étancher sa soif de connaissance, il les connaît lors des voyages qu'il effectue hors d'Égypte. « Ici, nous ne parlons de rien. Nous n'abordons aucun sujet de fond.

En médecine surtout, les étudiants ne sont préoccupés que par leurs cours. Mais moi, j'étouffe. » Petit à petit, nous en venons à parler des rapports qui s'établissent entre les étudiants des deux sexes : « En faculté de médecine, le courant islamiste est très fort. Plus de 80 pour cent des filles portent le hijab. Cela affecte beaucoup les relations entre les garçons et les filles qui n'osent plus tellement se promener en couple de peur de se faire apostropher par un militant islamiste. »

Je lui demande, sans luxe de métaphore, comment les jeunes, dans un pareil contexte, parviennent à vivre leur sexualité. Un grand silence suit ma question tandis qu'une légère rougeur envahit le front de Youssef. S'étant réservé juste quelques centimètres de la surface de la chaise, son corps robuste balance dans le vide. Heureusement, comme si la profonde inspiration prise pour me répondre lui avait insufflé une énergie nouvelle, Youssef se cale sur son siège et se libère de sa gêne.

« Les problèmes de logement sont tels que les possibilités de partager un moment d'intimité sont très limités. Pour les garçons, le recours à une professionnelle demeure mais, en ce qui concerne les filles, la seule issue reste le mariage. Le célibat se prolonge pourtant très longtemps car en raison de la crise économique et immobilière, les jeunes n'ont pas les moyens matériels de se marier.

— Quand une relation amoureuse s'instaure entre deux jeunes gens, y a-t-il rapport sexuel ?

— C'est très mal vu. Si un garçon fait l'amour avec une fille, il perd toute estime pour elle, et ce n'est pas elle qu'il envisagera alors d'épouser. L'Égyptien attend de sa femme qu'elle soit vierge.

— Et toi, qu'en penses-tu ?

— Je ne pourrais pas non plus épouser une fille qui a perdu sa virginité.

— Même si elle la perd avec toi ?

— Même si elle la perd avec moi.

— Mai toi, es-tu vierge ?

— Non.

— Alors comment peux-tu exiger de l'autre ce que tu n'es plus ?

— Ce n'est pas la même chose. De toutes les manières, j'ai

décidé de ne plus "aller" avec personne jusqu'à ce que je me marie. Je n'aime pas avoir un rapport simplement par besoin physique. D'un autre côté, si une fille me plaît et que j'aie une relation sexuelle avec elle, je me l'interdis définitivement. Alors, je préfère m'abstenir. Dès que j'aurai décroché mon diplôme, je chercherai tranquillement quelqu'un qui corresponde à mes critères.

— L'amour en est-il un ?

— Non. Je veux faire un mariage fondé sur la raison et non sur les sentiments. Ceux-ci aveuglent, ils ne garantissent pas l'entente. Par contre, en gardant la tête froide et en choisissant quelqu'un ayant grandi dans un même milieu et croyant aux mêmes valeurs, on assure à son couple des bases solides.

— Attends-tu de ta femme qu'elle porte le hijab ?

— Oui. Hijab et virginité constituent à mes yeux deux conditions impératives. »

Sous sa mince pellicule d'occidentalisation symbolisée par une élite qui n'a su emprunter à l'Ouest que ses artifices, la société, dans son immense majorité, demeure profondément attachée à ses valeurs traditionnelles. L'évolution des mentalités, si elle devait par exemple être comparée à celle qui a cours dans un pays comme le Maroc, paraît s'être figée. A profil et milieu socio-économique égal, un jeune étudiant marocain ayant, comme Youssef, étudié dans des structures d'enseignement étrangères, n'oserait pas proférer un tel discours. Mais, au fond de lui-même, il y a de fortes chances pour qu'il partage les mêmes conceptions. Cependant, il aura beaucoup de mal à faire preuve d'une aussi grande sincérité de peur d'égratigner l'apparence d'émancipation qu'il soigne avec beaucoup d'attention. La nuance peut paraître mince et superficielle ; elle n'en est pas moins significative. En Égypte, avec l'expansion de l'idéologie islamiste, les hommes tombent le masque. Oui, ils la veulent vierge. Dieu l'a dit. Oui, ils veulent sa beauté protégée des regards autres que les leurs. Dieu l'a dit aussi...

Amina Saïd, éternelle passionaria

Avec sa bouille de gosse mal réveillé et son pantalon aux

coutures éclatées, il joue avec son sifflet comme d'un hochet râleur. Le feu passe au rouge. Ses bras dessinent une figure connue mais avec un flegme époustouflant, quelques voitures continuent à avancer en l'ignorant totalement. Pourtant avec le gros carnet rose qu'il tient à la main, il représente l'autorité. Il est celui qui a le pouvoir suprême d'administrer les PV ! Qu'y faire ? Même le petit âne qui galope en traînant à sa suite maître et carriole passe en lui faisant un pied de nez. Si l'on devait juger le système répressif d'un pays à l'attitude de ses agents de la circulation, l'Égypte se classerait à la tête des nations les moins policières du monde. Choisis parmi les appelés du service militaire, les siens en ont tout juste fini avec les culottes courtes qu'on leur demande d'imprimer un ordre à la circulation de l'une des plus grandes métropoles du monde. Et l'une des plus folles. Avec leur salaire de misère, ils ne peuvent même pas jouer sur l'illusion de l'uniforme car le leur tombe en lambeaux. Mais avec leur air complètement dépassé et cette dégaine si peu agressive, ils contribuent à leur manière à l'atmosphère particulière qui règne sur Le Caire ; une atmosphère de bonhomie anarchique où la parole voltige au-dessus des impasses. Rieuse ou sarcastique, sérieuse ou frivole, celle-ci s'en prend à tout et à rien, ivre d'une liberté qui fleurit dans ce désordre ubuesque comme une fleur précieuse au milieu des ronces. Du *baouab* (le portier, véritable institution en Égypte), qui tient le registre des allées et venues de chacun des locataires de l'immeuble, au petit cireur de chaussures qui vous décrit le temps d'un brossage les émois de la rue en passant par le chauffeur de taxi, fort de sa licence en sciences politiques et expliquant ce qu'il aurait fait à la place de ces imbéciles de ministres, jusqu'au journaliste dont la plume court sur tous les fronts, c'est une même boulimie de mots.

Aux étalages des kiosques à journaux et dans les librairies, l'abondance des titres démontre que ce vieux phare culturel qu'est la patrie de Taha Hussein et de Naguib Mahfouz garde encore de sa vigueur. Mais à l'heure actuelle, cette vigueur se retrouve surtout chez ceux qui vitupèrent le dévoiement de la société. Brochures, journaux, revues, livres, les maisons d'édition islamistes à la solide armature financière impriment à tour de bras. Sentant leur échapper tout un lectorat lassé par les paroles creuses des politiciens traditionnels, certains partis vont même jusqu'à ouvrir leurs colonnes à ces pourfendeurs professionnels du « Mal ». Impuissants, les laïcs assistent à l'accaparement du verbe par leurs ennemis doctrinaux sans être à même de leur opposer une véritable résistance. Ressassant de vieux concepts qui ne fonctionnent plus, ils échouent dans leur approche d'une jeunesse bardée d'amertume et avide d'une sève régénératrice.

Après avoir cherché à la joindre à de multiples reprises sans succès, je parviens enfin, ce samedi matin, à avoir Amina Saïd au bout du fil : « Pouvez-vous être au journal dans une demi-heure », me demande-t-elle d'une voix que l'on devine impérieuse. La circulation étant par bonheur plus fluide le week-end, je happe un taxi vide pour me conduire à la rédaction du journal *El Moussawar* (''L'Illustré'') où travaille encore celle qui fut en son temps une des premières femmes journalistes du monde arabe. Malgré un âge de la retraite largement dépassé, Amina Saïd n'entend toujours pas passer la main. Disciple de Hoda Charaoui, elle appartient à cette première génération de femmes égyptiennes qui ont bousculé les hommes dans leurs habitudes en leur piquant un coin de leur bureau et en leur montrant que la matière grise féminine ne s'évapore pas à l'usage comme des bulles de savon.

A l'entrée de l'imposant bâtiment qui, sous le nom de Dar El-Hilal, regroupe plusieurs titres, je dois décliner nom et profession à l'employé chargé du contrôle des identités. Marocaine ? Un large sourire éclaire son visage alors qu'il me gratifie du traditionnel « Naourti El Qahira : vous avez (par votre venue) illuminé le Caire », auquel en ma qualité de « sœur » arabe, j'ai droit régulièrement.

Je me retrouve devant un petit bout de femme à la drôle de perruque argentée et au regard perçant. A la virulence que déchaîne ma première question, je m'aperçois que j'ai vraiment toqué à la bonne adresse. Chez Amina Saïd, le discours n'emprunte pas à la rationalité sa froide distanciation. Sortant des « tripes », il explose à chaque mot, traînant dans son sillage la rage de la déception ; la déception de l'aînée qui voit le fruit du combat de sa vie menacé d'anéantissement par les illusions d'une génération en mal d'utopie. « Une régression intellectuelle, voilà ce à quoi nous faisons face aujourd'hui.

Une régression religieuse qui nous ramène aux temps de l'ignorance *(jahiliya)**. Vous pouvez être sûre qu'il s'agit là d'un coup très dur porté à la civilisation musulmane. » Flash-back sur un passé que ses mains parcheminées raniment en esquissant des gestes d'emportement : « Le jour où nous avons arraché notre voile fut notre premier pas sur la voie de l'émancipation. Des écoles dispensant un même enseignement qu'aux garçons furent ouvertes. Puis, ce furent le baccalauréat, l'université et des emplois grâce aux diplômes décrochés. Tout cela grâce à ce voile arraché ! Cinquante ans de lutte avant d'en arriver là ! Dans ma jeunesse, au cours des manifestations contre le voile, je me suis fait battre par la police, fouetter même. Toute notre vie, nous avons vécu pour cette cause, toute notre vie…

— Les mouhajjabates pour leur part, expliquent qu'elles ne font que se conformer aux prescriptions islamiques en portant le hijab et elles citent à ce propos la sourate ''Nour''.

— Vous pouvez lire le Coran, une, deux ou trois fois, vous ne trouverez pas une seule description de la tenue « islamique » féminine. Le Coran exige simplement de la femme d'être digne et décente. Au début, les femmes allaient la gorge découverte et la *aya** dont vous parlez est venue par la suite pour leur demander de se couvrir la poitrine avec leur costume traditionnel. C'est tout. Nous ne sommes pas obligées de faire ceci ou de porter cela. Le problème avec les islamistes, c'est qu'ils ne se sont pas contentés d'imposer le hijab. Ils ont commencé à décrire l'islam à travers leur optique rétrograde et à demander aux femmes de retourner à la maison. Celles-ci arrêtent de travailler pour se contenter de la cuisine, de la lessive, du repassage et d'une grossesse annuelle. Comme je m'attaque à ces femmes dans mes papiers, certaines sont venues me demander pourquoi je m'en prenais à leur désir de retourner à la maison. ''Parce que, leur ai-je dit, vous êtes des femmes stupides. Apportez-moi des garanties de Dieu si vous le pouvez qu'une fois mariée votre mari ne vous répudiera pas et ne vous jettera pas dehors avec vos enfants. Apportez-moi des garanties de Dieu que votre mari ne mourra pas et ne vous laissera pas sans rien. Sans ces garanties, comment pouvez-vous réfléchir de la sorte ? Votre arrière-arrière-grand-mère était une esclave et maintenant l'esclavage vous remonte du fond des tripes. Vous voulez redevenir des esclaves ? Eh bien, vous l'êtes à nouveau puisque vous devez aller chez votre mari pour lui demander : "S'il te plaît, donne-moi de l'argent" et qu'il peut vous répondre "Va au diable". Que signifie l'indépendance, l'émancipation ? C'est d'abord être libre économiquement. Mais elles sont malades, elles ne peuvent pas comprendre ! »

S'arrêtant un instant pour reprendre son souffle, Amina Saïd, toute à sa colère, repart de plus belle :

« La dernière fois, il y avait une émission à la TV. Quand j'ai écouté ce qui s'y disait, j'ai failli casser le poste. Ils avaient réuni une quinzaine de femmes qui toutes affirmaient ne pas vouloir participer aux frais du ménage sous prétexte que leur salaire leur appartenait et que c'était à l'homme seul de tout assumer. J'ai été mariée à un homme très fortuné. Le jour où j'ai touché mon premier salaire, j'ai été vers lui et je lui en ai donné la moitié. Il m'a regardé avec stupeur en me demandant ce que c'était. "Ma participation", lui ai-je répondu. Il a commencé par rire : "Es-tu malade ? Que veux-tu que je fasse avec trois livres ? — C'est tout ce que je possède aujourd'hui mais je veux le partager avec toi, ai-je insisté. Ne m'ôte pas la possibilité de me respecter et de me faire demain respecter par mes enfants." De trois livres, mon salaire est devenu, par décret du président de la République, le plus haut salaire de l'État. Ma vie durant, j'en ai consacré la moitié à ma famille.

— Comment expliquez-vous la séduction exercée par le discours fondamentaliste sur les jeunes et sur les femmes en particulier ?

— Vous savez, quand vous avez été très malade, il vous arrive d'aller mieux puis de rechuter. Ceci est une rechute de notre civilisation. Elles écoutent des chefs religieux stupides qui ne connaissent rien à l'islam. L'islam donne beaucoup à la femme ; de droits, de respect, de dignité pour qui le comprend correctement. Pas comme ces imbéciles qui disent que les femmes qui travaillent sont haïssables. Je suis justement en train d'écrire contre eux dans l'article que vous voyez là. Je me fiche de leur réaction. Ils peuvent venir me tuer s'ils veulent.

— Recevez-vous du courrier venant de chez eux ?

— Oui, ils me traitent de prostituée, d'hérétique. Ils affirment vouloir m'ouvrir le ventre et jeter mes entrailles aux chiens dans la rue. Parfois, ils l'écrivent en lettres de sang. Mais je ne me suis jamais tue, je n'ai jamais faibli parce que, moi, j'ai une mission. Je méprise ces femmes d'aujourd'hui. Je méprise les jeunes filles du monde arabe. Parce qu'elles n'ont rien. Elles n'ont aucun orgueil. Vous savez ce que c'est une ''mission'' : *Rissala* (message). Chacun dans la vie doit en avoir une. Je souhaite à ces femmes qui agissent de la sorte d'être mises à la porte de chez elles. Pour être punies. Pour comprendre les dommages qu'elles causent à la société en véhiculant une telle conception de la femme. Dans tous les pays arabes, les femmes dorment. Elles sont comme mortes. Il faut absolument qu'elles ouvrent les yeux, qu'elles reviennent à la vie. Si une telle mentalité continue à se développer, dites adieu au monde musulman. »

Sur ces dernières paroles, Amina Saïd se lève alors que mille questions se bousculent sur mes lèvres. L'écouter parler, c'est plonger dans une époque révolue où la limpidité des enjeux protégeait du dard du doute. Mettre fin à la claustration des femmes, imposer le droit à l'instruction et réclamer leur participation à la vie tant économique que politique constitue un programme qui remplit une vie dans le moindre de ses interstices. Quand on sait la réalité sur laquelle Amina Saïd a ouvert les yeux et que l'on mesure le chemin parcouru jusqu'à la nôtre, la légitimité de son emportement est évidente.

Comment voudrait-on qu'elle puisse comprendre le désarroi d'une génération qui, bien que n'ayant pas eu à lutter pour les droits fondamentaux dont elle jouit aujourd'hui n'en connaît pas moins des problèmes dont la complexité désoriente. Établissant un parallèle entre les comportements, Amina Saïd redoute que l'Histoire, fausse amie, ne fasse une traîtresse marche arrière. Symbole au début du siècle de la claustration des femmes, le voile a été arraché pour bien marquer la volonté de celles-ci d'y mettre fin. Revendiquer le hijab, si l'on part du même principe, signifierait le processus inverse, le retour à la case départ. Pour Amina Saïd, il n'est pas d'autres interprétations. Même si la nature du voile diffère (le hijab ne cache que les cheveux alors que le voile traditionnel [niquab] dissimule également les traits). Même si l'instruction et l'incrustation des femmes dans les différentes sphères d'activité paraissent de nos jours un processus difficilement réversible...

Sur l'un des murs de son bureau, un portrait de femme occupe la place d'honneur : celui de Hoda Charaoui, âgée et les cheveux recouverts d'un hijab. J'interroge Amina Saïd sur cette image peu commune de celle qui personnifie la lutte des femmes égyptiennes. « C'est parce qu'elle était vieille », me répond-elle. Des photos montrant Hoda Sharaoui dans l'éclat de sa jeunesse en robe d'époque sont répertoriées dans de nombreux ouvrages, mais Amina Saïd a, pour des raisons qui sont les siennes, préféré celle-ci. Un choix inattendu qui rappelle que rien, jamais, n'est aussi simple qu'il n'y paraît à première vue.

Après avoir, à regret, pris congé d'elle, je m'apprête lentement à regagner la sortie quand, en chemin, je croise une jeune femme, enceinte à n'en plus pouvoir, qui porte un hijab des plus classiques. Comme elle paraît faire partie de la maison et que son air avenant m'y engage, je l'accoste en lui expliquant mon propos. « Bien sûr, me répond-elle sans hésitation. Venez, on va aller s'installer dans mon bureau. Mon collègue ne va pas tarder à partir. »

En attendant de nous retrouver seules, Nadia — c'est son nom — me présente aux journalistes qui, curieux de voir une figure nouvelle, passent une tête dans le bureau l'un après l'autre.

Bien qu'évoluant dans un milieu à majorité masculine, Nadia établit avec ses collègues des rapports très décontractés, son hijab n'entravant en rien son allant. Avant de mettre en marche mon magnétophone, il me faut me soumettre au rituel du thé. Dans toutes les administrations, petites ou grandes, un préposé au thé n'a d'autre fonction que de remplir et de débarrasser les verres des membres de la maison et de leurs (nombreux) visiteurs.

Avant de lui poser des questions directement personnelles, je relate à Nadia mon entretien avec Amina Saïd et sa colère contre les femmes qui, influencées par les islamistes, abandonnent leur travail pour retourner à la maison.

« Amina Saïd oublie simplement une chose ; les raisons qui

amènent les femmes à opter pour un tel choix. Quand on les analyse, on s'aperçoit très vite que la responsabilité de cette situation en revient à l'État, à l'homme et aux conditions sociales existantes. Une femme qui dit "Je veux retourner à la maison" est une femme qui s'est épuisée psychiquement et physiquement entre la maison et son emploi. Certaines, lorsqu'elles ont des enfants en bas âge, commencent leur journée à cinq heures du matin pour ne la terminer que tard dans la nuit. Avant de se rendre à leur travail, il leur faut parfois prendre deux bus pour accompagner l'enfant chez leur mère, les rares garderies existantes étant bondées ou excessivement chères, puis courir à nouveau le soir dans l'autre sens pour le récupérer. A cela, bien sûr, viennent s'ajouter la cuisine et les tâches ménagères pour lesquelles il ne faut espérer aucune aide du mari. Comment voulez-vous que, dans des conditions pareilles, elles ne craquent pas ? Surtout que l'argent ainsi gagné se volatilise, sitôt perçu, dans les frais du transport et les dépenses du foyer. Ces femmes ne rejettent pas le travail en tant que tel mais ce qu'il leur coûte d'efforts sans compensation.

D'un autre côté, l'homme désire le retour de la femme à la maison car il déteste l'indépendance qu'octroie à celle-ci le fait de travailler. Avant, une femme pouvait vivre pendant trente ou quarante ans à ses côtés sans que jamais il prenne en compte ses sentiments ou sa sensibilité. Aujourd'hui, c'est de moins en moins le cas. A partir du moment où une femme s'assume financièrement, elle n'a plus besoin d'un homme pour la nourrir mais d'un homme pour l'aimer. S'il ne lui donne pas suffisamment d'amour, elle a les moyens de lui dire : "Je ne veux plus de toi". Or ça, il le ressent comme une atteinte à sa virilité chérie. Le troisième facteur dont on doit tenir compte est la politique de l'État, qui considère les femmes comme un troupeau de chèvres que l'on rentre ou que l'on sort au gré de l'humeur et du temps. Les hommes sont partis à l'armée, on sort la femme et des chansons sont composées en l'honneur de son travail. La crise éclate ; on lui met tout sur le dos et on veut la renvoyer à ses fourneaux. Tout cela finit par créer une confusion dans son esprit que les réactionnaires de tout poil auront à cœur d'exploiter...

— ... Et les religieux qui, dans leurs prônes ou dans leurs

publications, combattent le travail féminin, au nom de l'islam, que pensez-vous de leur attitude ?

— Moi, Nadia Kilani, journaliste à la revue *Awa* (''Eve''), je soutiens que ces cheikhs suivent les directives de l'État et sont à son service. Quand l'État a besoin que la femme reste à la maison, ils lui concoctent une *fetwa** allant dans ce sens. Pour le cas inverse, ils procèdent de même.

— Mais il est une argumentation religieuse selon laquelle, la première fonction de la femme étant d'être mère, elle ne doit travailler qu'en cas de réelle nécessité (*daroura**). Que ce droit ne lui revient pas au même titre qu'à l'homme...

— Je partage ce point de vue mais encore faut-il s'entendre sur la notion de *daroura*. A mon sens, il n'y a pas que la nécessité matérielle. Il y a également la nécessité psychologique, sociale, etc. Une femme écrivain par exemple a un besoin vital d'écrire. A mon avis, s'il s'agit d'un emploi dont l'apport n'est que financier, un homme doit avoir la priorité car c'est à lui que revient la responsabilité d'entretenir sa famille. Par contre, pour ce qui est d'un travail intellectuel, d'un travail dont dépend l'épanouissement de l'individu, alors la femme doit y avoir autant accès que l'homme.

— Si, demain, on décide au nom de la crise de donner votre poste à un homme, quelle sera votre attitude ?

— Si l'État m'y contraint par la force, je serai obligée de me soumettre. S'il me laisse la possibilité de choisir, jamais je n'accepterai une telle proposition. Je voudrais à ce sujet préciser un point. Vouloir retourner à la maison n'a rien à voir avec le fait de porter le hijab. Celui-ci, d'ailleurs, est le signe par excellence que la femme évolue à l'extérieur de chez elle ; si elle demeurait cloîtrée, elle n'aurait aucune raison de se couvrir ainsi. Il n'y a non plus aucune relation entre le hijab et le niveau intellectuel. Je suis instruite, j'ai décroché mes diplômes universitaires et j'exerce une profession où je suis amenée à sortir à n'importe quelle heure, à me mêler aux hommes et à discuter avec eux. Une profession fondée sur l'effort de réflexion. A aucun moment, le hijab n'a constitué pour moi un handicap. Bien au contraire, il m'a débarrassée de beaucoup de contraintes et m'a permis ainsi de me consacrer à l'essentiel. Je me suis libérée de l'intérêt que je pouvais porter à ma petite personne, à mes jambes, à mes cheveux, etc., ce qui me rend plus disponible vis-à-vis des autres et de mon travail.

— Pourquoi portez-vous alors le hijab ?

— Pourquoi ne le porterais-je pas ? Ce qui est extraordinaire, c'est que jamais il ne viendrait à l'idée d'aller questionner une femme *safira* sur les raisons de sa tenue vestimentaire. Si moi, *mouhajjaba*, je m'amusais à lui poser une telle question, elle se sentirait agressée et me répondrait : ''Ça ne te regarde pas. J'ai le droit de m'habiller comme je veux'', ce en quoi elle aurait raison. Il s'agit donc d'une question de liberté individuelle qui doit être reconnue à l'une comme à l'autre.

Je suis convaincue, pour ma part, que Dieu nous a ordonné de porter le hijab. Mon interprétation des versets coraniques est peut-être fausse, auquel cas je ne perds rien malgré tout. Par contre, la femme safira, si elle se trompe, se rend coupable devant Dieu parce qu'elle Lui aura désobéi.

Tout a un sens. Peut-on nier par exemple que l'Égyptien (je ne parle pas de l'Européen qui, lui, n'est pas privé de femmes) est obsédé par le corps féminin ? Il suffit de voir comment il lorgne les pieds, les bras, les cheveux, tout ce que Dieu nous impose de couvrir. Il existe une attraction naturelle entre l'homme et la femme. Le rôle du hijab est de la réduire afin d'empêcher des relations charnelles en dehors des liens du mariage, relations hautement proscrites par l'islam. »

Au cours de la conversation, Nadia confesse à quel point le hijab convient à son naturel très pudique. « Je me rappelle que, petite déjà, je détestais me découvrir. Un jour — je devais avoir douze ans — ma mère m'envoya chez la couturière pour me faire prendre les mesures d'une robe dont elle était convenue avec elle du modèle. Un modèle aux bras nus. En raison de ce détail, je n'ai pas voulu en entendre parler. Prise entre mon refus et la volonté de ma mère, la couturière a contourné la difficulté en concevant une robe à bretelles portable avec une veste à manches longues. Quand autour de moi, je voyais des femmes légèrement vêtues, je me sentais bizarrement gênée. Aussi lorsqu'en grandissant, j'ai appris que la religion imposait le hijab à la femme, j'ai obéi avec plaisir. »

Safinaz Kazem : après Nasser, Khomeiny

Il n'était pas un jour que l'on ne me citât son nom. Dès que je m'enquérais des personnalités islamistes féminines à rencontrer, on me répondait : Safinaz Kazem. Immanquablement. Critique de théâtre formée dans les universités américaines, Safinaz Kazem doit en partie sa renommée au fait de s'être « convertie » à l'islamisme radical après avoir longtemps été considérée comme une marxiste convaincue dont les brûlots lui valaient des séjours réguliers derrière les barreaux. Aujourd'hui, sanglée dans son hijab comme dans une camisole de force, elle poursuit, tel un inquisiteur médiéval, les marques que Satan (d'après elle) imprime à une société en déliquescence. Attention, elle « mord » m'a-t-on averti. Prévenue, je l'étais donc amplement avant de me retrouver face à elle...

Son domicile est situé dans le quartier éloigné d'Abbassya, je me dois donc à nouveau d'entreprendre une longue randonnée en taxi. Mais mes nerfs, ayant compris, par instinct de conservation la nécessité de l'hibernation, je me coule, comme les Égyptiens, dans une enveloppe de passivité, imparable écran au chaos ambiant. A un moment donné, les voitures sont complètement prises dans un goulot d'étranglement. Le chauffeur éteint alors d'un geste tranquille le contact du véhicule, change la cassette de Coran en marche contre un enregistrement des derniers tubes pop de la saison et, après avoir fait tourner son paquet de cigarettes à la ronde, s'engage à son tour dans la conversation qui, du fait de ma présence, tourne bien entendu autour de la question islamiste : « Nous ne devons nous en prendre qu'à nous-mêmes d'en être arrivés à une situation aussi catastrophique ! Tant que les musulmans s'accrochaient à leur foi et la défendaient haut et fort, les portes du monde restaient grandes ouvertes devant eux. Mais dès que le matérialisme a détourné leur cœur, Dieu a cessé de les combler de Ses bienfaits. Pour nous en sortir, pour reconquérir la place qui a toujours été la nôtre, il n'y a pas d'autre issue que le retour au véritable islam. » Mais notre véhément orateur, sa belle tirade achevée, se préoccupe davantage de redémarrer pour tenter de se dégager de l'embouteillage que de nous éclairer sur sa solution miracle. Mégaphone dans une main et feuillets imprimés de versets coraniques dans l'autre, un prédicateur fait, lui, une quête en circulant entre les voitures comme s'il évoluait en pleine place du marché. Avec une telle enquête, l'avantage est que, même bloquée à l'intérieur d'une voiture, je ne me sente jamais hors sujet !

L'immeuble où loge Safinaz souffre terriblement des stigmates du temps, à l'image du parc immobilier cairote dans son ensemble. Beaucoup d'architectes du début du siècle doivent se retourner dans leurs tombes si, de là où ils sont, il leur est donné de voir à quoi sont réduites les constructions qu'ils ont amoureusement conçues. Peu soucieux d'entretenir des immeubles dont les appartements, aux loyers bloqués, ne rapportent plus que des broutilles, les propriétaires ne font aucun effort pour empêcher le délabrement progressif des lieux. Tâtonnant dans l'obscurité à la recherche d'une improbable minuterie, je monte cinq étages en écarquillant les yeux sur la plaque de chaque porte, ma précipitation habituelle m'ayant fait omettre de noter le numéro de l'appartement...

Quand, après avoir au passage dérangé une ou deux personnes, monté et redescendu les escaliers, je trouve enfin celui-ci, j'ai le souffle court et le sourire crispé. Une femme à la forte stature me reçoit. C'est Safinaz. Après le portrait toutes griffes dehors que l'on m'en a tracé, je suis surprise de découvrir quelqu'un à l'abord, somme toute, sympathique...

Dans la pièce où elle m'introduit, les murs sont tapissés de photos dont l'hétérogénéité à elle seule traduit l'itinéraire mouvementé de mon hôtesse. Là, un portrait de Khomeiny sur une affiche à la gloire de la révolution iranienne situe d'emblée le sens de ses sympathies actuelles. Des coupures de journaux reproduisant le visage de militants islamistes condamnés par la justice égyptienne sont épinglés à côté du traditionnel tableau de la Kaaba à l'heure du pèlerinage. Mais sur les étagères, dans un cadre posé bien en évidence, une jeune femme, boucles au vent et sac sur le dos, sourit à pleines dents en levant le pouce ; on reconnaît Safinaz, dans l'éclat de sa jeunesse. Ou encore la voilà dans la toge noire des diplômés anglo-saxons. Une fillette aux cheveux bien lustrés pose avec coquetterie dans sa jolie robe à plis devant l'objectif. Serait-ce cette adolescente qui, la tête engoncée dans une espèce de sac blanc vient nous porter le thé ? Safinaz me l'ayant présentée comme sa fille, j'en déduis qu'il s'agit en effet de la même personne mais ce jeu des contrastes auquel je me livre en posant un regard ici et un regard là est saisissant.

Après m'avoir demandé qui m'avait parlé d'elle et ce qu'on m'en avait dit, Safinaz entreprend tout d'abord de rectifier les informations recueillies à son sujet. Non, elle n'a jamais été marxiste. Oui, elle a toujours été au fond de son cœur une fervente croyante, et son évolution actuelle n'a en cela rien de surprenant.

Née en 1937 à Alexandrie, Safinaz décroche son diplôme de journalisme à l'université du Caire en 1959 avant de se rendre aux États-Unis pour préparer un *master degree* en critique théâtrale. Revenue au Caire après six ans d'absence au cours desquels elle voyage beaucoup, elle reprend une carrière journalistique déjà entamée avant son départ. Bien que centrés en théorie sur le domaine culturel, ses écrits lui valent rapidement d'être, sous la présidence d'Anouar el-Sadate, étiquetée de communiste. « J'avais l'habitude d'exprimer haut et fort mes points de vue et d'être pour les opprimés contre les oppresseurs. Or, aux yeux du pouvoir, ce langage n'appartenait qu'aux communistes et aux gauchistes. Je n'ai jamais été affiliée à aucun parti. S'il faut absolument me définir, je dirai que j'étais une ''socialiste arabe''. Pas une marxiste. Mais ces derniers, parce que j'étais connue, avaient intérêt à laisser courir ce bruit. Tout comme les autorités qui pouvaient ainsi plus facilement m'appréhender. »

En 1971, voyant que les arrestations ne produisaient pas l'effet escompté, on lui interdit de continuer à écrire et à publier des nouvelles. Pendant douze ans, Safinaz est ainsi privée de son droit à l'expression. Une période noire s'amorce dans sa vie. En 1972, déprimée par cette situation, elle décide d'aller en pèlerinage à La Mecque. « J'avais besoin de déterminer ma véritable identité. Mon apparence libertaire était en contradiction avec mon fond intérieur profondément croyant. Ce dernier l'emporta. Je mis le hijab et je retournai en Égypte, décidée à combattre toutes les manifestations de Satan. A Youssef Sebai, alors à la tête de Dar El Hilal qui, à mon retour voulut se gausser de moi en me disant ''J'espère que le *Hadj** vous a rendue plus sage'', j'ai répondu : ''Je suis plus sage parce que plus musulmane mais plus révolutionnaire aussi parce que l'islam est la plus révolutionnaire des religions''. »

Dans la même foulée, elle rencontre Fouad Nejm, poète marxisant dont les poèmes chantés par Cheikh Imam accompagnent la contestation de la jeunesse militante du monde arabe. Cinq jours plus tard, elle l'épouse, malgré la désinvolture affichée par celui-ci à l'égard du dogme religieux. Venant après sa toute neuve décision de porter le hijab, l'acte de Safinaz ne manque pas de panache et achève d'embrouiller l'image déjà peu orthodoxe du personnage. « Quand il m'a demandé de l'épouser, j'ai accepté, non pas par amour mais par respect pour son courage. Il était la première voix dans le domaine de l'art à s'élever contre la torture et l'injustice qui sévissaient autour de nous. Par ce mariage, j'ai pensé l'épauler dans son action et mettre mes mains dans les siennes pour lutter ensemble contre les ignominies du pouvoir. Je voulais aussi que l'islam le gagne à sa cause tout en étant parfaitement consciente de ses handicaps. Je savais qu'il n'était pas pratiquant mais il connaissait le Coran pour l'avoir étudié. De plus, il n'était pas non plus communiste, comme la rumeur le laissait entendre. »

Leur union ne dura que quatre ans. La dernière année, obligée de s'exiler en Irak pour subvenir aux besoins du couple, Safinaz apprend que son mari a pris une seconde épouse, la chanteuse Azza Balbah. Elle demande le divorce et l'obtient. « C'était très bien qu'il se soit remarié plutôt que de commettre la *zina**. Mais l'islam ne reconnaît à l'homme le droit à la polygamie que si ce dernier a les moyens d'entretenir ses épouses. Ce n'était pas du tout le cas de Fouad. »

En 1980 elle retourne définitivement en Égypte mais se fait à nouveau emprisonner en 1981. « J'étais sur leur liste noire. Chaque fois qu'ils avaient besoin de faire un exemple, ils me prenaient pour cible. Durant mon séjour en Irak, j'avais exprimé ma condamnation des accords de Camp David. Peut-être était-ce ça la raison. » Après la mort de Sadate, elle est relâchée au moment de la vague de libération des islamistes par le nouveau président égyptien, Hosni Moubarak, puis autorisée, après douze ans d'interdiction, à écrire à nouveau, mais uniquement des articles culturels. Elle réintègre son ancienne rédaction du journal

El Moussawar sans toutefois voir reconnus ses droits d'ancienneté. « J'ai dû redémarrer comme une débutante, alors que je suis dans le métier depuis trente ans. »

Rejet de l'Occident en ce qu'il a, par le biais de sa culture et de ses idéologies, poursuivi une politique de colonisation des esprits dont sa génération fut dit-elle longtemps victime, et souci de retremper chaque concept au feu du Coran, telle est la trame sur laquelle Safinaz va développer son argumentation du début jusqu'à la fin de l'entretien. Tout en affichant sur certains sujets (polygamie, rapports homme/femme) une vision des plus rétrogrades, elle adopte sur d'autres (participation de la femme à la vie publique) une interprétation ménageant une très large liberté d'action. A ses yeux, une femme, tout comme un homme, a le droit de s'instruire, de travailler et de participer aux affaires publiques. « Certes, reconnaît-elle, dans notre histoire, des erreurs ont été commises : les femmes ont été privées pendant longtemps de ces droits-là et réduites à l'ignorance. Mais c'était une atteinte aux règles fondamentales de l'islam selon lesquelles tout musulman, homme comme femme, doit avoir accès à l'instruction. Mais cette discrimination n'affectait pas que les femmes. Elle s'exerçait également contre les paysans et les classes populaires. » Évoquant le temps mythique du Prophète, elle rappelle que des femmes comme Aïcha (une des femmes de Mahomet) était consultée sur des points de théologie par les hommes eux-mêmes. Je l'interroge sur l'élection de Bénazir Bhutto ; elle se dit plus opposée à la personne qu'au principe de son élection. « Beaucoup de femmes musulmanes ont occupé dans le passé des fonctions de pouvoir. Bénazir n'est que Premier ministre. Elle ne détient pas seule le pouvoir car elle est contrôlée par d'autres institutions comme le Parlement et le président de la République.

— Mais une femme pourrait-elle être reine par exemple ?

— Il existe un hadith disant que "le peuple qui confie ses affaires à une femme va à sa perte" mais ce n'est pas *haram**. Dans le Coran, il est fait mention de Belkis, la reine de Saba sans qu'aucun commentaire négatif y soit accolé. Et puis il y a eu *Chajarat el Dorr*[5]. » Je m'engouffre donc à travers cette porte dont elle fait elle-même sauter la serrure, je lui cite, en lui demandant son point de vue, le travail de recherche effectué par la Marocaine Fatima Mernissi sur ce même hadith dans son ouvrage *Le Harem politique* et sa thèse selon laquelle ce sont les hommes bien plus que les textes qui, par leurs interprétations misogynes, ont tenu les femmes écartées du pouvoir. Mais apprenant que Fatima Mernissi est laïque, elle me rétorque vivement :

« C'est un point de vue possible, mais je ne l'accepte pas d'une *secularist* (laïque). Avant d'être autorisé à discuter de questions aussi importantes en islam, il faut d'abord se soumettre totalement à ses commandements. Certes, il peut y avoir une tendance masculine à interpréter certains hadiths contre les femmes. Une tendance inconsciente. Mais ce sont ces femmes séculières qui vont "toutes nues", mangent du porc, boivent de l'alcool et ne respectent pas les préceptes islamiques qui en sont la cause car, par leurs comportements, elles justifient ce type d'interprétations. »

Autre sujet dont bien des islamistes font en Égypte leur cheval de bataille : la mixité. Je constate encore une fois combien, en comparaison, sa lecture des textes laisse de marge de manœuvre : « Ce que l'islam interdit catégoriquement, c'est *el khalwa** : le fait pour une femme de se retrouver seule avec un homme qui lui est étranger dans un endroit fermé et inaccessible aux autres. Mais en dehors de cela, dans les lieux publics ou dans un endroit où n'importe qui peut accéder à n'importe quel moment, rien ne proscrit la mixité tant que les convenances sont respectées. »

— Concevez-vous l'amitié entre un homme et une femme ?

— Bien sûr mais, en Islam, nous ne parlons pas d'"amis" mais de "frères". Quand vous utilisez le terme occidental d'"ami", il sous-entend le fait de se toucher, de s'embrasser, de se serrer les mains. Par contre, celui de "frère" signifie uniquement un échange d'idées et de savoir dans la compréhension des limites islamiques. Sur la base de cette interprétation, j'ai pour ma part beaucoup de "frères" que je respecte et dont je tire grand profit car vous savez, à mon niveau intellectuel, il n'y a pas beaucoup de femmes susceptibles de m'apprendre quelque chose. »

Quelle que soit sa longueur, le voile qui lui emmitoufle le corps n'entrave guère Safinaz dans ses mouvements. Très présente par ses écrits et sa forte personnalité, elle occupe largement cet espace public sur lequel elle se reconnaît autant de prérogatives qu'un homme. Mais par ailleurs, cette même femme n'hésite absolument pas à soutenir que l'« émotivité » de la femme justifie certaines inégalités par rapport à l'autre sexe en matière de divorce, de témoignage ou d'accès à des fonctions requérant un grand contrôle de soi. Plus encore elle ne voit aucune injustice dans la polygamie. L'homme peut épouser quatre femmes car lui peut aimer plusieurs personnes à la fois. La femme, elle, en serait incapable ! « La femme a le privilège de porter les enfants. Elle ne peut pas avoir quatre hommes ; cela irait à l'encontre de son honneur. Imaginez la cruauté de sa situation si elle avait à subir les assauts sexuels de quatre maris. Ce serait une offense pour elle. »

Pour être islamiste, on n'en est pas moins femme...

Sur le chemin de ma pension, je passe chaque matin devant une petite cabane. Posée à même le trottoir, elle trône, arrogante de misère au milieu d'une rue aux allures de bourgeoise fanée. Sous cette superposition de tôles ondulées vit un être irréel. Vieux, vieux, vieux à faire frémir la vieillesse, il appartient déjà par le regard vide qui s'échappe de ses orbites au royaume des ombres. Chaque matin, il se traîne hors du trou qui lui sert de couche, livre son corps décharné à la caresse tendre du soleil hivernal comme à une dernière jouissance avant le grand sommeil puis, cet amant parti, se retire à son tour sous ses cartons. Deux gamelles, une pour remplir ses entrailles, l'autre pour les vider, meublent, cocasses compagnes, son décor. Qui le nourrit, qui le visite ? Mystère. Peut-être les voisins. Peut-être un parent, mais je ne l'ai toujours vu que solitaire, ombre d'homme que la vie a déserté.

Ce matin, la porte de sa cabane est encore close. Heureuse de ne pas démarrer la journée sur la vision de sa poignante solitude, j'allonge le pas en profitant de la relative tranquillité d'une ville qui sommeille encore. Le Caire, noctambule invétérée, a le réveil lent des amoureux de la nuit. Mais dans la luminosité de l'air que les échappées de gaz carbonique n'ont pas encore alourdi, l'œil se repaît d'images insolites et fugaces telle celle de cette famille dont les personnages pénètrent un à un mon champ de vision. Devant la devanture d'un magasin de mode où sont exposées des tenues affriolantes dont raffolent les Égyptiennes, je remarque le regard un peu perdu d'une adolescente dont le hijab implacable tombant jusqu'à la ceinture, à la manière des vraies militantes islamistes, offre un amusant contraste avec le frou-frou des modèles présentés. Emboîtant le pas à un compagnon que l'on imagine sans peine être un parent, elle se dirige en sa compagnie vers un couple à l'allure identique mais d'un âge avancé. Mon regard les suit, distrait, quand, arrêté sur ces derniers, il saisit un geste d'une fulgurante tendresse ; avec sa barbe à lui, son voile à elle et leur paquet de rides à tous deux, cet homme et cette femme, bien installés dans la cinquantaine, se tiennent par les mains, les doigts étroitement entrelacés comme des amoureux transis qui tremblent à l'idée de se perdre. Traversant l'avenue avec précaution, ils s'éloignent de ma vue en trottinant, me laissant rêveuse devant cette personnalité égyptienne débordante de sentimentalité mais capable dans un même temps d'une rigidité extrême. Parvenue avec une bonne demi-heure d'avance au salon de thé de l'hôtel Hilton, où une rencontre avec la rédactrice en chef d'un magazine pour « mouhajjabates » a été organisée, je m'installe dans un fauteuil face à la baie vitrée pour jouir d'un panorama superbe avec le Nil au premier plan. Que Le Caire appréhendé sous cet angle paraît serein ! De petits vieux qui s'éteignent au milieu des détritus, des enfants morveux, le visage mangé par les mouches, le sourire tiré jusqu'aux oreilles du serveur dit que tout cela n'est que séquences ratées à couper du montage final tandis que la couperose et le ventre bedonnant d'un Allemand, ravi de porter un short hawaïen en plein mois de janvier, approuvent : « Un petit nuage de lait, s'il vous plaît ».

Anaka oua hichma (raffinement et pudeur), le mensuel en question dont j'attends la responsable est une authentique revue de mode, rappelant pour qui l'ignorerait qu'obéir à Dieu ne signifie pas (pour certaines) renoncer à son « élégance ». Les pages en papier glacé que je tourne en ouvrant chaque fois les yeux un peu plus grands l'attestent amplement. Il m'était déjà arrivé de demeurer perplexe devant certains modèles exposés dans les magasins spécialisés pour mouhajjabates tant, leur longueur mise à part, ils ne se distinguaient guère par leur sobriété mais ceux dont les photos s'étalent sous mes yeux déchaînent en moi un fou rire que j'ai grand mal à réprimer. De la tenue de ville à la robe de soirée perlée en passant par la robe d'intérieur, le jogging et — il ne s'agit pas d'un plaisanterie — le maillot de bain, rien ne manque à la panoplie de la parfaite mouhajjaba !

Les assemblages les plus invraisemblables combinant voile, chapeau, jupe écossaise ou pantalon à plis sont présentés par deux mannequins qui posent à tour de rôle dans le cadre approprié au vêtement porté. Ainsi la mouhajjaba sportive est-elle photographiée, une raquette à la main, sur un court de tennis dans un jogging rose fushia, les cheveux ceints d'un hijab rose pâle sur lequel vient se superposer une casquette grand look sans oublier l'indispensable paire de lunettes aux verres fumés. Quant au maillot de bain, c'est un pur bijou de créativité ! Se composant de deux pièces, il associe une combinaison rappelant celles de la plongée sous-marine à une robe dont la jupe plissée tombe sur le genou. La légende de la photo précise que la matière employée ne se déforme pas au contact de l'eau mais elle ne dit pas si elle permet de se mouvoir. Et de remonter à la surface ! Je suis toute à ma découverte de la « haute couture » islamiste quand me rejoint Kariman, la conceptrice de la ligne et du magazine. Malicieusement, je lui demande si tel modèle de robe qui dévoile à moitié les mollets ne contrevient pas aux règles islamiques. « Non, puisqu'ils sont couverts par des bas », me répond-elle sans se démonter. « Et le maquillage des mannequins ? » Justement, il ne pose pas de problème puisqu'il ne s'agit que de mannequins. Ne cherchant pas trop à creuser le sens d'une logique qui m'échappe, je poursuis : « Mais la fonction du hijab n'est-elle pas de permettre à la femme de se mouvoir dans la discrétion et d'atténuer sa beauté naturelle au lieu, comme le font vos modèles, de mettre celle-ci en relief et d'attirer sur elle l'attention ?

— Si, à l'endroit où nous sommes assises, un homme déguenillé passe, il va retenir l'attention, n'est-ce pas ? Tout peut retenir l'attention. L'Islam, lui, la retient par la pureté, le raffinement, la beauté... Le Prophète a dit : "Dieu est beau et

Il aime la beauté''. La beauté n'est pas proscrite en Islam. C'est *el fitna* qui est condamnable.

— Mais qu'est-ce que *el fitna* ?

— *El fitna* est la perturbation provoquée chez un homme par la vue de la *awra* de la femme. La *awra* est tout ce qui, chez celle-ci, éveille le désir sexuel. Le corps féminin est considéré comme étant entièrement « awra », à l'exclusion du visage et des mains. On estime par exemple que les cheveux sont *manat el fitna* (éléments de fitna). A partir du moment où la partie *awra* est cachée, rien n'empêche une femme d'être belle car l'islam ne lui demande pas de devenir une nonne. Il n'y a pas de rigidité en Islam. L'Islam est simple. Il n'a pas défini une forme particulière de vêtement. La tenue pakistanaise, la robe soudanaise, la djellaba de la campagnarde égyptienne, toutes ces tenues sont islamiques, l'essentiel étant de recouvrir ce qui est *awra.* »

Partant de ce principe, Kariman donne libre cours à son imagination dans la conception de ses modèles qu'elle exporte en particulier vers les pays du Golfe, mais aussi en France, en Angleterre, en Allemagne et dans cinq États des USA. Mais son activité ne se limite pas à cela puisqu'elle anime par ailleurs des émissions religieuses destinées aux femmes et aux jeunes, émissions diffusées par une dizaine de chaînes arabes, et écrit dans plusieurs journaux avec le même esprit de prédication *(dawa)*. Elle se définit justement comme une *daïya,* une prédicatrice islamique.

Rien pourtant dans son environnement familial ne la prédestinait à suivre cette voie. « Mon père est professeur et chef du département de journalisme. Diplômée moi-même de la faculté des sciences de la communication, j'ai grandi dans le milieu très ouvert des journalistes. Ma mère a été élevée à Paris où elle était pensionnaire jusqu'à son mariage. Elle parlait mal l'arabe bien qu'Égyptienne et ne connaissait pas grand-chose à la religion. J'ai fait mes études dans une école française religieuse, Notre-Dame-des-Apôtres, mais, enfant, j'aimais déjà beaucoup Dieu. Il m'arrivait, petite fille, de m'enfermer dans une pièce pour discuter avec Lui pendant des heures ; ce comportement inquiétait fort ma mère. J'ai retrouvé la voie de Dieu plus tard grâce à une rencontre avec un cheikh. Mon père m'avait chargée de remettre à celui-ci des ouvrages. Quand j'ai pénétré dans l'enceinte où il professait, tous les étudiants ont braqué leurs regards sur moi. J'étais habillée d'une mini-jupe comme le voulait la mode de l'époque et je portais dans mes bras un petit chien de salon. Chaque fois que j'essayais d'approcher l'un d'entre eux pour lui demander un renseignement, il reculait de plusieurs pas. Je ne comprenais rien à leur attitude. Puis le cheikh est arrivé, a fait asseoir tout le monde et commencé son cours en relatant l'histoire de deux hommes qui volaient et buvaient mais que Dieu a remis sur le chemin de la foi. Cet exposé m'a profondément impressionnée. En écoutant le cheikh, j'ai compris que j'étais en faute mais j'ignorais en quoi, car on ne m'avait jamais rien expliqué. Par la suite, j'ai appris que l'islam demandait à la femme de se couvrir les cheveux. Mon premier réflexe a été de rejeter cette injonction, car ma chevelure représentait mon bien le plus précieux. De plus, je voulais être présentatrice à la télévision. Je ne concevais pas d'être laide, de ne plus être à la mode, de paraître arriérée. A vingt-deux - vingt-trois ans, toutefois, à force de lire le Coran et les *tafsirs**, j'ai fini par mettre le hijab, car je suis arrivée à la conclusion que Dieu ne pouvait pas me demander de m'enlaidir puisqu'Il aimait la beauté. Je pouvais donc porter le voile de manière attrayante. Toute ma famille, pourtant, s'y est opposée. A la télévision, on m'a suspendue onze fois. J'ai résisté, et je suis la première présentatrice à apparaître en hijab. Mon mari aussi, au départ, a essayé de me faire changer d'avis sous prétexte que cela donnait une image rétrograde. Mais comme je portais le hijab avec beaucoup de raffinement et d'élégance, j'ai réussi à le convaincre du bien-fondé de ma décision. Beaucoup de femmes, en me voyant à la télévision ont été séduites par mon aspect et m'ont imitée. »

Très attirée par les pays du Golfe où elle se rend régulièrement, Kariman personnifie l'Islam bon ton qui a cours dans la nouvelle bourgeoisie égyptienne fraîchement enrichie par les retombées de l'*infitah*[6] et de l'émigration. Cet Islam conservateur n'est porteur d'aucune contestation sociale et politique. Il s'attache avant tout aux signes extérieurs de piété et au respect du rituel. La récupération du hijab à des fins commerciales illustre parfaitement cet état d'esprit : ainsi n'est-il pas rare de rencontrer dans les boîtes huppées du Caire des femmes habillées par de grands couturiers parisiens, qui arborent un coûteux carré de soie (signé, s'il vous plaît) sans paraître souffrir de la moindre contradiction. Pour ces femmes, l'air du temps étant aux génuflexions cinq fois par jour, elles suivent le mouvement sans que cela perturbe en rien leurs habitudes. On chercherait en vain chez elles quelque désarroi existentiel, mais il s'agit d'une mode qui en vaut bien une autre.

Magda, la banquière

Au Caire, la vie mondaine se déroule en grande partie dans des clubs de sport où les gens chics se retrouvent moins pour faire travailler leurs muscles que pour papoter autour d'un verre. Diverses activités culturelles y sont organisées. Au Guézireh Sporting Club, où j'ai été introduite, on relève parmi celles-ci des animations religieuses. En particulier, des cours d'explications coraniques *(tafsirs)*. C'est ainsi qu'il m'a été donné de connaître Magda.

Magda ressemble étrangement à l'actrice américaine Meryll Streep. Elle a ce même teint diaphane, cette même transparence de la peau qui confère une apparence à la fois de fragilité et de force extrême. Le port de l'écharpe achève d'accentuer la pâleur de son visage ainsi que la profondeur de son regard. Dans sa robe aux larges épaulettes, un immense Coran ouvert sous les yeux, elle dégage un impression étrange, indéfinissable... Il est vrai que, même au Caire, il n'est pas fréquent de rencontrer une directrice de banque convertie dans la prédication. Après l'avoir écoutée quelques jours plus tôt s'adresser aux quelques dames du Sporting Club soucieuses de parfaire leur compréhension du Coran, je la rejoins aujourd'hui à la mosquée Mustapha Mahmoud où elle consacre son mercredi après-midi à faire aimer l'islam aux enfants.

Cette mosquée présente un exemple type de la démarche adoptée par les islamistes pour investir le terrain social. Construite par Mustapha Mahmoud, un médecin qui invoque sa connaissance des sciences exactes pour donner une coloration scientifique à ses discours, elle offre aux habitants du quartier outre le lieu de culte, des annexes comprenant un dispensaire médical et des salles de cours. A tour de rôle, des médecins islamistes viennent assurer des consultations médicales gratuites tandis que d'autres bénévoles, comme Magda, se consacrent à l'enseignement coranique des petits et des grands. Vu l'état de désorganisation générale qui frappe la société égyptienne dans son ensemble, cette action sur le social permet aux islamistes de gagner l'écoute de la population en répondant à certains de ses besoins élémentaires.

Le mercredi après-midi, la salle de prière habituellement réservée aux femmes bruit de chuchotements que des éclats de rire parfois transpercent. Une dizaine de femmes réunissent, assis en tailleur autour d'elles, des groupes de cinq-six enfants qu'elles initient à l'islam. Agés de quatre à sept ans, ceux-ci sont suivis par la même personne pendant plusieurs années d'affilée. Rompant avec la méthode traditionnelle de mémorisation mécanique du Coran sous la conduite d'un cheikh dont la baguette en bois est le seul outil pédagogique, elle recourt à la narration pour accrocher l'attention de son jeune public, heureux de passer l'après-midi avec un adulte qui lui raconte des histoires et répond à ses questions. « Notre objectif, m'explique Magda, est, avant tout, de leur faire comprendre l'esprit des préceptes islamiques, leur sens profond afin que leur comportement dans la vie en soit imprégné. On oublie trop souvent que l'islam est d'abord une philosophie, une manière d'être, de se comporter, de réagir aux choses de la vie. »

L'itinéraire de Magda est exemplaire dans la mesure où il rappelle le prix que, trop souvent, la femme est obligée de payer si elle veut réussir professionnellement. Sa difficulté, quelle que soit sa société, à concilier investissement dans le travail et équilibre familial.

Magda, au départ, mise tout sur sa carrière. Elle a tôt fait de gravir les échelons hiérarchiques et devient, à trente ans, directrice de banque à l'échelle non seulement de l'Égypte mais du Moyen-Orient. Débarquant d'un avion pour sauter dans un autre, elle se donne tout entière à sa fonction, abandonnant ses enfants à sa mère et son foyer à lui-même jusqu'au jour où celui-ci vole en éclats. « J'ai toujours fait preuve d'un grand chauvinisme féminin. Je me suis acharnée à démontrer que la femme était, comme l'homme, capable de tout faire. J'avais tout : argent, pouvoir, relations, estime. Je voyageais où et quand je le jugeais bon. Mais lorsque mes enfants avaient un problème, c'était sur les genoux de leur père qu'ils allaient se réfugier. Jamais sur les miens, parce que je n'avais pas de temps à leur consacrer. Moi, ils se contentaient de me demander de leur ramener ceci ou cela. Quand ils avaient besoin de *hodn* (apaisement), ils ne se tournaient jamais vers moi. Ça, c'est quelque chose qui blesse à un point qu'on ne saurait imaginer. Il n'est aucune réussite professionnelle dans la vie qui remplace l'échec d'une femme dans sa vie familiale. Une femme sans homme pour l'épauler ne résiste pas. Un homme peut parvenir à compenser son manque affectif par son travail. Pas la femme. »

Elle divorce. Mais mal, dans la douleur, car son mari refusant de lui rendre sa liberté, elle doit s'épuiser devant les tribunaux pendant quatre ans avant de l'obtenir. Paradoxale : c'est cette confrontation à l'inégalité de traitement en matière de divorce dont souffrent tant de femmes dans les pays musulmans qui va la conduire peu à peu sur la voie qui est la sienne actuellement. « J'ai voulu connaître le statut de la femme en Islam qui la conduit à subir des situations aussi dramatiques. Je l'ai étudié dans les quatre écoles juridiques existantes [7] et je me suis ainsi rendu compte que le problème ne se situait pas tant au niveau des règles en elles-mêmes que de leur application. A propos du divorce par exemple, la femme peut divorcer si elle nourrit le moindre grief à l'égard de son mari à condition de lui rendre son *mahr**, l'islam allant jusqu'à conseiller à l'homme d'y renoncer. Plus encore, elle peut exiger au moment de la conclusion de l'acte de mariage de détenir la *ismaa* [8] entre ses mains. De l'islam, nous avons pris ce qui nous convenait et nous avons rejeté le reste. Pas nous, les femmes ; les hommes, oui, car ce sont eux qui détiennent le pouvoir. D'une manière générale nous nous sommes éloignés du véritable esprit de l'islam. »

Les circonstances aidant, une nouvelle prise de conscience se fait jour en elle :

« Auparavant, mon rapport à la religion se résumait à la prière et au jeûne. Aujourd'hui, je réalise qu'elle est notre vie. Nous vivons et nous mourons pour elle. L'individu doit se demander pour quelle raison il a été créé. Pour vivre dans la *tafaha* (dans la futilité). Et aller ensuite pourrir dans une tombe ? Nous savons tous qu'un jour ou l'autre, il nous faudra rendre des comptes. Alors, autant être attentif à ses actes. Quand Dieu me posera la question : "Qu'as-tu fait de ta vie ?", je pourrai Lui répondre : "Depuis le jour où j'ai compris, j'ai œuvré pour Te complaire". Si le voleur avait conscience que Dieu le regarde agir, il ne volerait pas. Personne ne commettrait le mal". »

Magda revêt alors le hijab, abandonne ses fonctions à la banque car celle-ci fonctionne sur le principe de l'intérêt interdit par l'islam, travaille en comme consultante indépendante et consacre le reste de son temps libre à enseigner ce qu'elle a elle-même étudié des textes islamiques.

Le plus drôle est qu'elle garde davantage de rapports avec ses anciennes relations masculines que féminines. « Avec mes amis hommes, j'avais surtout des discussions professionnelles ; il a donc été facile de conserver le contact avec eux. Par contre, les femmes ne s'intéressent en général qu'à des questions très superficielles. En vérité, j'ai toujours été assez marginale car je n'ai jamais su m'asseoir avec elles pour discuter pendant des heures des problèmes de maison, de bonnes d'enfants... De mode oui, parce que j'ai toujours aimé ça... et je continue », ajoute-t-elle en riant. Je lui demande si son comportement avec les hommes a changé. « Oui, sans aucun doute, me répond-elle. Avant, en leur compagnie, j'étais un homme comme eux. Maintenant, je continue à fréquenter des cercles masculins, mais mon attitude a incontestablement changé. Estime-t-on un homme qui se comporte comme une femme ? Alors pourquoi devrait-on respecter une femme qui se comporte comme un homme ? »

Considérant que la Charia apporte une réponse à tous les problèmes, elle rejette l'idée de la réformer en supprimant, par exemple, la polygamie. « Ne vaut-il pas mieux que l'homme se remarie plutôt que d'avoir des maîtresses ? » Elle admet parfaitement que « Dieu a préféré les hommes aux femmes d'un degré. Mais si je m'oppose à Sa volonté sur ce point, je sors de l'islam. Quand tu achètes un appareil, tu dois suivre scrupuleusement les indications de mise en marche et appuyer sur le *on* et sur le *off*. Comment peux-tu alors accepter de te plier à des instructions définies par des hommes et refuser celles de Dieu ? »

Après Magda, ma journée est loin d'être achevée. A dix-huit heures trente, j'ai rendez-vous avec une *mounaqquaba*. A la différence de la mouhajjaba (hijab), la mounaqquaba ne se contente pas de se couvrir la tête. Un *néquab* (voile) lui dissimule totalement le visage à l'exception des yeux, quand elle ne porte pas, en plus, des lunettes. Les mains gantées et les pieds emprisonnés dans des chaussettes quelle que soit la température ambiante, la moindre parcelle de sa peau est soustraite au regard d'autrui. Derrière ces silhouettes sombres qui glissent comme des spectres dans la foule, on peut sentir l'influence du discours de l'association intégriste Takfir wa el Hijra, Takfir wa el Hijra frappe, comme son nom l'indique, la société égyptienne d'excommunication car elle la considère comme étant redevenue *jahila** (ignorante). Aussi demande-t-elle à ses adeptes de réduire au maximum leurs contacts avec un environnement qui n'est plus, à ses yeux, musulman, jusqu'à les pousser à vivre en communautés fermées.

Le port du néquab permet aux femmes de parer les risques de *fitna* quand elles sont contraintes de se mêler aux hommes mais on ne doit cependant pas en déduire que toutes les mounaqquabates sont les militantes de Takfir wa el Hijra. A un certain moment, cette question du niquab a mis le feu aux poudres entre les islamistes et les autorités, car ces dernières ont voulu interdire le niquab à l'intérieur de l'enceinte universitaire en invoquant le fait qu'il était impossible de la sorte de contrôler l'identité de l'étudiante.

J'allais enfin avoir l'occasion d'en approcher une dans son intérieur grâce à une charmante dame de la haute bourgeoisie cairote, ancienne joueuse professionnelle de tennis devenue élégante mouhajjaba une fois sa cinquantaine installée, qui me servit d'intermédiaire auprès de l'une de ses relations, métamorphosée en mounaqquaba après avoir été « une jeune fille moderne ».

Suzy, la « folle » de Dieu

Pour la circonstance, j'ai tiré de ma valise une djellaba courte mais ample qui offre l'avantage d'être pratique tout en m'évitant de heurter d'emblée mon interlocutrice.

Un petit garçon aux cheveux couleur de blé tendre m'ouvre la porte. Après m'avoir dévisagé de bas en haut, il court chercher une ombre blanche dont seuls les yeux noirs brillent dans la pénombre de l'entrée. Elle me conduit vers une pièce qui fait office de salon en prenant bien soin de refermer sur moi les deux battants de la cloison. Au passage, cependant, j'ai le temps d'entre-apercevoir un homme d'une quarantaine d'années, extrêmement blond lui aussi, assis dans la cuisine sur une chaise roulante. Jetant un regard circulaire autour de moi, je note l'abondance des signes de religiosité inscrits dans le décor. Sur les murs, ce sont des calligraphies en lettres étincelantes qui glorifient le nom de Dieu tandis que plusieurs exemplaires du Coran sont disposés à des endroits aussi incongrus que les bras des fauteuils comme pour conjurer Satan au cas où il lui prendrait l'envie de venir s'y installer. Pourtant, celui-ci ne me paraît pas très loin. A ma droite, sur une discrète étagère s'aligne sagement une rangée de livres. Une traduction française du Coran ouvre la marche à la dernière des littératures que l'on s'attendrait à trouver dans un pareil contexte ; des « Fleuve Noir ». En français. Peut-être est-ce une version « purifiée », débarrassée de sa turpitude habituelle et réécrite dans le langage du « bien » ? J'avoue ne pas avoir osé poser la question à Suzy, mais il me sembla, tout le long de notre conversation, entendre les trilles d'un ricanement ininterrompu.

Après un court moment d'attente, je fais la connaissance de mon hôtesse qui s'excuse de son retard, son mari, souffrant, requérant des soins permanents. Les cheveux dénoués sur les épaules, Suzy n'est revêtue que d'une légère robe d'intérieur qui laisse deviner des formes arrondies. Je pousse un soupir tout intérieur de soulagement, car j'appréhendais de passer la soirée face à un voile opaque. Être femme n'est guère aisé mais dans cette circonstance particulière, cela constitue un indéniable atout. M'enveloppant d'un regard fiévreux, Suzy, sans même me laisser le temps de la questionner, commence à me conter son histoire d'un ton passionné qui ira en s'enflammant au fur et à mesure de la discussion : « J'étais une *jahila**. Je portais des pantalons, des bikinis et je passais mon temps au club en compagnie de garçons. A la ''Mère de Dieu'' où j'ai fait ma scolarité, nous avions une camarade qui, lorsque l'inspecteur venait, se mettait une écharpe sur la tête. Nous nous moquions d'elle. Parce que nous ne comprenions pas. Parce que nous n'avions jamais lu le Coran. Et cela était le résultat de quoi ? Du colonialisme. Ici, en Égypte comme dans tous les pays musulmans nous avons — et j'avais — le complexe du *khawaga*. Tu sais ce que c'est *el Khawaga** ? Le colonisé. » Une expression de dégoût se dessine sur le visage de Suzy pendant qu'elle évoque son adolescence. En égrenant ses souvenirs, elle paraît se livrer à une véritable auto-flagellation. Plus que ses paroles, la crispation de ses lèvres à l'énoncé du nom de son ancienne école, le durcissement de ses traits à l'évocation de l'Occident et le feu de son regard quand elle parle de Dieu disent le feu d'une conviction qui ne fait aucune place à la nuance.

Jusqu'à son mariage, Suzy mène la vie insouciante et frivole d'une jeune fille de la bourgeoisie cairote occidentalisée. A vingt-deux - vingt-trois ans, toutefois, une rencontre lors d'un séjour en France crée une première brèche en elle. « Je m'étais rendue à la mosquée de Paris pour prier. En sortant de là, j'étais en train de retirer mon foulard et la longue tunique qui dissimulait mon jean quand je me suis fait apostropher par une Française convertie. ''Pourquoi te découvres-tu ? Ne sais-tu pas que c'est interdit ? Vous, les Arabes, vous êtes devenus comme des mulets. Comme des mulets, vous n'avez plus de açl* car vous avez renié vos racines. Vous avez renié l'Islam.'' »

Mariée à un homme de son choix, issu d'une famille d'origine turque encore moins pratiquante que la sienne (« Il a été éduqué par une gouvernante étrangère et jusqu'à aujourd'hui, il éprouve des difficultés à lire le Coran en arabe »), elle est soudain prise en tombant enceinte d'une terreur folle à l'idée de donner le jour à un enfant anormal à l'instar d'un couple de sa connaissance. « J'avais tout ce à quoi un femme pouvait aspirer ; la jeunesse, la fortune, un époux... et j'ai eu peur que Dieu ne me punisse justement pour cette raison-là. Je me suis alors tournée vers Lui en Lui disant : Dieu, je T'en supplie, je ferai tout ce que Tu voudras mais ne me donne pas un enfant anormal. »

Son fils aîné a aujourd'hui douze ans, l'âge de la totale métamorphose de la vie de Suzy et de son mari. « Mon mari était comme moi, éloigné de la religion. Je lui ai dit : ''Écoute, ce n'est pas Dieu qui a besoin de nous, c'est nous qui avons besoin de Lui. Nous devons agir pour Lui complaire''. Comme il était faible en arabe, je lui faisais des transcriptions en phonétique. J'ai connu des ''amies de Dieu'' qui ont commencé à m'initier, à me conduire avec elles à des fêtes religieuses. Quand j'ai mis le hijab la première fois, mon mari ne partageait pas mon point de vue. Il pensait que prier suffisait, ''la foi étant dans le cœur'' disait-il et non dans les apparences. Dieu a voulu me mettre à l'épreuve à travers mon mari mais aujourd'hui celui-ci est devenu meilleur que moi. Chez nous, il n'y a plus de mixité, nos enfants vont dans des écoles islamiques et toute notre vie est consacrée à l'amour de Dieu. »

Plus que de l'amour, c'est d'une passion folle dont vibre Suzy :

« Rappelle-toi Dieu, me dit-elle en me citant un des innombrables versets qui étayent chacun de ses propos, rappelle-toi Dieu jusqu'à ce que l'on dise que tu es fou. » Toute rencontre avec autrui lui offre une occasion de faire sa *dawa**. « Je ne peux pas rester avec quelqu'un qui ne suit pas la voie de Dieu sans lui rappeler celle-ci. C'est un ordre de Dieu. Tu ne peux pas aimer quelqu'un qui n'aime pas Dieu. »

Quelques-unes de ses anciennes fréquentations l'ont accompagnée dans son évolution, mais nombreuses sont celles qui ont fui. Dans sa maison, une stricte séparation est instaurée entre les hommes et les femmes. Chacun s'installe dans le salon qui lui est réservé quel que soit le degré de parenté. Selon l'interprétation de Suzy, la mixité est totalement interdite par « le Livre de Dieu et la Sunna du Prophète ». « Mieux vaut prévenir que guérir ; c'est ça l'Islam. Rester avec le frère de mon mari ou avec mon cousin ? Pas question, car rien n'est plus dangereux que cette espèce d'intimité. Avant, mes beaux-frères s'asseyaient normalement avec moi. Ils m'embrassaient. Ils m'ont vue *Aoudou Billah* (''la paix soit sur nous !'') en maillot. Maintenant, nos rapports se limitent à *Salam Aleïkoum*

("Que Dieu me préserve !"), et c'est de derrière mon néquab que je leur présente le thé. Quand quelqu'un veut me poser une question, il le fait par l'intermédiaire de mon mari.

— Mais le port du hijab ne rend-il pas justement la mixité possible ?

— Je vais te donner un exemple. Un jour, une amie mouhajjaba s'est trouvée, en compagnie de son mari, dans un salon où l'assemblée était mixte. Il y avait là un homme, accompagné lui aussi de son épouse, non-mouhajjaba. La mouhajjaba en question n'a pas parlé de toute la soirée. Eh bien, malgré cela, malgré son hijab, cet homme lui a montré qu'elle l'avait troublé *(foutin biha)*. Non. Tu ne peux pas poser des allumettes à côté du feu et leur demander de ne pas s'enflammer. »

A toutes les questions relatives au rôle de la femme et à sa place dans la société, la réponse est caricaturale. Femme au foyer, Suzy n'imagine pas, on s'en doute, ses consœurs assumant une autre fonction que celle de mère et d'épouse. « La femme en Islam est un bijou de très grande valeur. Elle n'a pas été créée pour la peine, pour les travaux durs. Sais-tu qu'au lendemain de la Deuxième Guerre mondiale, les femmes sont sorties dans la rue pour réclamer la polygamie car elles n'en pouvaient plus de tout prendre en charge seules. » J'avoue qu'un tel fait historique m'avait échappé !

Je n'ai aucune envie de subir plus avant la sempiternelle litanie et je dévie la conversation sur le niquab ; « Le néquab n'étant pas une obligation, son port ne représente-t-il pas une forme d'extrémisme ?

— Tant qu'elle se rapporte à la religion, l'*azziyada* (excès de zèle) ne signifie pas *attatarouf* (extrémisme). Le néquab dans mon cas constitue un *fadl* (un surcroît) car je ne suis plus ni jeune ni belle. En le mettant, j'accumule les intérêts. Je vais te raconter une anecdote. J'avais à mes côtés en voiture une jeune mounaqquaba de dix-huit ans d'une extrême beauté. Quand nous nous sommes arrêtées à un feu rouge, une femme dans une autre voiture en compagnie de son époux s'est tournée vers nous en s'exclamant ; "Comment pouvez-vous vous attifer de la sorte ? On dirait des sauvages." Ma compagne n'a pas pu se retenir et lui a répondu : "Tu as de la chance que je le porte, car si je ne l'avais pas, c'est toi qui serais venue me supplier de le mettre.''

— Et si votre fille refusait de porter le voile ?

— Pourquoi dire des choses pareilles. Ce problème ne peut pas se poser car elle a été élevée dans une famille entièrement tournée vers Dieu. Chez nous, il n'y a pas de télévision, rien de ce que Dieu réprouve. Elle-même, pour la moindre chose me demande : ''Maman, Dieu aime-t-Il ceci ou cela ?'' Ma fille portera le hijab, le niquab et se mariera jeune...

— Est-ce vous qui allez la marier ?

— Par Allah ! ma sœur, je suis triste de t'entendre me poser de telles questions, toi, une musulmane. Tout ceci est expliqué dans le *fiqh** : Il lui parle, elle lui parle et elle accepte ou elle refuse.

— Mais comment peuvent-ils se connaître si la mixité est proscrite ?

— Si une amie à moi a un fils ou un frère, elle peut lui parler de ma fille et lui viendra alors la voir sous le toit de son père. Ma fille enlèvera son néquab car, dans cette circonstance précise, Dieu a ordonné de se regarder. » Me fixant avec un air de désolation, elle ajoute : « Que Dieu t'ouvre le cœur, ma sœur. Qu'Il te guide vers la voie de la vérité. Pose les questions que tu veux, je suis heureuse d'y répondre, car mon seul but dans la vie est de faire triompher cette religion. De la protéger contre les attaques de ses ennemis. L'Amérique ! »

L'Amérique, voilà l'ennemi ! L'Amérique qui finance la planification familiale. L'Amérique qui diffuse des petits livres en couleurs dans les écoles pour développer cette idée-là chez les enfants dès leur plus jeune âge. « Rappelez-vous : vous étiez peu nombreux et il a augmenté votre nombre ! » (verset coranique).

Surprise par le virage qu'elle effectue dans la conversation, je lui demande comment nos pays vont-ils parvenir à nourrir leur population si celle-ci continue à progresser au rythme actuel. Horreur et damnation ! Qu'avais-je dit !

« *Allahou Akbar ! Allahou Akbar !* (''Dieu est le plus grand !'') Ma sœur, ne m'en veux pas, mais ta foi n'est pas pure. Le bienfaiteur est Dieu, ma sœur. Il peut te donner dix enfants et t'enrichir. T'en donner un seul et te ruiner. Le problème n'est pas dans la surpopulation, ma sœur, il est dans l'éloignement de Dieu. Nous avons oublié Dieu. Pourtant qu'il est doux, le retour à Dieu ! J'étais loin de lui et pourtant il m'a apaisée. Je suis maintenant la plus heureuse des femmes. Mes proches me disent : ''Pourquoi ne profites-tu pas de la vie ?'' Je leur réponds : ''Si vous aviez une idée du bonheur qui m'emplit le cœur, vous me le disputeriez au sabre pour vous en emparer.'' »

En sortant de chez Suzy, jamais le tumulte des rues du Caire ne m'aura paru aussi exquis.

Les Émirats arabes unis

Ses cheveux blonds tombant en cascade sur ses épaules et le corps moulé dans une courte robe noire, une jeune fille s'abandonne lascivement au rythme du dernier tube à la mode. Autour d'elle, les corps se déhanchent, ivres de musique et de lumière.

Sous le jeu des lasers, des images multicolores éclatent et disparaissent par flashes successifs. Là, ce sont des mains qui courent le long d'un dos. Plus loin, une tête se niche au creux d'une épaule. Sur une table, un liquide doré scintille dans les verres. Je n'en crois pas mes yeux. Débarquer pour la première fois dans un pays du Golfe et se retrouver dans une pareille ambiance...

De l'aéroport, des amis venus m'accueillir m'ont directement conduite dans la discothèque d'un luxueux palace. Leur objectif : me faire découvrir sur-le-champ la plus inattendue des facettes des Émirats arabes unis ; leur ''ouverture'' en matièr des mœurs. Ce lieu n'a rien à envier à la plus huppée des boîtes parisiennes ou américaines. Un détail, toutefois, lui donne un cachet singulier ; la diversité des types physiques présents. Peaux café-au-lait, café-sans-lait ou lait-tout-court, yeux bridés ou yeux en bille, cheveux en tire-bouchon ou en baguettes chinoises : à croire que sur les quelques mètres de la piste de danse, le monde entier s'est donné rendez-vous... Mais pas une *déchdacha* [1] ne troue de sa blancheur la pénombre lourde de fumée... « Les locaux en costume traditionnel, m'expliquent mes compagnons, ne sont pas admis ici. » A chacun son univers ? Très vite, je devais moi-même prendre conscience de l'extrême segmentation d'une société dont il est fort difficile, pour l'étranger, d'écarter les voiles. Ruisselante de lumière au creux de la nuit, Dubaï me dit son opulence avec orgueil mais je m'endors en rêvant à ces fiers cavaliers qui ne possédaient que les dunes pour palais.

Une lumière aveuglante me brouille la vue quand, à peine éveillée, je me précipite vers la fenêtre pour l'ouvrir toute grande. Pourtant il n'est même pas sept heures du matin. Aucun bruit ne déchire encore le silence. Un vaste espace plat, que des maisons blanches posées comme des cubes ne parviennent guère à meubler, s'étend à noyer le regard pour venir buter sur une ligne turquoise ondulante ; la mer. Comme pour ajouter au décor une touche de folklore, un chameau solitaire darde sur moi son regard narquois en broutant un bouquet de ronces, unique végétation à pousser sur le sol brûlé par le soleil ; mer, désert et chameau, la touriste que je suis est comblée. Malheur, ici, à celui qui, dans la traîtrise d'un crépuscule, tamponne le derrière d'un respectable chameau promenant ses bosses sur l'autoroute. Son compte en banque risque de faire une drôle de grimace car une vie de chameau se facture à plusieurs centaines de milliers de dirhams. La course de chameaux est une véritable passion dans le pays, et certains de ces quadrupèdes atteignent, comme les pur-sang en Europe, des sommes folles. Lorsqu'on voyage à travers les différents émirats du Golfe, il n'est pas rare de croiser sur son chemin des Land Rover à l'arrière desquelles se prélasse un chameau, le nez au vent.

Fichés dans la corne sud-est de la péninsule Arabique, les Émirats arabes unis regroupent en fédération sept minuscules États (Abou-Dhabi, Dubaï, Charja, Ajman, Ras-el-Khaïma, Fujairah et Oum-el-Qaiwaïn) dont l'indépendance n'a été acquise qu'en 1971. A l'instar des autres pays de la région, la découverte de l'or noir les a propulsés au rang des nations les plus riches du monde. Selon les estimations de la Banque mondiale le revenu par habitant des E.A.U. était en 1984 le plus élevé du monde (22 300 dollars US). C'est dire les changements intervenus dans la vie d'une population soumise, trente ans plus tôt, à la dure loi d'un environnement hostile. Jusqu'à la découverte, en 1958, du premier gisement de pétrole, les ressources de ces États provenaient principalement de la maigre agriculture des oasis et de la pêche aux perles marines. La société se divise alors en deux composantes, l'une sédentaire (les *hadars*) et l'autre nomade (les bédouins) dont les traditions et le mode de vie diffèrent profondément. Alors que leur localisation le long de la côte maritime permet aux hadars de s'initier aux cultures des pays voisins par le biais de leur principale activité, le commerce, les bédouins vivent repliés sur eux-mêmes dans l'immensité du désert qu'ils sillonnent dans tous les sens. Mais pour les uns comme pour les autres, chaque aube qui se lève est placée sous le signe de la lutte pour la survie. Pour puiser l'eau, les femmes devaient parcourir des kilomètres avant de parvenir à la source. Les expéditions de pêche duraient des mois pendant lesquels les hommes restaient absents, laissant toute la charge de la famille aux épouses. Dattes et lait de chamelle constituaient le seul repas du bédouin. C'était il y a tout juste une génération...

En attendant de prendre contact avec les habitants, tâche peu aisée aux dires de mes amis, je pars à la découverte de Dubaï, le deuxième émirat de la fédération par ordre d'importance. Construit aux abords d'une crique et flanqué d'une ville jumelle, Deira, Dubaï possède une vieille tradition commerciale qui en fait l'un des centres les plus renommés de la région. Son essor remonte au début du siècle lorsque le grand-père de l'actuel cheikh au pouvoir, le cheikh Rachid El Maktoum, parvint à convaincre les compagnies maritimes qui effectuaient le voyage entre la Grande-Bretagne et l'Inde d'en faire leur port d'escale. C'est par Dubaï que dans les années 40 pénétrèrent les premières revues étrangères, en particulier égyptiennes, donnant ainsi un écho des revendications nationalistes qui naissaient dans le monde arabe. Elles aidèrent à l'ébauche d'un éveil intellectuel et d'une prise de conscience de la nécessité du changement, les Anglais ayant eu pour politique de maintenir la région dans son isolement.

Dans un festival de voitures américaines aux chromes arrogants, on rêverait d'une petite Coccinelle rigolote et déglinguée pour apporter une touche d'humour ou du moins troubler la monotonie de cette perfection glacée. La jeunesse des conducteurs est stupéfiante. A croire que tous ont piqué la voiture de Papa. Mais il n'en est rien. Ces bolides leur appartiennent en propre et ils peuvent parader du matin jusqu'au soir au volant, le téléphone à la main comme si une secrétaire les assaillait en permanence d'appels urgents.

Dubaï s'étire en longueur selon le modèle des villes américaines, quartiers résidentiels et centres commerciaux distinctement séparés. Là où il se pose le regard tombe sur d'immenses grues enlaçant le ciel comme si l'Émirat tout entier n'était qu'un vaste chantier en construction. Les styles les plus hétéroclites règnent sur les villas particulières, chacun y allant de sa préférence pour les angles ou pour les arabesques. La taille de ces habitations est leur seul point commun ; manifestement, les petites choses ne sont guère prisées dans le coin. De hauts murs protègent l'intimité des habitants des indiscrets comme moi, curieux du moindre détail. Jetant un œil au passage sur une maison encore inachevée, j'ai la surprise de découvrir un véritable jardin à la française, symétrique au centimètre près. Parfois deux constructions identiques se partagent un même périmètre ; c'est le principe de la famille élargie version moderne, le père faisant construire à son fils marié une demeure à ses côtés.

Arrivée au « souk », mon taxi me dépose non sans me réclamer une somme astronomique, l'absence de compteur lui permettant de fixer le prix qu'il désire. On a beau être au pays du pétrole, le tarif de l'essence a beau être dérisoire, le moindre déplacement se paye au prix fort. Pas de moyen de locomotion personnel, pas d'autobus à emprunter, des taxis aux prestations ruineuses, je sens de sérieuses difficultés se profiler à l'horizon. N'imposant aucune taxe sur les produits importés, Dubaï est un véritable paradis pour le consommateur surtout lorsqu'il a un faible pour l'électronique. Son bonheur est ici total car les derniers gadgets sont disponibles à des prix défiant toute concurrence. Regroupement de magasins vendant des appareils-photo, de l'électroménager, des instruments de musique et électronique, le « souk », qui n'a du marché traditionnel que le nom, est tenu par des Asiatiques essentiellement. Ces derniers forment la communauté étrangère la plus importante.

Lorsque les revenus pétroliers leur permirent de s'atteler sérieusement à la modernisation de leur pays, les E.A.U. durent eux aussi recourir à l'aide étrangère. Ouvrant toutes grandes leurs portes à l'émigration, ils reçurent tous ceux qui désiraient venir travailler chez eux. Aujourd'hui, trois groupes de nationalités distinctes coexistent aux côtés des *mouwatinouns* (les citoyens) dans la population. Les Occidentaux avec une très forte présence anglo-saxonne ; par le biais de ses cadres que l'on retrouve au niveau des échelons les plus élevés de la hiérarchie, la Grande-Bretagne continue à être omniprésente. Les Arabes avec, comme de coutume, une majorité d'Égyptiens : se reconnaissant sous le qualificatif de *wafidines* [2], ils occupent surtout des fonctions dans l'enseignement. En troisième position se situent les Asiatiques : Indiens, Pakistanais, Sri-Lankais, Philippins, etc. Ces pays, avec lesquels des relations de voisinage et d'échange existent depuis longtemps, fournissent le gros de la main-d'œuvre non qualifiée ; des entreprises vont parfois jusqu'à ouvrir des bureaux de recrutement sur place. L'afflux de la main-d'œuvre étrangère a été tel que les citoyens sont maintenant minoritaires. Bien que les autorités dissimulent les statistiques réelles sur les uns et les autres, on évalue les *mouwatinouns* à 20 ou 25 % de la population globale, une population qui a triplé en l'espace de dix ans (1975 : 577 870 / 1985 : 1 622 464).

Soucieux de ne pas se diluer dans cet environnement composite et de préserver son identité sur son propre territoire, le *mouwatin* reste fidèle au port du costume traditionnel, la *déchdacha* pour les hommes et la *abaya** pour les femmes. En dehors des E.A.U., il portera sans complexe le vêtement occidental. Mais sitôt de retour chez lui, il l'oubliera s'il ne veut pas attirer sur lui le regard courroucé des siens. Par contre, il arrive fréquemment que les autres lui empruntent sa *déchdacha*. Mieux adaptée au climat, elle rend le stigmate de non-citoyen moins visible, aidant même parfois à passer pour un *mouwatin*, facilitant ainsi bien des choses.

Les femmes ne sont guère nombreuses au souk. Parfois l'apparition d'une Indienne dans un sari aux couleurs chatoyantes égaie un instant le paysage mais sans parvenir pour autant à en rompre la morosité. Pantalons ternes sur chemises ternes, la rue crie l'absence de femmes. Si à l'intérieur des boutiques, quelques clientes procèdent à des achats, dans les petites échoppes de restauration qui parfument l'atmosphère d'odeurs épicées, seuls des visages d'hommes aux traits tirés se penchent sur les assiettes.

Mangeant entre hommes parce que ne vivant qu'entre hommes, ils se sont depuis des mois souvent, des années parfois, déshabitués du contact féminin. Comme les Maghrébins dans les années 60 en Europe occidentale, les Indo-Pakistanais venus aux E.A.U. vendre leur force de travail sont là en célibataires, les autorités n'autorisant pas le regroupement familial en dessous d'un certain revenu. 1 052 577 hommes pour 569 997 femmes : la société émiratienne connaît un fort déséquilibre entre les deux sexes.

A travers deux fentes ovales étirées sur les tempes, un regard perçant brille. Est-il réellement perçant ou est-ce simplement l'effet du masque hideux qui le souligne ? La vue du *borqua*[3] provoque un choc, la première fois qu'on le voit. Absorbée dans mes pensées, je me suis soudain retrouvée devant un être dont l'expression tient plus du faucon que de l'humain. Autant le voile facial classique donne une séduction mystérieuse au regard, autant celui-ci, par une alchimie bizarre le durcit et le rend menaçant. Moi qui étais impatiente de voir portée par les femmes locales cette ample cape noire qu'est la *abaya**, j'ai droit d'emblée à la tenue complète des plus traditionnelles.

Quittant le souk, je continue ma progression, décidée cette fois-ci à ne plus enrichir les chauffeurs de taxis. Renouant avec mes bonnes vieilles habitudes d'étudiante, j'arrête la première voiture qui passe pour lui demander de me conduire quelques kilomètres plus loin. Tout heureux de l'aubaine, l'automobiliste, un monsieur bien sûr, accepte avec empressement. Il faut reconnaître qu'avec ma casquette et mon appareil-photo en bandoulière, j'ai tout l'air d'une bonne petite âme en perdition. Mais son large sourire se rétrécit au fur et à mesure que fusent mes questions. Non, il n'est pas marié. Oui, la question du *mahr* y est pour quelque chose. Non, la majorité des mariages ne se font plus de manière traditionnelle. L'Occidental jouissant d'une grande considération là où les autres ne rencontrent que de la condescendance, parfois même du mépris comme vis-à-vis des Indo-Pakistanais, je questionne sur ce sujet mon infortuné interlocuteur qui n'a vraiment plus du tout l'air content : « Les premiers ont généralement beaucoup voyagé. Ils savent un tas de choses. Quant aux autres… eh bien, les autres, ils sont là pour travailler. » Heureusement pour lui, me voici arrivée à destination.

Le Ghurair Center est le centre commercial le plus chic de Dubaï. Là, m'avait-on prévenue, les femmes locales adorent venir flâner. Alors je flâne aussi, ne m'extasiant sur rien car rien vraiment ne le mérite. Un centre commercial comme tant d'autres. Du clinquant, du luxe tapageur en plus. Un détail pourtant est à noter : le nombre élevé des fontaines. L'eau jaillit de partout. Cette source de vie jadis si rare, jadis si précieuse, devient aujourd'hui le symbole même de l'opulence nouvelle.

Par petits groupes de deux-trois, les *mouwatinates* animent l'espace de leurs voiles sombres tandis que déambulent, de leur côté, mais dans une même nonchalance, certains de leurs compatriotes. Devant ce chevauchement de blanc et de noir, on se croirait dans un jeu de dominos géant, mais l'image du pays qui s'était construite dans mon esprit trouve enfin un décor pour la satisfaire. Dans une structure américanisée à l'extrême où « Mac Donald » et « Kentucky Fried Chicken » ont établi de solides quartiers, l'Orient rappelle sa présence non seulement à travers les visages et les allures mais aussi par le biais de ces kilomètres de soieries précieuses dont regorgent les vitrines et sur lesquels s'attarde le regard connaisseur des femmes.

A l'idée de devoir accoster ces dernières, je sens monter en moi l'habituelle torpeur proche de la paralysie qui m'envahit à chaque démarche de ce genre. De plus, elles me paraissent si lointaines, si étrangères à mon univers que je ne sais sur quel terrain il nous sera possible de nous rencontrer. L'expression engageante de ses prunelles mordorées me donne cependant le courage d'aborder une jeune femme venant dans le sens opposé au mien et qui marche seule, d'un pas décidé. Surprise, elle a la politesse de ne pas trop le montrer et me propose de l'accompagner quelques magasins plus loin dans un endroit où nous pourrons nous entretenir calmement. Le lieu en question est la boutique, fermée sur l'extérieur, d'une couturière.

A l'accent, on devine que celle-ci est libanaise. Comme elle est en pleine discussion avec deux autres clientes autochtones elles aussi, nous avons une petite marge de temps devant nous pour faire plus ample connaissance. Des croquis de robes sont éparpillés sur le bureau. J'en profite pour y jeter un coup d'œil : décolletés plongeants et taille bien prise, je constate que sous la *habaya*, toutes les audaces sont permises. Les modèles sont calqués sur ceux de grands couturiers européens à cette différence près qu'ils tombent jusqu'aux chevilles. Toutes les tenues de ces dames sont faites sur mesure car nulle personne bien née, m'apprend-on, ne souffrirait de s'habiller en prêt-à-porter.

Mouna ne doit guère avoir dépassé la trentaine. Son teint très clair et la délicate ossature de son visage diffèrent du type physique arabe classique et rappellent qu'en raison de la proximité géogaphique de l'Iran, beaucoup de brassages se sont produits entre locaux et Iraniens. Par contre, sa manière d'appréhender la vie ne s'écarte pas d'un cil des normes en vigueur dans sa société. Jeune fille, elle obéit à sa famille quand celle-ci décide de la marier ; épouse, elle se plie aux désirs de son époux qui veut la voir rester à la maison. « Je me suis mariée selon la tradition. Je ne connaissais pas celui qui allait devenir mon époux. Une fois sa demande faite, j'ai demandé à le rencontrer. Pendant toute la période de nos fiançailles, nous nous sommes donc vus et avons parlé mais toujours en compagnie d'une tierce personne. C'était déjà une très grande évolution par rapport à la manière dont ma mère s'est mariée ; elle n'a connu mon père que la nuit de ses noces. Nous, nous avons pu apprendre à nous apprécier. S'il ne m'avait pas plu, j'aurais toujours pu refuser de l'épouser. » Si Mouna, à cause de son éducation n'a pas eu le loisir de découvrir l'existence d'une autre réalité, il n'en est pas de même pour son mari. Dans le cadre de ses études universitaires, celui-ci a vécu quatre ans aux États-Unis. Quatre années au contact d'une autre culture, d'une autre mentalité mais quatre années qui semblent avoir glissé sur lui sans laisser de trace puisqu'à son retour, il demande la main d'une jeune fille qu'il n'a jamais rencontrée.

La couturière en ayant terminé avec ses clientes précédentes, Mouna m'abandonne pour le plaisir de plonger dans les froufrous. Au moment de nous quitter, j'apprends que son époux n'est autre que le fils du propriétaire de cet immense centre commercial. J'ai vraiment un nez du diable !

A la rubrique E.A.U. mon carnet d'adresses étant vierge de la première à la dernière page, je ronge mon frein en attendant le bon vouloir d'Abdallah l'unique connaissance locale d'Amin et Zohra, mes hôtes, qui m'a promis de m'introduire auprès des siens. Mais les jours passent sans que la moindre petite sœur ou cousine ne donne signe de vie. Mon bronzage, lui, par contre, n'a jamais été aussi éclatant. Un matin enfin, la situation se débloque comme par enchantement. Non par le biais d'Abdallah, encore à tergiverser sur la manière de me présenter à ses parentes (et dire que, chez nous, on en serait déjà au troisième couscous !) mais par celui d'un journaliste égyptien, rencontré par le plus grand des hasards, qui collabore, ô merveille, à une revue féminine locale. Mon périple l'intéresse ? Parfait lui ai-je dit. Mes « impressions » contre deux ou trois petits rendez-vous.

Quarante-huit heures plus tard, je suis attendue dans un « club de femmes » à Charja où une rencontre informelle avec plusieurs membres est organisée à mon intention. Le marché a porté ses fruits.

La tradition, toute la tradition, rien que la tradition

Les trente kilomètres séparant l'émirat de Charja de celui de Dubaï me donnent une nouvelle fois l'occasion d'admirer l'impeccable tenue du réseau routier, véritable vitrine de l'effort prodigieux de modernisation entrepris dans le pays en moins de vingt ans. Mais c'est dans ces plates-bandes florales, ce gazon verdoyant et ces arbres que je lis le « miracle » tant et tant de fois vanté. Dansant sous la brise légère, les fleurs entremêlent senteurs et couleurs sur le bord des routes, au milieu des places et dans les jardins publics. Des pelouses à l'anglaise apaisent le regard quand il se détache de la froide nudité des gratte-ciel. Et puis, il y a les arbres. Que dire des arbres sinon qu'ils sont comme tous les autres arbres, à se mirer du matin jusqu'au soir dans le ciel comme s'il n'appartenait qu'à eux ?

« Il n'y avait pas une seule feuille. Pas un seul arbre. Ou plutôt si ; un à Charja devant lequel on venait se photographier. Pas de routes ; des pistes. Que de gens se sont perdus en empruntant celle qui reliait Dubaï à Abou-Dhabi. Certains n'ont jamais été retrouvés. Même sur cette petite distance Charja-Dubaï, on pouvait se perdre à jamais. Pas d'électricité. Elle n'a été introduite qu'en 1966 », se rappelle le vieux chauffeur de taxi iranien. « Les gens de l'ancienne génération n'en ont été que peu affectés : ils gardent en général leur simplicité et leur modestie d'antan. Par contre, les enfants nés dans l'opulence ont le sentiment que l'argent permet de tout acheter. Ils n'ont aucun respect de l'autre. Avec leurs parents, de la relation professionnelle naissait souvent une amitié. Aujourd'hui avec cette génération-ci, une fois qu'on n'a plus besoin de vos services, vous êtes congédié. » Installé depuis plus de cinquante ans aux E.A.U., cet Iranien fait toujours partie de la catégorie des non-citoyens alors que d'autres, arrivés après lui, sont devenus des *mouwatinouns*. Pourquoi ? lui ai-je alors demandé. « L'argent, m'a-t-il répondu en haussant les épaules. Je n'en ai pas. »

Au « club des femmes », mes interlocutrices sont déjà réunies. Quatre femmes qui m'attendent de pied ferme, curieuses de voir à quoi ressemble une « sœur arabe » qui se balade toute seule. L'une d'elles se présente comme une consœur et me place un baladeur sous le nez en même temps que m'est servi le rituel verre de thé. Cette entrée en matière s'avère faste car en me faisant parler de la femme marocaine, elle dissipe mon trac initial et me permet de glisser sans heurt de la position d'interviewée à celle d'interviewer. A la différence de l'Égypte, on ne peut pas parler aux E.A.U. d'un « retour au hijab » puisque les femmes ne s'en sont jamais départies, leur tenue traditionnelle étant conforme aux normes islamiques telles que les entendent les fondamentalistes. Aussi mon objectif va-t-il dans le sens inverse de celui poursuivi jusqu'alors : il m'importe dans le cas présent d'aller vers des femmes qui ont grandi dans la réclusion et qui commencent tout juste à faire leurs premiers pas hors de la sphère domestique.

Aïcha, Amira, Fatma et Mouza en sont la vivante illustration puisque, de l'école, elles sont passées à l'université pour venir occuper l'un des nombreux postes de la fonction publique que les autorités, largement favorables à cette évolution, les encouragent à investir. Aussi le premier point sur lequel démarre naturellement la discussion est celui de la mixité : jusqu'à présent une stricte séparation existait (et existe toujours) entre les sexes à l'intérieur même des maisons. L'un des facteurs principaux d'opposition des familles au travail de leur fille a trait à la crainte de la voir côtoyer des hommes. « A l'université et à l'école, m'explique la journaliste d'un ton très docte, il n'y a pas de mixité. Ce n'est pas nécessaire. La jeune fille n'a aucun intérêt à se mêler à l'homme, à partager le même banc que lui et elle se sent de la sorte beaucoup plus à l'aise. Par contre, elle existe dans le cadre du travail car un fonctionnaire peut avoir besoin de communiquer avec un collègue de l'autre sexe. Mais, Dieu merci, nos autorités comprennent très bien notre situation : dans chaque administration ou dans chaque société, ils réservent des bureaux pour les hommes et des bureaux pour les femmes. Aussi n'y a-t-il pas de contact entre eux sauf pour les besoins du travail. La jeune fille prend ses libertés. Parfois, elle oublie même qu'il y a des hommes présents avec elle dans le même lieu. C'est mon cas par exemple. Je travaille au ministère de l'Information et nous sommes neuf dans le bureau. Ils nous ont mises à l'étage supérieur alors que les hommes restent en bas. Nous évoluons dans notre propre univers en oubliant complètement leur existence. »

Aucune réforme n'ayant été introduite dans la Charia pour limiter les abus du statut personnel, les femmes demeurent complètement à la merci du bon vouloir des hommes. « Le divorce est la plaie de notre société car il provoque l'éclatement de la famille. L'enfant, déchiré entre son père et sa mère, est celui qui en souffre le plus. On compte une moyenne de 67 % de divorces. La polygamie atteint les mêmes proportions. Notre problème ici, c'est que lorsque l'homme atteint les cinquante-soixante ans, il se croit jeune mais estime que sa femme est devenue vieille. Il lui faut par conséquent du sang neuf. Quand il ne peut pas "se renouveler", il va à l'étranger chercher celle qui va lui donner une nouvelle jeunesse. A son retour, il délaisse sa première femme et ses enfants. »

Les associations féminines ne ménagent pas leurs efforts sur ce sujet. Elles essayent de sensibiliser les femmes afin de les rendre capables de retenir leur époux et faire en sorte qu'ils ne se tournent pas vers des femmes plus jeunes.

Mais, là encore, le discours ne s'écarte pas d'un pieux conformisme : « La compréhension de l'islam, voilà la solution. La chose la plus détestable aux yeux de Dieu est le divorce. La polygamie aussi. L'homme ne pense plus à sa famille mais en égoïste. C'est le manque de conscience et d'éducation islamique. La femme, aujourd'hui a les moyens de juger et de choisir. Qu'elle distingue par conséquent son mari selon le critère religieux. Non pas financier ou social. Elle possède une voiture, une maison, tout ce dont elle a besoin. Elle peut donc se permettre d'attendre. Si toutes les jeunes filles n'acceptaient pour époux que des *sahib eddinne* (amis de la religion), il n'y aurait plus de problèmes. La femme vivrait heureuse. »

Reste à savoir comment, tout de même, discerner les vertus de ce parangon. Qu'à cela ne tienne :

« Prenons le cas d'une jeune fille qui a une amie très chère. Si celle-ci a un frère, elle pourra décrire l'un à l'autre de manière à ce que, si cette description leur convient, ils puissent se marier en connaissance de cause. C'est une façon de se choisir. Pour ma part, je me suis mariée sur une photo. Et, Dieu merci, ça marche très bien. C'était un ami de mon frère. Comme celui-ci me l'a recommandé, j'ai accepté. Je savais que l'islam me donnait le droit de voir mon mari avant de l'épouser mais je n'en avais pas envie. Le jour où nous nous sommes rencontrés pour la première fois, ce fut devant les *adels**. »

Devant ma mine défaite et mes yeux qui s'écarquillent, la journaliste et animatrice du groupe prend les devants afin de me rasséréner : « On ne peut pas avoir envie de se retrouver avec une personne étrangère. On ne peut pas s'asseoir et discuter sans que se crée un lien. Certaines filles le peuvent peut-être, mais nous, nous ne le pouvons pas. Moi, personnellement, je préférerais que mes filles ne rencontrent pas leur mari avant le jour du mariage. »

Le téléphone, dit-on ici, pallie la séparation étanche entre les sexes...

« Nous n'encourageons pas ce type de contacts. Une fille qui passe des heures au téléphone avec un garçon, quel genre d'épouse fera-t-elle ? Si elle accepte de parler avec celui-ci, qui dit qu'elle n'en fera pas de même avec un autre ? Un jeune homme chez nous peut parler avec mille filles au téléphone mais jamais il n'acceptera d'épouser l'une de celles-ci.

— Vous n'avez donc pas de mariages d'amour ?

(*Rires*). Si, bien sûr, ce type de mariage existe mais quand il s'agit vraiment d'amour. Il peut être *Kaïs*[4] et lui donner des sensations. Lui dire : "Tu es ma dame et je serai tout ce que tu voudras que je sois". Et elle de même. Mais dans la vie conjugale, ce ne sont pas des paroles. L'essentiel réside dans la confiance et, bien sûr, la religion. Si la conscience religieuse existe, tout le reste suit. »

Cependant, ces divorces...

« Comme l'a expliqué la sœur Amira tout à l'heure, l'homme ne considère plus le mariage comme la construction d'une famille. Avant, les hommes partaient en mer pendant plusieurs mois. Ils n'avaient guère le temps de penser à changer de femme. C'étaient des hommes dans le véritable sens du terme. D'un autre côté, les femmes peinaient dur aussi. Elles gravissaient les montagnes pour une gorgée d'eau. Quand on les compare à celles d'aujourd'hui, on constate qu'elles étaient de meilleures éducatrices. La génération actuelle est certes instruite mais elle a pris goût à la facilité. Tout est devenu facile. Donc même le mariage et le divorce. »

Amira et ses compagnes reculent, apeurées, devant l'appel d'air de la modernité. Alors, l'Islam est là, la tradition aussi qui offrent la quiétude des anciennes valeurs.

« Nous voulons que la femme reste la femme et l'homme, l'homme. La femme est le sexe faible, le sexe "doux", elle a besoin de l'homme pour la protéger. Lorsqu'elle sort, elle est heureuse d'être accompagnée par son *mahrem**. Elle sait de la sorte que personne n'osera l'approcher. Dieu lui permet ainsi d'avancer comme si elle était une reine et l'homme son serviteur. Même si à la maison, il est son maître. Quand je vais par exemple faire mes courses au supermarché, je ne renoncerais pour rien au monde à sa présence. Qui me déchargerait de mes fardeaux ? Je les porte déjà à l'intérieur, je n'ai aucune envie de les porter également à l'extérieur. La compagnie d'un homme me valorise devant les gens... et devant les autres hommes. Quand je monte dans la voiture, il m'ouvre la porte. Quand je voyage, il s'occupe de toutes les formalités. Il faut vraiment ne pas avoir le choix pour accepter de les subir soi-même. Tant que ma situation me le permet, je garde ''mes hommes'' avec moi. Tant que l'Islam m'accordera tous ces avantages, je n'y renoncerai pas ! »

Cousins, cousines

Déroulant ses courtes jambes sur le tapis du salon, Abdallah se débarrasse prestement de son *chech* (couvre-chef) qu'il jette sur un fauteuil, s'adosse, bras en croix, contre un canapé, puis avec un soupir d'aise, tourne vers moi son visage pétillant de malice. Autour de ses yeux, mille petits plis se préparent, guettant la première boutade, le premier prétexte qui libéreront son grand rire. Car Abdallah aime rire. Il aime rire comme d'autres affectionnent la bonne chère. Valser avec des chiffres à multiples zéros lui fait prendre en grippe l'esprit de sérieux, semble-t-il, sitôt la porte de son bureau refermée. Pourtant, d'un plaisantin, Abdallah n'a que l'apparence. Directeur d'une agence bancaire, il appartient à la fraîche promotion des jeunes locaux qui, forts d'une formation supérieure, ont investi les postes de responsabilité, longtemps le domaine exclusif des cadres étrangers faute de nationaux compétents. Mais à la différence de beaucoup de ses semblables, gourmands de l'aura d'un titre mais dédaigneux de ses obligations, Abdallah ne méconnaît pas la valeur de l'effort. Passionné par son métier, il s'y adonne pleinement, conscient que la vraie richesse d'une nation réside à long terme dans la capacité de travail de ses citoyens. Jetant un regard plein de fierté sur les pas de géant accomplis par son pays en un laps de temps aussi court, il reconnaît cependant que le développement économique à lui seul demeure incomplet tant qu'il ne s'accompagne pas d'une évolution des mentalités. Mais au-delà de cette constatation théorique, la plus audacieuse qu'il veuille consentir, il évite autant que possible de se livrer à une véritable critique des travers dont sa société est porteuse. Face à l'étrangère que je suis, le réflexe de fermeture, sous couvert de désinvolture, fonctionne à merveille. Vanter les progrès, minimiser les problèmes, Abdallah, malgré un bagage intellectuel certain et une perception aiguë de sa réalité, n'entend pas déroger à cette règle de base. Pourtant, sa conception de la vie telle que ses propos et son comportement général la laissent transparaître traduit un profond désir de changement par rapport aux normes sociales en vigueur. Un changement qui, selon lui, serait déjà largement en cours, en particulier dans le domaine qui nous préoccupe, celui des rapports entre les sexes. Affirmant que les jeunes multiplient les occasions de se rencontrer, il dit rejeter le principe du mariage traditionnel qu'il estime, à la différence des points de vue précédents, en perte de vitesse. Sa femme, il veut la connaître au préalable, l'aimer, « sortir avec elle » pour être à même de juger de la qualité de leur entente, sur tous les plans, avant de s'engager dans une union définitive. Avoir des rapports sexuels prénuptiaux ? Il le souhaiterait. « Cela fait partie de la connaissance que l'on a d'un être. » Un discours avant-gardiste pour le contexte dont il est difficile cependant de vérifier la véracité, le moment venu. Piqué au vif par le résumé de ma rencontre avec les femmes du club de Sharja dont les propos contredisent les siens point par point, il me promet de me présenter dans les plus brefs délais des personnes dont l'ouverture d'esprit me surprendra. Puis, sur ce bel engagement, il me propose d'aller boire un verre, histoire de me faire admirer ce qui ne prête pas à discussion : la modernité de l'urbanisme de sa ville.

La voiture glisse en silence sur la route alors que s'assombrit l'horizon. M'enfonçant dans les coussins, je me laisse aller à une fugace béatitude en goûtant la douceur du soir tombant. Abdallah tapote un numéro sur le cadran du téléphone perlé de petites lumières vertes. La sonnerie emplit l'espace réduit de l'habitacle. Au bout d'un moment, une voix émerge du néant, aussitôt suivie de celle, joyeuse, d'Abdallah. Une conversation anodine s'installe entre elles tandis que défile sous mes yeux rêveurs un paysage piqué de points clairsemés comme une broderie à peine entamée.

Le lieu où Abdallah a choisi de me conduire est une coquette pâtisserie française faisant office de salon de thé. La chaude simplicité du décor, les croissants croustillants et l'odeur âcre du café tranche avec l'atmosphère aseptisée de l'américanisation environnante. Les distances s'évanouissent. N'eût été mon compagnon et les trois autres *déchdachas* blanches qui à leur tour pénétrent mon champ de vision, je me croirais ailleurs, à des milliers de kilomètres de ces mirages moqueurs. Reconnaissant dans les nouveaux arrivants des personnes amies, Abdallah les invite à se joindre à nous. Pendant qu'il bavarde avec les deux autres, j'en profite pour poser quelques questions directes à mon voisin de droite. A la guerre comme à la guerre ! Il me faut bien, vu l'avarice en communication de cette société, faire feu de tout bois. Ancien camarade de promotion d'Abdallah, Zayed, à la fin de son premier cycle universitaire, est parti passer deux années aux États-Unis pour préparer un doctorat. A son retour, il se marie. Avec une fille qu'il n'avait jamais vue. « Je voulais épouser une fille d'une famille conservatrice. Or dans ces familles, il n'est pas question de se connaître avant le mariage. Je me suis donc, comme les autres, soumis à la règle. Je suis déjà tombé amoureux lors de mon séjour à l'étranger. Je sais ce que cela signifie. Mais dans un mariage, c'est la raison qui prime. L'amour peut venir après. »

Je jette un regard en direction d'Abdallah. Son « chech » est de guingois. Mis à part ce détail futile, il ne diffère en rien de son entourage. Où se trouve sa vérité ? Dans ce qu'il exprime ? A l'heure venue, ne rejoindra-t-il pas plutôt la ligne suivie par son congénère et, à travers lui, ses pères et ses aïeux ? Soudain, j'ai le sentiment que tout ce décor n'est que carton-pâte, ces personnages, les acteurs d'une parodie de Mel Brooks, et moi, une souris à qui on a coupé les moustaches. Un grand vent de sable se lève et efface dans un tourbillon fou tout ce qui rompt la somptueuse nudité de l'espace.

Abdallah tient enfin parole et me prend rendez-vous dès le lendemain avec l'une de ses cousines, une sociologue formée elle aussi à l'étranger. Les autorités ont compris l'importance de l'instruction des filles pour le développement du pays et y ont accordé la plus grande attention ; afin de donner l'exemple, les familles dirigeantes ont été les premières à envoyer leurs filles à l'école. Alors que la première école n'ouvre ses portes qu'en 1958 à Charja (jusque-là seules existaient les écoles coraniques), en 1970, la première diplômée sort de l'Ecole normale. Références à l'amour du Prophète pour le savoir, allocations distribuées aux parents pour chaque enfant scolarisé, aucun effort n'est ménagé pour convaincre les plus réticents. La non-mixité de l'enseignement est instaurée pour éviter de heurter les traditions. Ce n'est que progressivement que celle-ci ne s'appliquera plus aux enseignants, tenus au début d'être du même sexe que leurs élèves. Par contre, elle demeure rigoureuse dans la composition des classes. Dans certaines régions où la faiblesse numérique des élèves rend absurde et coûteuse la création de deux écoles, un essai de mixité a été tenté. Mais les réactions ne se sont pas fait attendre ; l'âge de la puberté atteint, les parents retiraient leurs filles de l'école. La plupart du temps, l'une des raisons majeures qui incitent les parents à mettre fin à la scolarité de leur fille est le mariage. Mais quel que soit le motif, dès que cette décision intervient, les assistantes sociales entrent en action pour essayer de convaincre soit le père, soit le mari de revenir sur leur position.

En 1977, l'université d'El Aïn ouvre ses portes ; c'est la première université du pays. Jusque-là, les étudiants qui atteignaient le cycle supérieur devaient partir à l'étranger pour achever leur formation universitaire. Les familles les plus libérales envoyaient aussi leurs filles en Égypte, au Koweït, en Irak, au Liban ou encore en Grande-Bretagne ou aux États-Unis mais, on s'en doute, ce n'était pas le cas de la majorité. La création d'une université locale résout ce problème et le nombre de filles à accéder à la formation universitaire va dès lors décupler.

Khaoula dirige l'un des nombreux centres de « développement national » créés par le ministère des Affaires sociales pour mener des programmes de formation et d'éducation de masse en direction des femmes analphabètes. Me recevant dans son bureau, la habaya ramenée en écharpe sur les épaules, elle a une expression un peu lointaine. L'invisible barrière est là, comme de coutume. Khaoula, pourtant, appartient à cette catégorie de femmes qui, malgré le poids de la tradition, ont eu la chance de pouvoir percer très tôt leur coquille. A dix-sept ans, elle s'envole pour les États-Unis ; six longues années de vie estudiantine. Mais, auparavant, son adolescence est ponctuée de voyages qu'elle effectue en Europe, seule, dans le cadre de stages de langues ou en compagnie de ses parents durant les vacances. « Ma famille a toujours été très ouverte. L'instruction, chez nous, relève du devoir civique. Aussi n'ai-je rencontré aucune opposition lorsqu'il s'est agi de partir pour achever ma scolarité. Etudier à l'étranger m'a ouvert l'esprit sur beaucoup de choses. D'abord sur ma propre personnalité. J'ai appris à ne compter que sur moi-même. A vivre seule, chose inimaginable ici. Pour les étudiantes qui vont étudier dans les pays arabes comme l'Égypte ou la Jordanie, des logements spéciaux sont mis à leur disposition par notre gouvernement, leur permettant ainsi de se retrouver entre elles. Mais en Amérique, ce n'est pas la même chose. J'avais bien des gens de ma famille qui habitaient là-bas mais j'ai tenu à avoir mon propre intérieur. » Khaoula n'en établit pas pour autant une communication avec son nouvel environnement : « Hors du cadre universitaire, je n'ai pas beaucoup fréquenté les étudiants américains. Nous restions plutôt entre étudiants arabes. Les Américains ne connaissent pas grand-chose aux autres. »

Khaoula, par contre, acquiert, à force de le côtoyer, une aisance nouvelle dans ses relations avec l'autre sexe. « Dans ma famille déjà, la mixité était quelque chose de normal ; ma mère, par exemple, s'assied aux côtés de ses beaux-frères. Chez les bédouins, il est courant que la femme se mêle aux hommes contrairement aux hadars, beaucoup plus stricts. Aussi n'ai-je eu aucun mal à participer à ces réunions estudiantines où garçons et filles se rencontraient. »

Mais à son retour à Dubaï, elle s'aperçoit que le climat a changé. Sur cette société, pourtant encore profondément traditionnelle, le vent fondamentaliste s'est mis à souffler.

Au regard de l'étranger qui débarque, les nuances ne sont guère perceptibles. Pourtant, selon Khaoula, l'impact de l'Islam rétrograde est considérable.

« Vois-tu cette habaya, me dit-elle en me montrant le fin tissu noir qui recouvre ses épaules. Avant, on se contentait de la porter simplement posée sur la tête. Maintenant, elle vient se surajouter à un hijab strict qui ne laisse rien paraître des cheveux. De plus en plus de jeunes femmes la ramènent également sur leur figure alors que ce comportement n'était plus le fait que des personnes âgées. Dans la vie quotidienne, les conséquences sont nombreuses car les islamistes entendent se mêler de tout ; de la relation entre le mari et sa femme, entre la mère et son enfant... Au lieu de mettre l'accent sur les valeurs fondamentales de l'islam, ils s'arrêtent sur des détails complètement futiles. Ils ont ainsi décrété que la voix de la femme était *awra* ; qu'il est donc honteux qu'elle se fasse entendre. La femme ne doit pas conduire sa voiture. Se mettre du parfum. Se faire belle. Chez nous, il est fréquent que la femme voyage seule. Eux s'y opposent et dénoncent ce comportement. »

Khaoula voit à cette métamorphose plusieurs raisons. « En premier lieu, la proximité de l'Iran. De par la présence massive d'émigrés iraniens sur notre territoire et l'intensité des échanges humains qui n'ont jamais cessé entre nos deux pays (les Émirats sont le seul pays de la région à n'avoir jamais rompu ses relations avec l'Iran, même au plus fort de la guerre du Golfe), la révolution iranienne a eu des répercussions directes sur nous. En deuxième lieu, il y a les jeunes qui partent étudier aux USA. Quand ils arrivent, ne connaissant personne dans cette société matérialiste, ils se laissent endoctriner par les Frères musulmans dont les associations sont extrêmement puissantes là-bas. En troisième lieu, j'insisterais sur le rôle joué par les enseignants arabes qui exercent une véritable emprise sur le ministère de l'Éducation nationale et à l'intérieur de l'université. Adeptes des Frères musulmans pour la plupart, ils ont formé les jeunes locaux à leurs idées et ceux-ci à leur tour les propagent dans leur entourage.

— Mais en Égypte, justement, les pays du Golfe sont jugés eux-mêmes responsables de la diffusion de cette idéologie car, après quelques années passées à travailler chez vous, les émigrés reviennent en prônant le hijab et la claustration des femmes...

— C'est faux. On connaît l'ancienneté du mouvement des Frères musulmans en Égypte. Notre société est certes traditionnelle mais elle n'est pas fanatique. Nous n'avions pas de *tazamout**.

— Mais les femmes, ici, couvrent bien leur visage avec le borqua ?

— Oui, mais le borqua est ouvert. Maintenant, il ne leur suffit plus. Ils rajoutent un voile fermé par-dessus. »

Borqua ouvert, voile fermé, on atteint les limites de l'absurde. Face aux transformations dont elle fait l'objet, la société émiratienne n'échappe pas au réflexe classique ; se recroqueviller sur ses femmes, la fragile clé de voûte du système, le talon d'Achille des hommes. La porte de la cage commence tout juste à s'entrouvrir que la panique s'installe. On rajoute des barreaux dans l'espoir que la lumière ne filtrera plus. Que l'appel du grand air ne se fera pas sentir. Que les blanches colombes garderont à jamais leurs ailes repliées. Mais pour l'heure, ils n'ont pas trop d'inquiétudes à avoir. Quelques battements d'ailes et le retour au nid s'effectue. « Il est entendu d'emblée qu'à ton retour, tu réintègres la famille, explique Khaoula, car il est hors de question pour une femme célibataire ou même divorcée de vivre seule. Sachant pertinemment cela, je n'ai pas souffert de problèmes de réadaptation, bien que ma liberté d'action se soit réduite et que je ne puisse plus fréquenter qui je veux, comme je veux.

— Accepterais-tu de faire un mariage traditionnel ?

— Non, ça, jamais. D'ailleurs, de moins en moins de jeunes filles se marient ainsi. Il y a au minimum une relation téléphonique. On peut s'être aperçus quelque part et se contacter par ce biais. Comme il n'y a pas de lieux possibles pour se retrouver, on se rabat sur cet ultime moyen. »

Un éclair traverse le regard de Khaoula dont le visage renonce un instant à sa placidité. Sous l'apparente acceptation de sa condition, mon interlocutrice voile, comme on le lui a toujours appris, ses véritables sentiments. « Non, j'ai eu des amis, mais pas un "ami", me répond-elle quand je lui demande si au cours de son séjour américain, elle a fait l'expérience d'une relation amoureuse. Je ne me faisais guère d'illusions là-dessus...

Dans les faits, le changement des mœurs est en cours. Il se manifeste justement à travers elle. Ses camarades de l'autre sexe, partis eux aussi étudier à l'extérieur des frontières, le perçoivent parfaitement. Ils l'expriment par la peur, par le rejet du nouveau modèle de femme qu'elle incarne. « Beaucoup d'étudiants, reconnaît-elle, font un mariage traditionnel alors qu'ils ont multiplié les relations amoureuses durant leur séjour à l'étranger. Ils préfèrent épouser une fille qui n'a pas ou peu étudié plutôt qu'une universitaire. Aussi, parmi ces dernières, y en a-t-il de plus en plus qui demeurent célibataires. Elles ont épousé le savoir », ajoute Khaoula avec un petit rire sec. Comme elle. Mais, pudique, elle se tait en croisant ses doigts sous son menton dans un geste de calme désabusement. Une mèche rebelle danse devant ses yeux.

Abou-Dhabi, borqua « high tech »

Aujourd'hui, départ pour Abou Dhabi, le plus grand des sept États des E.A.U. (65 000 km^2 pour une superficie totale de 83 000 km^2), le plus peuplé (les deux tiers de la population globale) et le plus riche (son territoire recèle les plus importants gisements de pétrole). Toutes ces raisons réunies font que son émir, le cheikh Zayed Ben Sultan El Nayan, est également le président des E.A.U.

Adossée au souk de Dubaï s'ouvre une grande place bruissante de monde qui fait office de gare routière. Mais c'est une gare sans autocars. Seuls des taxis privés, collectifs pour la plupart, assurent les liaisons entre Dubaï et les autres émirats. Grâce au rajout fréquent d'une banquette, les chauffeurs de ces taxis parviennent à caser un nombre impressionnant de passagers dans des véhicules conçus au départ pour ne pas en dépasser cinq. C'est dire le confort de la promenade !

Certes, seuls les pauvres bougres, ceux qui ne possèdent pas de voiture personnelle, degré suprême de dénuement, voyagent dans de telles conditions. Dubaï juge inutile de faire les frais d'un réseau de transport en commun pour cette catégorie-là. Normal : elle n'est composée que de non-nationaux. Par contre, l'émirat se paie le luxe de posséder sa propre compagnie aérienne, « Emirates », venue depuis peu rivaliser avec la compagnie fédérale installée à Abou Dhabi, Gulf Air. Aéroport flambant neuf, appareils dernier cri, neuf pilotes étrangers payés rubis sur l'ongle, les 420 000 Dubaïens peuvent être fiers de leur coûteux joujou ; c'est du grand luxe.

Criant à la ronde le nom de sa destination, chaque chauffeur de taxi attend de remplir son véhicule avant de prendre la route. Aussi sont-ils tous là à s'égosiller en chœur pour rameuter leurs éventuels passagers. Un véritable marché à la criée. A peine ai-je dit que j'allais à Abou Dhabi que mon sac de voyage est prestement enfoui au fond du coffre d'une voiture. Je n'ai plus d'autre choix que d'attendre à mon tour que celle-ci se remplisse. Au bout de dix minutes heureusement, nous démarrons. Comme je suis la seule femme de la compagnie, on me concède la meilleure place ; près de la fenêtre, à l'avant. Des conditions (presque) touristiques car, bien qu'une troisième personne ait été placée en sandwich entre le chauffeur et moi-même, je bénéficie d'une vue dégagée et un filet d'air frais. Sortie de la ville, je guette avec impatience les premières dunes de sable. Mais les kilomètres passent et rien, pas la moindre courbe dorée ne vient briser la morose platitude du paysage. De méchantes ronces courent sur une terre grise, bosselée par endroits. Parfois, un monticule moins mesquin que les autres fait illusion. Je m'y accroche en espérant voir enfin surgir le vrai désert, celui des cartes postales et des fantasmes. En vain. Pour y parvenir, il est nécessaire de pénétrer plus profondément à l'intérieur des terres. Or là, nous longeons la côte. Par contre, j'ai tout le loisir d'admirer l'enchevêtrement d'acier d'une usine de je ne sais trop quoi. Hormis un immense champignon blanc surplombant une colline curieusement verte par rapport à l'aridité environnante (le golf, dernier gadget de ces messieurs), ce voyage laisse mon petit tiroir à images-souvenirs, désespérément vide. Pour abréger le temps, il ne me reste plus qu'à tenter de piquer un petit somme. Dodelinante, ma tête cherche appui contre la fenêtre quand la voiture, soudain, ralentit et s'arrête sur le bas-côté. Le chauffeur descend, déroule un petit tapis et se prosterne face contre terre. L'heure de la prière a sonné. En se redressant son regard embrasse l'immensité nue de l'espace. Dans un tel décor point de tartufferie : de la piété à l'état brut. A quelques mètres de notre véhicule, une autre voiture est stationnée. Pendant qu'un passager achève ses génuflexions, deux de ses compagnons, assis à même le sable, disputent tranquillement une partie de dés. Autour de nous, le silence est total. Il n'y a pas âme qui vive à plusieurs kilomètres à la ronde. Nous redémarrons. Il me semble, enfin, avoir perçu l'âme de la région.

Une demi-heure plus tard, une plaque nous informe qu'Abou Dhabi est en vue. Comme par un coup de baguette magique, des couleurs surgissent de part et d'autre de l'autoroute. Sur une entrée longue de plusieurs kilomètres, fleurs, gazon et lauriers-roses saluent les arrivants : une opulence végétale qui, dès le premier coup d'œil, relègue Dubaï au rang de parent pauvre. Pulvérisée par un système automatique d'arrosage, l'eau retombe en nuées sur les plates-bandes tandis que, tous les deux-trois mètres, des jardiniers courbent le dos, cisaille en main. « Derrière chaque arbre, il y a un Pakistanais », dit-on ici.

Un bras de mer, une plage de sable fin, un dernier pont et Abou-Dhabi dévoile fièrement son visage. En arrière-fond, une splendeur turquoise. Des gratte-ciel dorés. Un soleil lumineux. Le ciel bleu. C'est beau. Superbe même. J'aime.

Après avoir changé de taxi et constaté avec plaisir que dans cet émirat-là, on connaît l'existence du compteur, je me rends directement au local de l'Association des femmes d'Abou-Dhabi.

Autant je me suis accoutumée à la habaya dont le port confère une certaine élégance, autant la vue du borqua continue à me glacer. Or la femme auprès de laquelle une secrétaire peu amène m'introduit le porte. Très droite, de longs cheveux auburn flottant sur ses épaules, elle me reçoit en me présentant cet impossible faciès d'oiseau de proie. Peu soucieuses de ma présence, deux ombres, ses collaboratrices, continuent à l'entretenir pendant que je cherche un angle d'attaque à l'entretien. C'est le vide dans ma tête. Toutes mes questions semblent s'être volatilisées. Une fois seules, je tente une petite plaisanterie pour rompre la glace. Pas d'effet. Les yeux sombres ne sourient pas. Bien au contraire, je sens se froncer les sourcils. Mon dialecte l'écorche, le sien ne m'arrange guère plus. Comptant cependant sur mon magnétophone pour ne pas perdre le sens des mots que j'aurais mal compris, je retire celui-ci de mon sac pour le déposer sur la table quand d'un geste impératif, elle m'arrête : « Non, pas d'enregistrement, nos coutumes ne nous le permettent pas. » Refrénant une folle envie de rebrousser chemin, je m'enquiers des activités de l'association, la question bateau par excellence dont la réponse se trouve dans n'importe laquelle de leurs brochures. Chapeautées par la Fédération des femmes des E.A.U., que préside activement la femme du cheikh Zayed, la cheïkha Fatima, les associations de femmes de chaque émirat ont pour principale fonction de développer un programme d'éducation générale comportant le traditionnel volet « féminin » (alimentation, hygiène, éducation pré et post-natale de la mère, couture, travaux ménagers, etc.) mais également un volet « lutte contre l'analphabétisme » de première importance. « L'instruction est fondamentale à nos yeux. Une femme doit être instruite pour son propre épanouissement, pour l'éducation de ses enfants et pour le développement de son pays, affirme mon interlocutrice. Aussi des classes sont-elles ouvertes le matin à toutes celles qui désirent soit commencer leur instruction, soit la poursuivre si elle a été interrompue en chemin. » Ce programme d'alphabétisation permet d'acquérir en deux ans l'équivalent de quatre ans d'éducation primaire. Il est un fait que les femmes émiratiennes n'ont pas eu à lutter (comme leurs consœurs égyptiennes par exemple) pour leur droit à l'enseignement. Aux adultes qui prennent le train en marche, toutes les facilités sont accordées (crèches, transport, gratuité des livres). Déchargée des tâches ménagères par la présence de nombreux serviteurs à domicile, la femme bénéficie en général de tout le temps nécessaire pour se consacrer à son instruction, si elle le souhaite. Encourager les femmes une fois munies de leurs diplômes à embrasser une carrière professionnelle fait également partie des tâches de ces organisations. Conférences et séminaires sont régulièrement organisés sur différents thèmes sociaux comme celui de la drogue, dont les ravages auprès d'une jeunesse argentée commencent à se faire sentir : « Nous essayons de sensibiliser les mères à ce fléau. De leur apprendre à reconnaître les drogues que leurs enfants sont susceptibles de ramener à la maison. »

En 1985, la Fédération des femmes des E.A.U. organise le premier séminaire des femmes arabes du Golfe. L'un des principaux sujets qui a retenu l'attention des participantes a été celui du mariage. Mais pas n'importe lequel ; celui du ressortissant local avec une femme étrangère. Une demande impérative fut formulée à l'issue de ce séminaire au gouvernement pour que « soit prêtée attention aux mariages non traditionnels ». « Le plus grand nombre des épouses étrangères, me dit mon interlocutrice, provient d'Asie. Puis il y a les Égyptiennes, les Européennes et les Arabes des autres pays. Depuis peu, les Marocaines ont le vent en poupe. Bien que le mariage soit une question personnelle, elle influe beaucoup sur la société au sein de laquelle une génération mélangée grandit. Les enfants nés de ces mariages, avec quelle culture, avec quelle société vont-ils composer ?

— Vous estimez que le problème se pose même lorsqu'il s'agit d'une femme arabe ?

— Généralement, ces hommes épousent des femmes peu instruites et issues de milieux pauvres. En venant ici, elles n'élèvent pas le niveau social et ne donnent pas une bonne éducation à leurs enfants.

— Mais toutes les autochtones sont-elles instruites ?

— Non, mais elles véhiculent les mêmes traditions. Avec une mère locale non instruite, l'enfant au moins ne souffrira pas de problèmes d'insertion. Une mère égyptienne par exemple l'habituera à manger de la *mloukhiya*[5]. Or nous, nous ne mangeons pas de mloukhiya. La question de la confrontation des cultures se pose inévitablement. »

Ce sentiment de constituer une société à part, distincte des autres pays du monde arabe, ne se retrouve pas simplement dans la bouche de cette femme. Dans un ouvrage édité par le ministère de l'Information et de la Culture, on peut lire les lignes suivantes : « Une autre mesure pourrait être le fait de décourager les mariages exogames, bien que ces mesures n'incluent pas les citoyens des pays du Golfe arabique qui seraient considérés sur un même pied d'égalité que les citoyens des E.A.U. ce, en raison des liens de plus en plus étroits entre les six États et leur héritage linguistique, religieux, historique commun. » Par soustaction déductive, on peut donc conclure que en dehors de ces six États, il n'y a pas d'héritage, ni linguistique, ni religieux ni historique commun avec le reste du Moyen-Orient !

Dans ce même ouvrage, il est fait mention des conclusions d'une étude menée par le ministère du Travail et des Affaires sociales quant aux raisons qui poussent les jeunes hommes des E.A.U. à rechercher des épouses étrangères. Les causes principales relevées sont le coût particulièrement élevé du *mahr* (la dot) et des festivités du mariage. En effet, des sommes astronomiques seraient demandées par certains pères aux prétendants, donnant ainsi à l'union matrimoniale les allures d'une juteuse tractation.

Interrogée sur ce point, mon interlocutrice refuse de le considérer sous cet angle.

« Lorsque le mariage a lieu entre des familles d'un même milieu social, le problème ne se pose pas. Il se pose pour celui qui veut épouser quelqu'un d'un niveau supérieur au sien », rétorque-t-elle en soulevant involontairement une autre question, celle de la mobilité sociale.

Dans cette société à forte structure tribale, les règles matrimoniales demeurent encore très rigides. Pour une fille de cheikh par exemple, il ne saurait ête question d'un mariage hors de sa classe. Pour cette raison, on verra des gosses de douze-treize ans données à des hommes de l'âge de leur grand-père, ou des femmes jeunes, instruites et riches, accepter de devenir les troisièmes épouses d'un vieux barbon.

Polygamie, répudiation, absence de limitation de l'âge du mariage, les femmes des Émirats ne sont à l'abri d'aucun de ces maux, les règles de la Charia étant appliquées sans limitation aucune. Abrégeant à la hâte l'entretien, mon interlocutrice évitera de me définir la position de son association sur ce point. Par la suite, j'eus l'occasion de rencontrer la directrice de la Fédération des femmes émiratiennes. Questionnée sur ce même sujet, elle me demanda de coucher sur papier mes questions, me promettant d'y répondre par la même voie. Par la suite, plus de nouvelles.

« Ici, me confie Hnia, une compatriote rencontrée par le plus grand des hasards dans les locaux de l'Association, la répudiation et la polygamie n'ont pas la même signification que pour nous. Si leur mari prend une autre épouse, il l'installe dans une maison à part. Si elles veulent divorcer, elles divorcent. Et si elles sont répudiées, elles sont suffisamment riches pour ne pas en pâtir. »

Abou-Dhabi possède aussi « sa promenade des Anglais » : une corniche aménagée le long du bord de mer où il fait bon flâner en fin de journée. Assis en tailleur sur les pelouses, des hommes et des femmes, par petits groupes distincts, se délassent alors que le soleil tire sa révérence. D'autres, plus courageux, activent leur circulation sanguine par un gentil footing. Gambadant autour des grandes personnes, les enfants laissent de temps à autre fuser leurs cris et leurs rires. Une ambiance sagement familiale règne ici. Mon appareil en bandoulière, je vole ici et là quelques scènes en essayant de me faire la plus discrète possible. Un homme sourit ; il m'a vue le cadrer mais ne dit rien. Ça va, ils ne sont pas aussi rigides qu'il y paraît de prime abord. Trois jeunes filles s'avancent nonchalamment dans l'allée ; deux Africaines en boubou et une autochtone, la abaya négligemment jetée sur les épaules. Vite, j'actionne mon déclencheur. Faussement surprise, cette dernière fait mine de vouloir resserrer son voile sur elle.

Cet effarouchement ayant tout l'air d'être feint, je lui demande la permission de prendre d'autres photos. Pas de problèmes ; elle se prête avec coquetterie au jeu des poses. Et des questions. Mariage arrangé ? Hors de question. « On trouve toujours le moyen de faire connaissance avec un garçon. Ici, sur la corniche ou dans les jardins publics. Bien sûr, ce n'est pas bien vu mais on y parvient. » Polygamie ? « Oui, me dit-elle dans un rire, elle a baissé. Avant, chaque fois que les hommes partaient en voyage pour l'Inde, ils en ramenaient (des femmes !) par quatre et cinq. Maintenant les jeunes, les pauvres n'ont plus autant de moyens : ils doivent se contenter de deux ou de trois ! »

Possédant sa voiture personnelle dotée, cela va de soi, d'un téléphone, elle circule à sa guise en compagnie de ses amies. Aucun chaperon ne lui colle au pas, et la permission de minuit lui est acquise. Pour cette demoiselle, les murs du harem semblent avoir beaucoup perdu de leur épaisseur.

Une foire de femmes sur une plage de femmes. Partout, que des femmes ; des jeunes et des vieilles, de jolies et des laides, des femmes avec borqua et des femmes sans borqua... Me revient brusquement à l'esprit une autre foire dans un autre univers ; celle du livre féministe à Montréal. Certes, quelques mâles, accrochés comme à une bouée au bras de leur compagne, rompaient de temps à autre le monolithisme ambiant mais, à ce détail près, la similitude est frappante. Sauf que, dans le cas présent, cet espace féminin n'est pas artificiel. Les femmes n'ont pas eu à exprimer la volonté de demeurer entre elles ; elles le sont par définition.

La plage, plus que tout autre lieu, est l'objet d'une rigoureuse ségrégation sexuelle. Il existe certes des plages mixtes, mais elles ne sont fréquentées que par des étrangères, arabes ou occidentales, habituées depuis toujours à se baigner en compagnie des hommes. Quand l'abandon de la habaya constitue déjà une infraction, exposer son corps dénudé aux regards masculins est du domaine de l'inconcevable. Même sur cette plage qu'aucun pied d'homme ne foule, nombreuses sont celles qui ne se séparent pas de leur longue robe pour pénétrer dans l'eau. Ce qui ne les empêche pas de nager tout à leur aise.

Mais l'esprit, aujourd'hui, n'est pas à la baignade. Elles sont venues pour participer à la vente de charité annuelle au profit des handicapés, qu'organisent les épouses des ambassadeurs. Les visiteuses semblent pour la circonstance avoir revêtu leurs plus beaux atours. Mes yeux s'écarquillent devant le défilé de tenues lourdes de paillettes et de dorures. Sous les habayas noires, les couleurs se donnent libre cours. Les petites filles se pavanent, apprêtées comme des demoiselles d'honneur dans de longues robes en satin et en dentelle. Alors que la chaleur, au cœur de l'après-midi, alourdit le moindre geste, j'aperçois des petites jambes en collants de laine qui plaquent sagement leurs pas sur ceux des grands. Le thermomètre indique 30° à l'ombre.

L'arrivée d'une équipe de TV crée l'événement ; pour la première fois, des hommes ont été autorisés à pénétrer à l'intérieur de cette enceinte. Certaines femmes ajustent aussitôt leur habaya, d'autres ne manifestent aucune gêne. Une vieille portant un borqua en cuir est complètement fascinée par les projecteurs. Soudain, elle pousse un cri d'effroi et se rejette en arrière ; c'est elle que la caméra filme.

Une fois le tour des stands achevé, les femmes les délaissent pour aller se reposer sur une immense pelouse. Je fais de même en prenant soin de m'asseoir à proximité d'un petit groupe et, à la première occasion engager la conversation. La plus âgée, Rawda, n'a que dix-neuf ans ; elle est pourtant mariée depuis cinq ans et a déjà deux enfants. Son mari, elle aussi ne l'a connu que le jour de son mariage. Ses études, elle ne les avait pas achevées mais elle les a repris récemment à temps partiel. Jeune fille, son visage était toujours resté découvert. Mais sa nouvelle famille et son mari le lui ayant imposé, elle s'est soumise malgré elle au port du borqua. Des réponses type pour un profil type. A l'image d'une société ; immuable en apparence mais parcourue d'imperceptibles frémissements. Rawda compte bien atteindre l'université. Et plus tard, arracher son borqua.

Plus loin, une jeune femme est assise, seule et pensive. Mon approche la tire de sa rêverie. Elle marque un mouvement de recul quand je lui demande la permission de m'asseoir à ses côtés. Non, elle ne veut pas discuter avec moi. J'insiste en lui expliquant que je ne souhaite ni connaître son identité ni la photographier. Juste converser avec elle. Que, comme elle, je suis arabe. N'ayant pas d'arguments à m'opposer, elle se soumet à contrecœur à ce dialogue forcé. Mariée à onze ans, veuve dix ans plus tard, elle vit depuis chez son frère. Ses deux filles viennent nous rejoindre. Elles ont respectivement treize et quatorze ans, alors que leur mère n'en a que vingt-huit. Mise en confiance, elle se détend un peu ; je lui demande alors pour quelle raison elle avait fait preuve d'autant de réticence à mon égard. Elle m'avoue timidement qu'être vue en ma compagnie risquait de lui créer des problèmes. Parce que je suis une étrangère et que je suis « nue » !

Malgré les deux Mercédés qui occupent le garage, la maison de Najiba dégage un charme discret et sans prétention. Un intérieur coquet, confortable sur lequel se devine la patte des habitants et non d'un quelconque décorateur. Pas de marbre, de glaces ni de dorures comme il m'a été donné d'en voir jusqu'à présent mais une sobriété raffinée qui se devine dans le moindre détail. Najiba est la responsable de la vente de charité de la plage et, rare parmi ses sœurs, elle m'a proposé de la rejoindre chez elle. A la plage déjà, Najiba différait tant par sa manière d'être de ses concitoyennes que je ne saisis pas immédiatement qu'elle était « locale ». Habillée à l'occidentale avec une grande décontraction mais une touche d'élégance, elle se promenait cheveux au vent sans même porter l'inévitable habaya sur les épaules. Son allure vive et décidée laissait transparaître une personnalité bien affirmée. L'image typique de la jeune femme active mais aussi de la mère quelque peu débordée par trois enfants en bas âge accrochés en permanence à ses basques.

Avant de passer à table, Najiba me présente son mari qui vient nous rejoindre au salon. Lui, en revanche, est fidèle à la habaya. Indiscutablement, celle-ci donne beaucoup de classe à ceux qui la portent. De plus, ce qui n'est pas pour les désavantager, les hommes des Émirats ont gardé la sveltesse et l'ossature nerveuse du bédouin, contrairement à certains de leurs voisins que l'inaction et le luxe ont outrageusement empâtés.

Najiba et son mari se sont connus aux USA, où tous deux ont poursuivi leurs études. Pour déroger à la règle, eux se sont choisis et se sont mariés par amour. Durant le déjeuner et bien qu'une servante assure le service, mon hôte l'aide à débarrasser. Laissant sa femme discuter tranquillement avec moi, il change les assiettes et les rapporte à la cuisine. Évoquant son expérience professionnelle, Najiba relève que si de plus en plus de femmes investissent les divers domaines de la vie publique, il est chaque fois nécessaire à l'une d'elles de faire le premier pas pour ouvrir la porte aux autres. « Quand j'ai terminé mes études et que j'ai voulu travailler dans le secteur bancaire, celui-ci était encore exclusivement masculin. Il m'a fallu accepter d'être la première femme à l'investir. Je n'ai eu aucun mal à me faire engager et, par la suite, à aucun moment, ma condition de femme ne m'a bloquée dans ma progression. Pour mon directeur, seul compte le travail. Quand il a fallu nommer un chef de service, il m'a désignée parce que j'étais dans la maison avant les autres candidats potentiels. Pourtant, c'étaient des hommes, et mon ancienneté par rapport à eux ne dépassait pas quelques mois. »

Profitant d'une absence momentanée de son mari, je demande à Najiba si le comportement de ce dernier a varié depuis leur retour aux Émirats. « Sur certains points, il n'a pas changé mais sur d'autres, il n'est plus le même. Il n'est plus question, par exemple, de sortir ensemble pour aller dîner dans un restaurant. Nos hommes n'aiment pas se montrer en public en compagnie de leurs femmes. Les premiers temps, nous avons été dîner dehors à une ou deux reprises. Mais comme nous étions toujours les seuls, mon mari a refusé de recommencer. A cause du regard des autres. En fait, le même problème se pose dans tous les domaines : personne ne veut être celui qui fait le premier pas. »

Les femmes de demain

Mon séjour aux Émirats touche à sa fin mais j'ai la désagréable sensation d'avoir glissé sur les choses et les êtres comme sur une surface de glace. Venue dans l'espoir de rencontrer l'autre dans sa vérité, j'ai buté sur sa méfiance, une méfiance que je n'ai su ni pu dissiper. Parce que je me croyais une cousine éloignée, j'ai tout bonnement toqué à la porte en pensant que le sens de la famille l'emportait sur la différence de passeport. Grossière erreur. La porte est restée close. Seule s'est entrouverte une petite lucarne, par politesse ou par exaspération devant mon insistance. J'espérais un dialogue, je n'ai pu recueillir que des bribes de parole.

Au volant de sa limousine américaine aux vitres fumées et aux sièges de cuir, Mouza affiche une belle assurance. Assise à ses côtés, je l'observe à la dérobée pendant que d'un geste ferme, elle passe ses vitesses puis compose un numéro de téléphone après s'être excusée d'interrompre un instant notre conversation. Une fois son correspondant en ligne, le ton de sa voix change, se fait plus léger et ce visage si sérieux avec moi, se détend. « Pourquoi la communication avec vous était-elle si difficile », ne puis-je m'empêcher de lui demander quand elle repose l'écouteur. Quelque peu désarçonnée par ma question, elle reste silencieuse un moment avant de me répondre : « Laissez-nous le temps... C'est une question d'étape dans l'évolution, d'acceptation des idées étrangères. Dans dix ans, ce sera différent. » — Faut-il alors prendre rendez-vous pour dans dix ans ? » Elle esquisse un sourire : « Si vous voulez. »

Professeur de sociologie à l'université d'El Aïn, Mouza appartient à cette catégorie de femmes qui débroussaillent activement le terrain pour les suivantes. Tout comme sa sœur Rafia, non seulement première femme psychiatre des E.A.U., la première « locale » de surcroît, son accès au savoir est un de ces grains de sable qui perturbe l'ordre jusque-là immuable des rôles. En tenant le pari de l'instruction sans discrimination de sexes, les Émirats permettent aux femmes de s'insérer dans le processus du changement et de devenir des actrices de premier plan. Entre ce moment et celui où elles prendront enfin leur destinée en main, le chemin va en se raccourcissant.

Pour rencontrer Mouza et Rafia, j'ai fait le voyage jusqu'à El Aïn, oasis fertile de l'émirat d'Abou-Dhabi devenue centre universitaire depuis 1977. Un voyage en bus (Abou-Dhabi, à la différence de Dubaï, possède une vraie gare routière) pimenté par mille détails pittoresques. Trois bonshommes serrés sur un même siège alors qu'une petite vieille et moi-même occupons à nous seules toute une banquette. Cette même grand-mère de derrière son borqua apostrophant violemment un autre passager parce qu'il fumait et lui enjoignant d'arrêter sur-le-champ. Et le pauvre malheureux déjà contraint de rester debout faute de place à côté des hommes, d'obtempérer aussitôt. On m'avait prévenue que les femmes du pays possédaient une forte personnalité ; j'en jugeai là sur pièce. De plus, le respect qui leur est dû est tel qu'aucun homme présent n'a osé nous demander de nous asseoir les unes à côté des autres pour libérer des places. Quant à partager celles-ci avec nous, l'idée ne paraît même pas les effleurer. Dans les bus bondés du Caire, de Casablanca ou même de Paris, j'en connais qui rêveraient d'un dixième de cette déférence.

Cent soixante-dix kilomètres séparent El Aïn d'Abou-Dhabi ; cent soixante-dix kilomètres d'une autoroute entièrement fleurie de lauriers roses et blancs. Aux abords d'El Aïn, derrière un feuillage d'un vert tendre se dessinent les premières dunes blondes. Un contraste magique. Tout à sa langueur, le désert, enfin, rassasie mon regard.

Je devais rencontrer en premier lieu Mouza à l'université des filles. Puis, de là, rejoindre Rafia. Comme tous les établissements publics aux E.A.U., un rigoureux contrôle d'identité est effectué à l'entrée. Une personne étrangère n'est pas admise à pénétrer sur le campus sans autorisation. Mouza avait communiqué au préalable mon nom aux services de sécurité. Ils me laissent passer mais avec une consigne formelle : ne pas photographier.

En attendant que Mouza termine son cours, j'ai toute latitude d'examiner la manière de s'habiller des étudiantes. Les plus hardies, une minorité, se passent et de la habaya et du hijab mais gardent les manches et la jupe longue. Puis viennent celles qui, sur le mode des Égyptiennes coquettes, assortissent la couleur du hijab à celle de leur tenue. La majorité, elle, est fidèle au costume traditionnel habaya et *chila* (voile noir transparent dont les femmes se couvrent les cheveux sans les cacher complètement) : nombreuses cependant sont celles qui remplacent ce dernier par un hijab opaque et sans concession. Quant aux *mounaqquabates** qui bouclent la série, plus extrémistes que moi, tu meurs ; on ne voit rien, pas le moindre petit œil, pas le moindre petit cil. Bien que leur nombre soit relativement limité, il est suffisamment important pour alourdir l'atmosphère et y apposer un cachet de fondamentalisme des plus radicaux. Je tente un essai de conversation avec une étudiante qui, assise seule sur un banc, feuillette distraitement un ouvrage mais avec mon jean, mes tennis et mon accent étranger, je dois lui faire l'effet d'un extra-terrestre tombé d'une planète inconnue car elle me regarde avec des yeux écarquillés, me répond par onomatopées et se sauve au bout de cinq minutes en prétextant le début d'un cours. Mouza arrive, et ma prise de contact avec la jeunesse estudiantine des Émirats s'arrête là.

Nous nous rendons à son domicile où Rafia, de passage, nous attend. Comme elle travaille à El Aïn et que sa famille est installée à Dubaï, Mouza vit seule durant la semaine dans un appartement de fonction en compagnie de sa femme de ménage asiatique. Ailleurs, ce fait passerait inaperçu. Ici, il n'est pas exagéré de dire qu'il est révolutionnaire. Autre indice du changement : Mouza et Rafia sont toutes deux célibataires alors qu'elles avoisinent ou dépassent la trentaine, à un âge où certaines de leurs concitoyennes deviennent presque grand-mères.

Petite et toute en rondeurs alors que sa sœur est d'une allure altière, Rafia m'accueille avec cordialité. Pour une fois, je n'ai pas le sentiment de me heurter à une invisible barrière. D'un abord ouvert, Rafia a justement choisi de se spécialiser en psychiatrie à la fin de ses études de médecine. Sept ans au Caire, trois en Grande-Bretagne, une expérience en matière d'écriture et un passage actif dans les associations estudiantines et féminines font d'elle un être curieux de tout ce qui est en mouvement. Surtout lorsque la femme est concernée.

« Il y a trente ans, nous appartenions à un autre univers. La femme occupait certes un rôle de second plan mais cela n'a pas empêché l'émergence de personnalités qui ont imprimé leur nom à l'Histoire. A Dubaï par exemple, la grand-mère de l'actuel cheikh Rachid El Makhtoum, Bent El Mar, gouvernait pratiquement l'émirat. Le sachant, les Anglais faisaient grand cas d'elle. Mais quelle que soit sa position, un grand respect a toujours été dû à la femme. »

Au cours des dernières décennies, le changement économique et l'accès à l'instruction l'ont projetée vers des positions dirigeantes. Le plus important n'est pas seulement qu'elle les ait atteintes mais que la société lui reconnaisse ce statut. Dans le domaine professionnel, elles étaient trois femmes à travailler quand Rafia était enfant. Aujourd'hui, 30 % des femmes travaillent. Dans le domaine de l'instruction, les résultats sont encore plus probants : alors que les filles ont accédé à l'école plus tard que les garçons, leur pourcentage à l'université dépasse maintenant celui de ces derniers. Il est de 65 % !

Renchérissant sur les propos de sa sœur, Mouza précise ; « D'une manière générale, leurs résultats sont meilleurs. Ayant d'autres possibilités de se distraire, le garçon ne fournit que le strict minimum. Entre les études et la maison, la fille, elle, n'a pas grand choix. Elle sait que le diplôme supérieur représente la seule chance d'échapper à son confinement. Souvent, les garçons s'arrêtent après le secondaire parce qu'ils préfèrent démarrer immédiatement dans la vie active. D'autres vont poursuivre leur scolarité à l'étranger. »

Je lui oppose que, tout de même, le statut personnel de la femme n'a pas beaucoup évolué...

Une petite moue sur les lèvres, Rafia acquiesce : « En effet. Polygamie et divorce ont augmenté. La polygamie, parce que les hommes ont eu soudain les moyens de prendre plusieurs épouses, et le divorce parce que les femmes ne sont plus disposées à accepter n'importe quelle situation. Si la nouvelle richesse a permis aux hommes de devenir polygames, elle donne par la même occasion la possibilité aux femmes de se montrer exigeantes et de préférer le divorce à la venue d'une seconde épouse. Il y a cinq ans, alors que je faisais partie d'une association féminine, nous avions soulevé cette question épineuse du statut personnel. La presse a pris le relais du débat pendant un certain temps. Malheureusement, celui-ci n'a pas connu de suite. Une des raisons principales réside dans l'attitude de ces associations de femmes qui bloquent l'évolution féminine car, au lieu de s'attaquer aux problèmes de fond, elles se cantonnent à des détails. Il y a eu certes une prise de conscience dans notre société. Mais pas au point de permettre réellement aux yeux de s'ouvrir... De plus, le développement du mouvement fondamentaliste nous a fait faire de sérieux bonds en arrière, à nous femmes ; au lieu de lutter pour avancer, nous devons lutter pour défendre nos acquis. Les discussions des gens ont changé. Avant c'était : ''Comment évoluer'', maintenant c'est : ''Comment s'habiller'', ''Comment se voiler'', ''Telle nourriture est *haram**, telle autre est *halal**'', etc. »

Mouza : « Ce mouvement a pris son essor dans l'enseignement, avec l'arrivée d'un ministre fondamentaliste à l'Éducation nationale, Saïd Solman. Il a imposé le port du hijab et de la déchdacha à l'école. Au début, tous les élèves portaient le pantalon, les garçons avec une chemise et les filles avec une tunique. Les professeurs se sont vu interdire d'assister à la fête de remise des diplômes aux étudiantes. Ce ministre a supprimé la musique et le dessin du programme des cours. Certains sports également. Avec son départ et l'arrivée de son remplaçant, ils ont été réintroduits mais le port du hijab a été maintenu. Chez nous, un seul homme peut, par sa politique, influer sur l'évolution de la société car il n'y a pas de parlement pour statuer au nom de tous. »

Rafia : « J'en ai ressenti les effets la première fois quand, déléguée de l'Union des étudiantes des E.A.U. au Caire, j'ai été envoyée pour la représenter auprès du Congrès national de l'Union des étudiants des E.A.U. Dès que je suis entrée dans la salle où se tenait le congrès, le président de l'assemblée a exigé que je sorte immédiatement. Surprise, j'ai décliné mon identité et précisé ma mission. Sans me regarder, il m'a demandé de choisir un camarade pour me remplacer car ma présence dans la salle était *haram*. Entre eux et nous, la lutte était déclarée. Partout, ils essaient d'investir le terrain. Quand j'ai adhéré à l'Association des femmes, des mouhajjabates sont venues se joindre à nous. Sur le moment, je n'ai pas perçu la visée politique de cette participation mais très vite nous avons compris que leur but était de nous empêcher d'influer sur l'association et de nous en éliminer. Finalement, elles ont réussi car nous nous sommes retirées. Par la suite, toute l'administration a été changée sur intervention des cheikhs qui ne voulaient d'aucune de ces deux tendances.

— Mais qui êtes-vous par rapport à elles ?

— Des individualités dispersées aspirant à la marche en avant et non à la marche en arrière. Notre action manque de continuité car nous ne sommes ni organisées ni très solidaires les unes des autres. Chacune agit à son propre niveau, dans son petit coin, alors que les femmes islamistes sont bien structurées. Je n'ai rien contre elles et je comprends les raisons qui les poussent à se comporter de la sorte. Elles sont simplement différentes de moi et je sens qu'elles me perçoivent comme une étrangère. Par contre, je déteste ceux qui les guident et sèment la division au sein de nos familles. Notre condition à tous est d'être des musulmans et nous appliquons les règles fondamentales de notre religion. Mais notre volonté est d'avancer, de résoudre nos problèmes. Au lieu de me préoccuper de savoir si je suis suffisamment couverte ou pas, je veux m'enquérir de mes droits. Savoir si j'en jouis, si les autres en bénéficient ou pas. Créer quelque chose de beau, de positif au lieu de pinailler sur des points absurdes. J'ai entendu des hommes de religion de grande notoriété discuter au Caire dans un forum national sur la question de savoir si une nourriture dans laquelle serait tombée une mouche devenait *haram* ou pas !

— Comment dans une société déjà si traditionnelle que la vôtre où chacun vit dans la prospérité, ce mouvement a-t-il pu exercer une pareille emprise ?

— Je suspecte les États-Unis de ne pas être innocents dans l'expansion de ce mouvement à travers le monde islamique. Auparavant, l'Occident nous combattait avec des armes de guerre. Aujourd'hui, des stratégies plus subtiles sont mises en œuvre pour nous maintenir dans le sous-développement. Alors que notre société ne souffre d'aucun problème économique, n'est-il pas extraordinaire que nous figions notre réflexion sur des stupidités au lieu de nous préoccuper de faire évoluer notre esprit ? Cette interrogation ne supprime pas pour autant les facteurs internes à chacune de nos sociétés. Le vide psychologique qui caractérise la jeunesse actuelle des Émirats est l'un de ceux-là. Ayant eu tout ce qu'elle désire sur un plateau d'argent, elle n'a aucune cause qui l'engage, rien qui la stimule. Les islamistes ont su tirer parti de ce vide en lui offrant un combat idéologique. Et comme personne ne peut s'opposer à la religion... »

Le Koweït

Serrant très fort mon passeport contre moi, je suis, docilement, la file de passagers dans sa progression vers les postes de contrôle. Parvenue à leur niveau, un léger flottement suspend son mouvement, chacun ne sachant trop où diriger ses pas, puis elle se disloque dans une sourde confusion. Des personnes se bousculent devant un comptoir où un agent distribue à tour de bras des cartes jaunes. En bonne élève de Pavlov, je les imite mais, ma nationalité déclinée, on me signifie que cette formalité concerne les seuls Iraniens. Ces paroles qui volent dans le brouhaha ambiant sans que je puisse en saisir le sens sont donc du persan. Curieuse, j'observe à la dérobée les citoyens du pays dont le nom est devenu synonyme, aux yeux de l'opinion internationale, de terrorisme et de fanatisme. Le teint pâle et le regard inquiet, ils paraissent pour l'heure plus effrayés qu'effrayants. Les relations irano-koweïtiennes, affectées par les retombées politiques de la guerre du Golfe, se sont peu à peu détériorées jusqu'à s'interrompre complètement. Toute liaison aérienne entre les deux pays a été supprimée. Mais les déplacements des individus dans les deux sens persistent, car une forte communauté iranienne continue à vivre et à travailler au Koweït. Pour ce faire, les intéressés sont contraints au détour par Dubaï, car c'est le seul aéroport de la région à accueillir encore des avions d'Iran Air.

La qualité de femme dans ces contrées à l'honneur pointilleux revêt parfois des avantages non négligeables ; celui par exemple d'échapper à la file. Devant une femme, les hommes s'écartent automatiquement pour lui céder le passage. Grâce à ce traitement de faveur, je me retrouve immédiatement à l'avant de la rangée de voyageurs qui attendent leur tour devant l'un des guichets de police mais dûment coincée au milieu d'un groupe d'Iraniennes tchadorisées jusqu'au bout des ongles.

L'œil démesurément étiré par un trait d'eye-liner, une jeune femme promène dans le vague un beau regard de tragédienne antique. Sous son tchador, dont les bordures sont adoucies par une délicate dentelle noire, un costume lourd de broderies anciennes révèle sa richesse. Des bijoux en vieil argent rehaussent la peau laiteuse de l'inconnue. Nos regards se rencontrent. Elle me sourit, du sourire doux et un peu hésitant de quelqu'un qui craint d'enfreindre une règle. A ses côtés, une grosse matrone joue des coudes pour faire viser la première son passeport. Épinglé à l'extrémité du menton, le voile emprisonne son visage dans un triangle parfait et retombe jusqu'à terre sans la moindre respiration. Je l'imagine poursuivant de sa suspicion les passantes dans les rues de Téhéran, prête à les clouer au pilori pour un soupçon de rose ou une mèche rebelle. Frisson. Ou à Casablanca, la libertine. Double frisson.

Arrivée devant l'officier de police, je reprends pied dans la réalité. « Surtout, ne dites pas que vous êtes journaliste, on ne les apprécie pas beaucoup dans le pays. Vous risquez des complications », m'avait-on soigneusement conseillé. A la case « profession » de la carte de débarquement, j'ai donc inscrit « étudiante » comme sur mon passeport vieux de plusieurs années. Tremblante à l'idée d'encourir par cette cachotterie ridicule des foudres incongrues, je guette avec inquiétude l'ébauche d'un froncement de sourcils chez l'officier. Le tampon tombe. Le visage est resté impassible. Ouf ! Les éternels étudiants ne doivent pas être chose rare dans la région.

On m'attend de l'autre côté de la barrière avec un immense sourire ; Saadia, une amie d'enfance installée au Koweït depuis une dizaine d'années, s'est échappée de son travail pour venir m'accueillir. Un de ses camarades, Kamel, l'accompagne. Heureuse d'aborder un nouveau pays dans la chaleur d'une présence amie, je plaisante en toute décontraction. La tête de Turc ? Les gens du Golfe, bien sûr. Déçue de ne pas avoir trouvé le chemin du cœur des Émiratiens, je leur en veux un peu, il est vrai. Comme une enfant qui ne comprend pas pourquoi elle n'a pas droit, partout où elle va, à la place d'honneur. Redécouvrant le plaisir très maghrébin de sauter de l'arabe au français sans abandonner mon interlocuteur en cours de chemin, Kamel étant aussi francophone que Saadia et moi, je suis prise d'une véritable boulimie de paroles. En parfait gentleman, Kamel nous conduit jusqu'au domicile de Saadia, porte sans broncher ma valise à la honteuse obésité puis, discret, se retire après s'être proposé de m'aider dès le lendemain à établir des contacts. A peine la porte s'est-elle refermée sur lui que Saadia éclate de rire. « Ce que tu as pu être comique ! Tu n'as pas arrêté de râler sur le compte des "locaux" sans te douter un seul instant que tu en avais un à tes côtés. Kamel est koweïtien. » Koweïtien ! Je tombe des nues. Comment en effet aurais-je pu soupçonner que ce garçon vêtu comme un dandy parisien et parlant un français châtié l'était alors que je n'ai jamais vu ses frères de lait les Émiratiens qu'en robe aux plis neigeux ? Et en Américains du désert. Voilà un joli pied de nez que me fait d'entrée de jeu ce pays. « Débarrasse-toi de tes idées préconçues, semble-t-il me murmurer. Tu ne connais rien de nous. » *Mea culpa*, ce n'est que vérité.

Le lendemain, Kamel fidèle à sa promesse, vient me chercher pour m'accompagner au journal *Ray El Am* ("l'Opinion générale"), où un membre de sa famille est rédacteur. « Lui saura, me dit-il, vous fournir le fil conducteur pour démarrer votre enquête car en tant que journaliste, il connaît beaucoup de monde. » Après avoir langui des jours et des jours aux E.A.U. pour décrocher un premier rendez-vous, j'apprécie à sa juste valeur ce coup de main imprévu. Ce matin, ma découverte du Koweït s'effectue sous un épouvantable vent de poussière, *toz* comme le nomment les habitants, qui confond ciel et terre sous un même manteau ocre. Dans la longue enfilade de boulevards périphériques que nous empruntons pour parvenir à la « rue de la Presse » où ont été réunies l'ensemble des rédactions des journaux et quotidiens nationaux, le paysage est d'une laideur absolue. Mais mon regard glisse sur les immeubles sans charme et les terrains vagues grisâtres avec indulgence car, le cœur réchauffé par la serviabilité de Kamel, je me sens pleine de sympathie pour ce pays où les portes semblent s'ouvrir sans devoir être forcées.

Au *Ray El Am*, l'oncle de Kamel nous accueille avec une joyeuse affabilité. Apprenant que je suis marocaine, il redouble à mon égard de paroles de bienvenue et me vante les beautés de mon pays, qu'il apprécie au point d'y retourner chaque année en vacances depuis quinze ans. Mon sourire s'élargit. Comme un chat qui retrouve une place près de l'âtre, je me pâme devant l'éloge. Quand il a achevé de nous égrener ses souvenirs marocains, mon interlocuteur est informé par Kamel du but de notre visite. « J'ai la personne qu'il vous faut, me dit-il en décrochant son téléphone. Aïcha s'occupe de notre rubrique féminine. Elle se fera un plaisir de vous ouvrir son carnet d'adresses. » Cinq minutes après, une jeune femme, toute coquine dans sa jupe droite en jean et son sage chemisier blanc, nous rejoint. Elle m'est aussitôt sympathique par la gentillesse de son sourire et la vivacité de son regard. A son accent, il m'est impossible cette fois-ci de me tromper ; c'est une Égyptienne. Les présentations faites, Aïcha se déclare prête à m'épauler dans toute la mesure de ses possibilités. Ses contacts se limitent cependant à des personnalités féminines non-islamistes. Pour ce qui est du fondamentalisme, je leur demande si ce phénomène fait l'objet au Koweït d'une attention particulière de la part des chercheurs. « Le seul à ma connaisance à s'y intéresser de très près est Khalil Haïdar. J'ai lu plusieurs de ses articles où il s'en prend férocement aux islamistes. Je ne me rappelle, malheureusement, plus du nom du journal dans lequel il écrit, me répond Kamel. — Il collabore à l'occasion au quotidien *El Watan* mais il n'y est pas permanent. Nous pouvons toujours les appeler pour essayer d'avoir ses coordonnées », renchérit Aïcha qui se révèle aussi informée qu'efficace. Aussitôt dit, aussitôt fait.

Ce jour-là — je l'ignorais — les dieux s'étaient mis d'accord pour me signer un chèque en blanc sur leur compte en bénédictions. Khalil Haidar était de passage à son journal quand Aïcha lui a téléphoné. La rédaction d'*El Watan* se trouvant à quelques mètres de *Ray El Am*, dix minutes plus tard, il nous recevait. A la fin de l'après-midi, j'avais un rendez-vous fixe (avec lui) pour les jours suivants, une flopée d'adresses et l'aide de Aïcha qui, non seulement m'avait fourni des contacts mais se proposait de temps à autre de me servir de chauffeur, car elle habitait à Salmya tout comme moi. Par la grâce d'une alchimie mystérieuse, les éléments de mon séjour au Koweït se mettaient en place avec une facilité stupéfiante.

Myriam, la première institutrice du Koweït

La première femme institutrice du Koweït m'attend chez elle. A mon appel, Myriam Abdelmalek s'est déclarée prête à me recevoir sur-le-champ. J'y rencontrerais une femme qui a vécu le passage de son pays de la pauvreté à l'opulence, mis le voile adolescente, l'a arraché à un certain âge pour remettre le hijab à un âge certain.

Jabriya, Hawaly, Rawda, les noms se succèdent sur les panneaux d'indication de l'autoroute comme autant d'entités distinctes. Découpé en une trentaine de quartiers sur lesquels s'enroulent plusieurs boulevards circulaires, le Koweït, à la fois État et capitale se donne l'illusion de l'espace et du nombre malgré sa superficie globale limitée à 17 800 km² et ses deux millions d'habitants dont plus de la moitié sont étrangers. Détenteur du cinquième des réserves mondiales connues de pétrole, sixième producteur mondial et deuxième exportateur arabe, il lui importe peu de n'être qu'une petite tache de mouche sur la carte du monde puisque cette tache pour minuscule qu'elle soit est piquetée d'or.

Quand, au XVIIe siècle, des bédouins d'Arabie centrale, les Sabah et les Khalifa, sont venus se réfugier sur les rives arides d'une baie du Golfe, après des luttes tribales dont ils étaient sortis vaincus, personne ne songea à leur disputer un terrain sur lequel ne se trouvaient que quelques huttes de pêcheurs. Personne alors ne pouvait soupçonner la fabuleuse richesse qui gisait sous ces terres sans vie. En moins d'un siècle, le Koweït, dont le nom vient du mot sanscrit *kut*, la citadelle, se transforme en un havre d'une relative prospérité. Là s'échangent des marchandises d'une étonnante diversité ; clous de girofle de Ceylan, encens d'Aden, café du Yemen et même esclaves de Zanzibar. Parallèlement au commerce, la construction des bateaux devient l'industrie principale du pays. Mais celui-ci ne peut demeurer éternellement à l'abri des convoitises.

Lancés dans une mission de violente prédication, les puritains wahabites d'Arabie saoudite regardent avec concupiscence en direction de ce port dont les habitants, épris des bons plaisirs de la vie, ne tiennent pas la vertu pour souci premier. L'attaque se fait imminente. Incapables de se défendre par eux-mêmes, les Koweïtiens sont contraints de demander la protection des Ottomans et de passer sous leur suzeraineté.

Mais cette tutelle ne les satisfaisant pas, ils se tournent vers la Grande-Bretagne qui accepte, en 1899, de les prendre sous son aile. Pendant quinze ans, leur statut demeure flou car comme l'écrit Jean Lacouture[1] « Ce n'est ni une colonie, ni un protectorat. Le Koweït demeure, sans avoir de frontières définies, un pays jouissant d'une administration autonome ''ayant des rapports particuliers avec l'Empire britannique'' sans pour autant être détaché de celui du sultan. » Ce n'est qu'en 1914 avec l'éclatement de la Première Guerre mondiale que le Koweït proclamé « indépendant » par les Anglais coupe ses liens avec la Sublime Porte pour devenir officiellement protectorat britannique. A l'aube de ce XXe siècle, la fortune commence d'abord par lui faire grise mine. L'apparition des bateaux à vapeur porte un rude coup aux traditionnels voiliers que l'on construisait sur les rives de la baie. La belle époque de la voile prend fin, et les marins et les marchands koweïtiens doivent, tout comme les autres riverains de la côte arabe, se rabattre sur la pêche aux perles, unique ressource encore exploitable. Pas pour très longtemps, cependant ; au début des années 30, les premières perles de culture japonaises font irruption sur le marché. En dix ans, les perles véritables du Golfe perdent les quatre cinquièmes de leur valeur. D'un autre côté, la crise économique mondiale n'épargne pas les marchands et les armateurs auprès desquels les Sabbah, la famille régnante, sont lourdement endettés. C'est alors que le cheikh Ahmed (nous sommes en 1934), pressé par son entourage, accepte de vendre à des prospecteurs américains et britanniques, réunis sous la houlette de la Kuwait Oil Company, le droit de forer sous tout le territoire pour une somme ridiculement faible. Le 31 mai 1932, le pétrole jaillit dans l'île de Bahrein. On avait donc de bonnes raisons d'estimer que le sous-sol koweïtien réservait des surprises... On ne se trompa que sur un point ; la réalité dépassait les prévisions.

Au Koweït, si les quartiers sont tous dotés de noms, les rues, en revanche, doivent généralement se contenter de la froide abstraction des chiffres comme en Amérique. Enfin nous y sommes. Une maison modeste, rectangle de béton adouci par une véranda recouverte de roseaux et un jardin où la brise berce une vieille balançoire délaissée. Dans le salon tapissé de bleu tendre, elle est là qui me reçoit, chaleureuse et volubile, comme une vraie fille du soleil.

Myriam Abdelmalek naît en 1929 à l'heure où le Koweït se demande comment surmonter les difficultés économiques qui s'abattent sur lui. Jamais ses ressources n'ont été aussi réduites, le spectre de la pauvreté aussi présent. Mais cela n'empêche pas le père de Myriam, un professeur réputé qui a beaucoup voyagé, de rêver pour sa fille un brillant avenir. « Notre instruction, à nous filles, se limitait à apprendre le Coran. On nous envoyait dans ce but chez la *moutawaa*[2]. Une fois le Livre saint appris par cœur, nous retournions définitivement à la maison. Comme j'avais un esprit plutôt vif, à quatre ans, je connaissais non seulement tous les versets par cœur mais j'avais en outre appris à reconnaître les lettres et à les déchiffrer. Un jour, alors que mon père était plongé dans la lecture de son journal, je me suis penchée au-dessus de son épaule et j'ai lu quelques bribes de mots. Il en est resté muet de stupéfaction. Le lendemain, il me rapportait un tableau et des craies, des feuilles et des stylos. "A partir d'aujourd'hui, me dit-il, tu auras une école à domicile. Chaque fois que j'aurai du temps libre, je le consacrerai à ton instruction. Bien sûr, ajouta-t-il pour ne pas m'effrayer, cela ne t'empêchera pas de continuer à jouer." En entendant ces paroles, ma grand-mère qui était présente, s'est exclamée : "Mais à quoi cela va-t-il te servir de t'épuiser à instruire cette petite alors que son avenir se limitera à élever des enfants à l'intérieur des murs d'une maison. — Moi, lui a-t-il répondu, j'ai l'espoir, j'ai même la conviction que dans le Koweït de demain, un destin formidable l'attend. Elle aura un avenir", lança-t-il avec force. »

Trois ans après, en 1936, l'enseignement moderne est enfin instauré. Jusque-là, le Koweït démuni d'écoles, les garçons suivaient des cours généraux mais de manière informelle puis, pour les fils des familles nanties, s'en allaient recevoir une formation à Bagdad ou à Bassorah, quelquefois à Istanbul ou à Damas. Soucieux d'éduquer les filles aussi, le *Majlis* (Assemblée) leur ouvre une école un an après celle des garçons. A cet effet, deux enseignantes palestiniennes viennent au Koweït pour la mettre sur pied. Dans une petite bâtisse en terre à l'image des autres constructions de l'époque, cent fillettes sont réparties en trois classes selon leur niveau de connaissances. Comme à elles deux, il leur était difficile de suivre dans un même temps ces trois classes, les institutrices palestiniennes décident de confier les élèves du *bousan* (jardin d'enfants) à la plus instruite des fillettes présentes. Après leur avoir fait passer un test, leur choix se porte sur Myriam : « Quand elles m'informèrent que la charge de les seconder me revenait, je me suis mise à pleurer. J'entrais à peine dans ma dixième année, et j'étais terrorisée car je savais que parmi les élèves du *boustan*, certaines étaient beaucoup plus âgées que moi. A la fin, aidées par mon père, elles parvinrent à me convaincre. Pendant le premier mois, l'une d'elles entamait le cours et me laissait l'achever. Puis, par la suite, je l'ai assumé entièrement seule. »

Son cours administré à ses camarades-élèves, la petite institutrice de neuf ans file suivre celui qu'on lui administre et prépare en parallèle ses propres certificats. 1938 est une année fatidique pour le Koweït. Près de l'unique arbre du pays, le pétrole a jailli avec une violence inouïe. Mais la roue de la fortune mettra bien longtemps encore avant de s'ébranler. Fin 1940, aux portes de la ville, des bédouins attendent par milliers qu'on leur distribue des sacs d'orge pour conjurer la famine qui les menace. Dans les souks, les échoppes sont pauvrement garnies, et les voiliers continuent à effectuer des voyages longs de trois jours pour ravitailler les habitants en eau potable.

Pendant vingt-cinq ans, Myriam se consacre à l'enseignement jusqu'au jour où elle est choisie avec ses camarades de l'époque pour travailler dans un ministère : « Comme nous avions été les premières femmes à enseigner, les autorités ont voulu que nous soyons les premières à être recrutées comme fonctionnaires. » Entre-temps, en 1955, le premier groupe d'étudiantes est envoyé à l'étranger pour poursuivre un cycle universitaire.

Myriam Abdelmalek s'aperçoit soudain que, partie dans l'évocation de ses souvenirs, elle a omis de me servir des rafraîchissements. Aussitôt la voilà qui se confond en excuses, appelle ses serviteurs, me sert gâteaux et boisson et ne s'estime satisfaite qu'une fois qu'elle m'a fait goûté à toutes ses spécialités. Puis elle va chercher un petit ouvrage sur l'évolution de l'enseignement féminin dont elle est l'auteur et me l'offre avec sa dédicace. Au dos du livre, une photo illustre sa biographie : coiffée et maquillée avec soin, Myriam y est resplendissante dans l'éclat de la trentaine. Nulle trace de habaya ni de hijab. Au contraire, une coupe de cheveux très courte et de grosses boucles d'oreilles. L'allure est résolument moderne. « Oh, j'étais bien coquette », me dit-elle en voyant mon regard s'attarder sur cette image si différente de celle qu'elle offre aujourd'hui. « A l'époque, quand nous avons retiré notre habaya, nous nous sommes parfaitement adaptées à la mode occidentale. Je m'habillais court et, chaque semaine, j'allais chez le coiffeur ! En fait, jusqu'en 1956, la abaya et la *bouchiya* (voile du visage) étaient obligatoires. A l'école, quand l'inspecteur nous rendait visite dans les classes, nous laissions aussitôt la bouchiya retomber sur notre visage. De nous, il n'apercevait que nos mains lorsqu'il nous envoyait au tableau. Après 1956, les retombées du pétrole ont produit leur effet. Nous nous sommes mis à voyager dans des pays comme le Liban et, par ce biais, à nous ouvrir sur le monde, à découvrir d'autres réalités, d'autres comportements. Auparavant, même l'Irak qui se trouve à notre porte, nous ne savions pas à quoi cela ressemblait. L'unique voyage auquel la femme pouvait prétendre — une fois qu'elle avait perdu toutes ses dents ! — était le pèlerinage à La Mecque. C'est lors de ces voyages que nous avons commencé à retirer la bouchiya. Puis, l'habitude s'est étendue à l'intérieur du Koweït même, jusqu'au jour où nous nous sommes débarrassées aussi de la habaya.

— Pourquoi êtes-vous revenue au hijab aujourd'hui après avoir renoncé à la habaya il y a vingt ans ?

— A l'époque, la femme qui continuait à porter la abaya et la bouchiya était considérée comme une bédouine. Comme une femme inculte et rétrograde. Je ne voulais pas que les gens portent ce regard sur moi. Puis, ces dix dernières années, on a recommencé à insister dans les prêches des mosquées sur la nécessité pour la femme d'être pudique. Sur le fait que le hijab ne lui interdit ni de s'instruire ni de travailler. Mes enfants ont grandi, j'ai été à La Mecque, j'ai relu la sourate "En Nour" et je suis arrivée à la conclusion que cela n'avait plus de sens de continuer à me promener les cheveux découverts...

— Pourtant, lorsque vous étiez enfant, vous l'aviez bien apprise, cette sourate "En Nour" ?

— Oui, mais nous étions emportées par un courant d'évolution tel que nous ne la percevions pas de la même manière. Aujourd'hui, c'est l'inverse qui se produit. Je ne fais d'ailleurs que suivre le mouvement de ma société. »

Revenir (à quelques variantes près) à la case départ n'a pas modifié grand-chose à la manière d'être de Myriam. « J'ai toujours prié, jeûné et la période de *souffour* (dévoilement) n'a pas duré plus de dix ans. Certaines personnes sont devenues extrémistes, taxant de *haram* tout un ensemble de choses de la vie quotidienne. D'autres — et j'en fais partie — portent le hijab mais gardent l'esprit ouvert sur l'évolution en cours. J'ai trois filles. L'aînée s'est voilée après avoir effectué son pèlerinage à La Mecque, il y a cinq ans, la deuxième s'y est décidée, il y a un an. Quand à la troisième, elle est toujours *safira.* Ça la regarde. Je n'interviens pas, comme je ne suis pas intervenue pour les deux autres.

Les filles aujourd'hui ont une forte personnalité. Elles font ce qu'elles veulent. Ma fille aînée a fait ses études à l'université de Beyrouth. Elle y a rencontré et aimé un étudiant libanais. A son retour au Koweït, elle a exprimé le désir de l'épouser. "Hors de question, lui a répondu son père. Je préférerais mille fois te donner à un Koweïtien qui nettoie les sols plutôt qu'à un étranger." Elle ne s'est pas rebiffée immédiatement contre cette décision mais, au cours des trois années suivantes, elle a rejeté toute autre demande en mariage. Face à cette situation, mes frères sont intervenus auprès de mon époux en lui rappelant que sa fille atteignait la trentaine et qu'ainsi il risquait de gâcher à jamais ses chances de fonder un foyer. Il a fini par céder à leurs arguments et ma fille par épouser qui elle aimait. D'autres procèdent de manière plus expéditive ; devant le refus de leurs parents — la mère, bien souvent, est la plus intransigeante — elles se sauvent avec l'homme de leur choix. Mais les mariages d'amour, très nombreux à une certaine période, se sont beaucoup réduits car cette manière de procéder s'est soldée par bien des échecs. Au début, ce sont les "Je t'aime, tu m'aimes" accompagnés de coups de téléphone incessants. Puis, une fois mariés et passés les six mois, les problèmes commencent. Pendant la période des fiançailles, le futur époux se comporte en amoureux transi mais, ensuite, il redevient « l'homme » et la femme accepte difficilement ce changement d'attitude. D'où une augmentation spectaculaire des divorces. Actuellement, on semble s'acheminer vers un juste milieu. Le garçon donne ses instructions à sa mère (le port ou non du hijab en est une) qui examine les jeunes filles autour d'elle. Puis elle l'informe de ses recherches en lui disant : "J'ai vue une telle. Sa voiture a tel numéro, elle travaille dans tel ministère, va voir si elle te plaît et donne-moi ta réponse." C'est ainsi que j'ai marié mon propre fils. »

A l'aube de la soixantaine, Myriam a laissé le temps parcourir son chemin sans que les turbulences d'une histoire en mouvement ait entamé sa sereine lucidité. Son regard — le regard sans prétention d'une femme simple qui a su prendre à la vie ce que celle-ci lui offrait — sait discerner dans le présent ses véritables acquis mais ne se dissimule pas la perte du charme ténu de la vie sociale passée où les privations soudaient les êtres les uns aux autres. « Nos rapports étaient dénués de tout formalisme. Il suffisait de pousser la porte — nos maisons étaient si proches ! — pour nous retrouver ensemble entre voisines, amies ou parentes. Aujourd'hui, il faut prendre rendez-vous par téléphone comme pour une consultation médicale. Seules les fêtes ou les grandes occasions nous réunissent encore comme jadis. Le soir, en période de grande chaleur, nous dormions à la belle étoile sur les terrasses. Parfois, l'après-midi, quand le soleil déclinait, nous guettions sur la véranda l'annonce d'un petit air frais, si bon, si doux. Un bonheur ! » D'un sourire moqueur, elle ajoute : « Quand la climatisation tombe en panne maintenant, c'est la panique générale. Nous, les enfants de la chaleur, nous ne supportons plus que le froid. »

Les courants islamistes

Accueillie par un éclat de rire général, Nor-And fait son entrée dans la pièce où ses trois collègues sont déjà installées à leur bureau. Imperturbable, elle rejoint le sien en silence et s'assied à son tour. Ouvre son tiroir. Un à un, elle en retire ses différents instruments de travail qu'elle dispose en face d'elle avec des gestes méticuleux et infiniment lents. Sa lèvre inférieure tremble légèrement. Devant les efforts laborieux de leur camarade pour conserver son sang-froid, l'hilarité des autres se déchaîne. Accentuant un air qui se veut détaché, Nor-And résiste et résiste encore mais, au bout d'un court moment, cela ne lui est plus possible ; telle une eau impétueuse qui force le barrage de l'écluse, son rire éclate, soudain inextinguible.

L'objet de cet éclat collectif de gaieté n'a pourtant en soi rien de comique ; il est censé, au contraire, inspirer le respect et la retenue. Ce matin, en effet, Nor-And, boute-en-train des journalistes du *Ray el Am*, est arrivée en arborant un magnifique hijab blanc sur sa chevelure, hier libre. Depuis quelque temps déjà, elle faisait part à la cantonade de son intention de revêtir le hijab. Mais, connaissant son caractère enjoué et pétulant, personne ne prenait au sérieux ses paroles. Et là encore, malgré son uniforme flambant neuf de mouhajjaba, nul ne semble disposé à croire en son nouveau personnage.

Pourtant, au sein de cette cellule de rédaction chargée de la rubrique féminine du quotidien, la question titille ou a agité chacune des femmes présentes. Sur les quatre, hormis Nor-And dont on finira par savoir qu'elle a cédé aux instances de son mari, l'une souhaiterait le porter mais le sien s'y oppose (« Avec toutes les chevelures découvertes qu'ils voient passer devant eux, les hommes ont autre chose à faire que de se retourner sur la tienne »), la seconde le porte à contrecœur, sur injonction paternelle mais elle grignote du terrain chaque jour davantage (après avoir porté des vêtements informes, Nahed réussit aujourd'hui à détourner complètement les interdits qui pèsent sur son désir de coquetterie ; ses grands yeux candides sont habilement soulignés de noir, de son hijab noué avec un flou artistique se dégage une frange espiègle et une large ceinture emprisonne sa taille !) et la troisième s'interroge. L'ambiance toutefois demeure très détendue ; de ce sujet, on plaisante comme des autres, mais il ne fait pas de doute que les impératifs islamistes ont réussi à accaparer une place dans les esprits. Aïcha a raison ; il n'est guère nécessaire de courir bien loin pour le constater. En attendant de rejoindre Khalil Haidar, à la rédaction voisine du quotidien *El Watan*, vaquer dans les locaux du *Ray el Am*, dénué pourtant de toute obédience islamiste, m'a permis d'avoir un avant-goût de la situation.

Fidèle à sa promesse, Aïcha, la jeune journaliste égyptienne, s'est révélé d'une précieuse compagnie. Chaque fois que nos emplois du temps respectifs concordent, elle me sert gentiment de chauffeur et parfois même d'interprète quand mon dialecte maghrébin s'avère trop indigeste pour mes interlocutrices koweïtiennes. Aussi la rédaction du *Ray el Am* où elle travaille m'est devenue un espace familier car selon les réjouissances à l'ordre du jour, je l'y accompagne le matin ou l'y rejoins en fin de parcours pour retourner en sa compagnie à Salmiya, notre lieu de résidence, le « quartier des Égyptiens ».

Autant aux E.A.U., l'influence anglo-saxonne sur le paysage social frappe-t-elle d'emblée l'attention du visiteur, autant, au Koweït, une tonalité résolument arabe, et égyptienne en particulier, colore l'atmosphère. Dans ce pays où les citoyens sont eux aussi minoritaires (40 % de la population), les travailleurs d'origine arabe constituent le groupe régional le plus important avec un pourcentage pratiquement équivalent à celui des Koweïtiens (37,9 %) et loin devant les Asiatiques (21 %). Les premiers venus furent les Palestiniens, dont certains émigrèrent au Koweït dès 1948, au lendemain de la création de l'État d'Israël. A l'heure actuelle, plusieurs générations composent cette communauté, dont les membres occupent des postes importants dans l'administration, l'économie et l'université.

Les Égyptiens, de leur côté, partagent une longue histoire avec les Koweïtiens. Quand l'Égypte était encore *Oum-el-Dounia* (« la mère du monde ») et que Nasser y prit le pouvoir en 1956, il fit inscrire dans la nouvelle Constitution le devoir de venir en aide aux pays arabes pauvres dans leur lutte contre l'ignorance. Malgé la découverte et l'exploitation des premiers puits de pétrole dont les compagnies d'exploitation étrangères étaient alors les principales bénéficiaires au détriment du pays, celui-ci continuait à se ranger dans la catégorie des États possédant de faibles ressources. Durant cette période, les professeurs qui lui furent envoyés par le gouvernement égyptien le furent sur la cassette de ce dernier. Par la suite, ils participèrent à la rédaction des différents codes, pénal et civil, dont bien des emprunts furent faits à la législation égyptienne et imprimèrent très fortement leur empreinte sur l'enseignement, leur terrain de prédilection jusqu'alors. Mais, aujourd'hui, les rôles sont inversés ; les pauvres sont devenus riches, et les fils des nations au passé glorieux ne sont plus riches que de leur savoir. Une richesse qui, pour inestimable qu'elle soit, ne nourrit plus son homme qu'à l'extérieur de sa patrie, dans celle des autres, là où il ne sera jamais que « l'étranger ».

Au *Ray el Am,* si la majeure partie du personnel, journalistes y compris, est d'origine étrangère (arabe), les chefs de service eux, sont tous koweïtiens. « C'est ainsi, me murmure Aïcha de sa petite voix tranquille. A nous de courir du matin jusqu'au soir, à eux de superviser, assis tranquillement derrière leur bureau. » Récemment, les journalistes se sont vu amputer une semaine de leur salaire mensuel, le quotidien ayant dû fermer ses portes pendant cette période suite à la publication d'un article qui lui avait valu une interdiction provisoire de parution. Personne n'a osé contester le bien-fondé de cette mesure dont l'arbitraire parle de lui-même. « C'est ainsi. »

Je longe la centaine de mètres qui séparent *Ray el Am* du *Watan* en m'interrogeant : « Haidar, de quelle origine est-ce ? Irakienne, iranienne ou saoudienne ? » Il ne m'a fallu guère de temps pour acquérir le réflexe du lieu ; tenter de deviner l'origine d'un nom pour classer son propriétaire dans l'une des multiples catégories qui segmentent cette société. Celle-ci en effet, au-delà de la division traditionnelle étrangers-citoyens, introduit une distinction entre les Koweïtiens selon qu'ils sont *acil* (d'origine) ou *non-acil* sans parler des *bidouns* (contraction de *bidoun jansiya*, « sans nationalité »), une catégorie encore à part. Situé à la corne de la péninsule Arabique, avec l'Irak à sa frontière nord, l'Arabie saoudite à sa frontière nord-ouest, et l'Iran à quelques brasses de ses côtes, le Koweït servit d'étape finale à des migrants venus de ces trois horizons. Mais la fondation de l'État fut le fait des Sabah et des Khalifa, tribus bédouines du cœur de l'Arabie. Sans doute est-ce pour cette raison que la pureté de son origine arabe et l'ancienneté de l'enracinement des siens sur le territoire constituent les critères fondamentaux qui déterminent si un Koweïti est *acil* ou non. Sujet de grande controverse quand on sait que l'éligibilité n'est l'apanage que des *acils,* seuls admis à pénétrer dans les arcanes du pouvoir. Les *bidouns*, pour leur part, se caractérisent par une absence d'identité nationale. Bien qu'ils s'affirment koweïtiens, ils ne sont pas reconnus comme tels par les autorités parce qu'ils n'ont jamais été répertoriés sur les registres nationaux. Pendant très longtemps, au Koweït comme dans toute société régie par un système traditionnel, la possession de papiers d'état civil était loin d'être une règle ancrée dans les mœurs. L'enregistrement général de la population n'eut lieu véritablement qu'en 1959. Mais tous les habitants ne remplirent pas cette formalité en temps voulu car si une partie d'entre eux était sédentaire, l'autre, composée de bédouins, se déplaçait en permanence. Certains bédouins, absents durant cette période, restèrent dans l'ignorance des nouvelles règles. Le jour où ils (ou leurs enfants) eurent besoin de papiers d'identité, il était trop tard ; les autorités, ne parvenant plus à les distinguer des émigrants qui invoquèrent ce prétexte pour tenter d'obtenir la nationalité koweïtienne, refusèrent de les reconnaître. Depuis les *bidouns* sont les *bidoun*. On les retrouve surtout dans la police et dans l'armée, seuls secteurs de la fonction publique à leur être accessibles. Ils constituent l'une des nombreuses facettes de cette société qui n'en finit plus de se diviser et de se subdiviser entre hadars et bédouins, sunnites et chiites, koweïtiens *acils* et *non acils* et enfin entre citoyens et non-citoyens.

Précis et clair, Khalil Haïdar connaît bien son sujet. Particulièrement préoccupé par le développement de l'idéologie islamiste au sein de la société koweïtienne et musulmane en général, il m'administre pendant les deux longues heures que je passe dans son bureau un véritable cours sur les différentes tendances de ce courant au Koweït et son évolution historique. Une évolution qui traduit l'importance du rôle joué par l'Égypte dans cette région sur le plan politique et culturel. Selon Khalil Haïdar, le mouvement islamiste est né au Koweït dans les années 40 sous la houlette des Frères musulmans disséminés tant parmi les professeurs égyptiens envoyés en coopération dans le pays que parmi les étudiants koweïtiens ayant poursuivi leurs études au Caire. « Déléguer certains de leurs représentants dans chacun des pays du Golfe faisait partie des objectifs que les Frères musulmans égyptiens s'étaient donnés. » Durant la même période, s'exerce toutefois l'influence de la politique nassérienne. L'hégémonie de Nasser sur le monde arabe, la guerre de Suez, l'unité entre l'Égypte et la Syrie, la rivalité entre Le Caire et Ryad, tous ces événements rebondissent sur la scène politique koweïtienne, qui se divise alors entre sympathisants nassériens et islamistes ; l'heure est donc au nationalisme arabe. C'est vers lui que penche le cœur de la plupart des Koweïtiens. Au début des années 60, indépendance du Koweït : une nouvelle législation délimitant le statut des associations est mise au point au moment où l'association de l'*Islah el Ijtimaï* (la réforme sociale) se constitue en affirmant de manière presque officielle son allégeance à l'idéologie des Frères musulmans. 1967 : le monde arabe dans son ensemble subit les conséquences de la guerre de Six-jours. La défaite porte un coup fatal au nassérisme et permet à la mouvance islamiste d'occuper le terrain idéologique. Les années suivantes la voient s'épanouir dans le milieu estudiantin et dans la vie publique. La révolution iranienne en 1979 lui donne un nouveau souffle. Alors que durant la décennie 50-60, elle touche principalement les sunnites, à partir de 1970, la vague islamiste atteint, par le biais des émigrés libanais et iraniens, les Koweïtiens chiites. En parallèle à cette évolution, le mouvement du côté sunnite se scinde en deux ; Frères musulmans, d'une part, et salafistes de l'autre, sans compter les groupuscules éclectiques qui se créent partout mais ne s'alignent sur aucune de ces tendances ; une assemblée suivant l'imam de telle mosquée ; des étudiants se réunissant entre eux pour faire des *dawas* selon le principe de *« el amr bi el maarouf... »* Les chiites n'échappent pas à leur tour à une division entre radicaux partisans de Khomeiny et modérés. A l'heure actuelle, la structure du mouvement islamiste koweïtien se présente comme suit : les Frères musulmans, représentés par l'Association de l'Islah el Ijtimaï et publiant la revue mensuelle *El Moujtamaa,* les salafistes regroupés au sein de l'association

Ahyia Touras (“Ranimez la Tradition”) et publiant la revue *El Fourquan* et, du côté chiite, l’Association Takafia el Islamiya (l’Association culturelle islamique), fief des radicaux.

La divergence majeure entre Frères musulmans et salafistes réside dans la question du rapport au pouvoir et de la pureté de la foi. Les Frères musulmans, mouvement historique organisé à l’échelle mondiale dont le centre des activités se trouve aujourd’hui, d’après mon interlocuteur, en Europe, ont pour préoccupation majeure l’accès au pouvoir ; agissant sous diverses formes, ils multiplient les canaux de communication susceptibles de diffuser leur idéologie. On les retrouve aussi bien derrière des clubs de sport que des revues ou de petites associations. Leurs centres d’intérêt sont très larges, allant du culturel au politique en passant par l’économique et le social.

Les salafistes les accusent de faire preuve d’*intihaz siyassi* (opportunisme politique). De ne pas se montrer exigeants à l’égard de leurs militants en matière de pureté de la foi et d’accepter dans leurs rangs des gens dont la foi n’est ni très pure ni très forte. La stratégie des Frères musulmans consiste, dans un premier temps, à élargir au maximum leur base afin d’acquérir de plus en plus de pouvoir puis, dans un second temps seulement, à procéder à la sélection. Les salafistes rejettent cette démarche car, disent-ils, recruter des militants dont la foi et le comportement ne sont pas irréprochables conduit à faire éclater le consensus à agréger des gens sur la scène sociale censés représenter l’Islam alors qu’ils en sont les plus éloignés.

Plus que toute autre organisation, les salafistes insistent sur ce qu’ils appellent *néquaa el aquida* (la pureté de la conviction). Ils combattent énergiquement les soufistes, le culte des saints, estimant qu’il ne saurait y avoir d’intermédiaire entre Dieu et l’être humain. Pour leur part, les Frères musulmans ne sont pas ennemis des soufistes. Quant aux pratiques religieuses populaires, elles ne font pas l’objet des priorités actuelles de leur combat, aujourd’hui politique avant tout.

Ils divergent également sur la question des relations entre chiites et sunnites. Les salafistes considèrent le chiisme comme une forme d’incroyance, alors qu’au regard des Frères, il est une école parmi les autres à l’égard de laquelle ils formulent néanmoins de nombreuses critiques. Mais leur position reste celle de leur fondateur, Hassan El Banna, qui prônait le rapprochement et le dialogue avec le chiisme.

Quand la révolution iranienne éclate, les Frères musulmans publient un article dans leur revue pour la soutenir, estimant dans un premier temps que cette révolution constitue un grand succès pour eux. D'ailleurs dans les pays du Golfe, ses plus chauds défenseurs ont été les sunnites. Parmi les chiites, beaucoup sont demeurés au départ mitigés à son égard, soit parce qu'ils la craignaient, soit parce qu'ils soutenaient l'ancien régime du shah. L'adhésion des sunnites venait du fait qu'à ses débuts, les slogans de cette révolution avaient une résonance presque nassérienne ; lutte contre le colonialisme, contre les États-Unis, contre le sionisme, défense de la cause palestinienne. Les Frères musulmans dépêchèrent leurs journalistes en Iran pour rencontrer l'ayatollah Montazéri, mais par la suite cet enthousiasme est retombé. L'une des raisons en est la lutte des tendances qui ont vu le jour en Iran sur le sens de cette révolution dès le lendemain de l'instauration de la République islamique. Pour la première, celle-ci se voulait une avant-garde islamiste dont l'objectif est mondial ; la seconde la définit d'abord comme nationale et la troisième, comme un mouvement ne concernant que les chiites. Il était difficile dans ces conditions, pour les sunnites en particulier, de continuer à la soutenir sans réserve.

Les différentes associations islamistes présentes sur la scène sociale koweïtienne se livrent en sourdine à une compétition pour occuper le terrain. Elles ont essayé de s'unir dans le cadre estudiantin, mais les intérêts partisans ont fini par l'emporter. A l'université, les Frères occupent le terrain où sont présents trois autres courants : les salafistes, les chiites et le Centre démocratique, un regroupement de tous les adversaires du mouvement religieux. Des progressistes, des nationalistes mais aussi des étudiants sans attache idéologique, sunnites et chiites, riches et pauvres. Certains sont laïcs, d'autres non, rejetant l'extrémisme sans pour autant vouloir éliminer la religion de leur vie. Toutes ces individualités sont réunies par le rejet de l'extrémisme religieux mais leur problème fondamental est de n'avoir ni programme ni position clairement définis. Bien qu'ils représentent un courant relativement fort, leur audience n'atteint pas celle des Frères musulmans.

Au plan politique, le mouvement islamiste est devenu une force avec laquelle il faut désormais compter. Lorsque le Parlement fonctionnait (jusqu'en 1985, date à laquelle il fut dissous), il exposait ses points de vue et était même parvenu à faire passer certaines de ses revendications, comme l'octroi de la nationalité koweïtienne aux seuls musulmans.

Outre des revues à travers lesquelles ils s'expriment mensuellement, les islamistes diffusent des cassettes et des ouvrages, organisent des expositions de livres... Leurs efforts se concentrent cependant dans le domaine de l'éducation et de l'enseignement où leur impact est très grand.

Au plan social, ils ont presque réussi à éliminer totalement la tendance « laïcisante » qui existait auparavant. Dans les années 60-70, la jeunesse pouvait accéder à une littérature très diversifiée qui lui permettait de s'ouvrir à plusieurs formes de pensée. La société était bien moins conservatrice qu'aujourd'hui, et la femme beaucoup plus libre.

Abordant la question féminine qui lui tient particulièrement à cœur, Khalil Haïdar impute l'attrait exercé par le discours islamiste sur les femmes à l'addition de plusieurs facteurs : « Le faible pourcentage de femmes actives dans le monde arabe (moins de 10 %), l'atmosphère réactionnaire qui y prévaut, la crise des idéologies communiste et capitaliste, la remise en question des idées de libération de la femme en Occident... On apprend que, là-bas, beaucoup de femmes aspirent à redevenir des femmes au foyer ! On avait toujours lié le développement d'un pays à l'émancipation de la femme. Or le Japon fournit l'exemple contraire : la femme n'y est pas libérée mais cela n'a pas empêché le pays d'être à la pointe du progrès. Les islamistes exploitent ce type d'arguments avec habileté : ils inculquent leurs idées aux femmes dès leur plus jeune âge. Elles commencent à se voiler à l'école. Les programmes scolaires, l'ambiance générale, tout y contribue. L'endoctrinement de l'individu dès l'enfance est une idée chère à Hassan El Banna. Les islamistes conduisent ainsi les jeunes enfants dans les cimetières. Là ils leur font écouter des cassettes racontant ce qui se passe à l'intérieur des tombes. Les voix enregistrées crient pour te montrer les souffrances que tu encourra si tu ne te comportes pas en bon musulman... Les associations islamistes offrent des animations aux femmes, qui n'ont par ailleurs guère l'occasion de se distraire. Elles en ont attiré un grand nombre dans les mosquées. Les islamistes ont l'art de réduire l'importance de ce qui ne les intéresse pas et de monter en épingle ce qui les sert ; ils peuvent ainsi vous transformer un hadith insignifiant en verset coranique ! Leur interprétation de l'islam en ce qui concerne la femme varie selon leur politique globale. Alors que les salafistes auront tendance à prôner le retour de la femme à son rôle exclusif de mère et d'épouse, les Frères musulmans ne s'opposent pas à ce qu'elle joue un rôle actif dans les associations, les dawas, l'activité politique... revêtue, cela va sans dire, de son hijab. »

Écrivain et journaliste, Khalil Haïdar se bat avec sa plume. Il est l'un des rares au Koweït à tenter régulièrement de contrer par ses écrits les idées contenues dans l'abondante prose islamiste qui submerge le terrain littéraire : « On assiste à une invasion d'ouvrages religieux dogmatiques où il n'y a aucun réel *ijtihad*, aucune analyse des problèmes de fond que vivent nos sociétés, aucun programme concret. » Malheureusement, du côté laïc, la riposte intellectuelle tarde à se faire entendre.

Ismaël Chateh, ou l'art de la dialectique

Vingt heures trente ; le taxi s'arrête devant une lourde grille. « Jamia el Islah el Jtimaï, oui c'est bien là », confirme le gardien avec un regard méfiant. Je décline mon identité et celle de la personne que je dois rencontrer. « Bien, vous pouvez entrer mais à pied, sans la voiture. » Après avoir minutieusement fouillé mon sac — à chacun sa hantise des terroristes — il me laisse pénétrer à l'intérieur de l'enceinte pendant que mon chauffeur disparaît à l'horizon. Me voilà seule au cœur du fief des Frères musulmans koweïtiens. Affirmer que je me sens très rassurée serait quelque peu travestir la vérité. Et s'il prenait l'envie à un militant zélé de vouloir m'inculquer de force ses préceptes de bonne conduite musulmane ? Je l'imagine là, tapi dans l'ombre, prêt à bondir, un immense hijab au bout des bras... Heureusement, ces pensées ne sont que pour moi. Dispersés sur un vaste périmètre, les locaux de l'association baignent dans l'obscurité à l'exception d'un seul, celui qui jouxte l'entrée. Informé de mon arrivée, un homme m'y introduit et me conduit à travers des couloirs déserts jusqu'à un bureau où il m'installe en me priant de patienter : « C'est l'heure de la prière, ils sont tous à la mosquée. M. Chateh me charge de vous dire qu'il ne va pas tarder. »

Demeurée seule, je tue l'attente en examinant la pièce où je me trouve dans ses moindres recoins. Hormis une élégante et sobre calligraphie du nom d'Allah accrochée au mur, rien dans l'ensemble ne reflète une religiosité particulière. Canapé et fauteuil en cuir brun, table basse en bois poli, vaste bureau recouvert de dossiers, les éléments du décor, dans leur classicisme et leur fonctionnalité, sont ceux de n'importe quel cadre de travail. Pourtant, celui-ci n'est justement pas n'importe lequel. Il est celui d'un responsable islamiste, celui d'Ismaël Chateh, le rédacteur en chef de la revue islamiste *El Moujtamaa,* le premier Frère qu'il va m'être donné d'interviewer. Un Frère ! Mon imagination bouillonne, aiguillonnée par l'excitation mêlée d'appréhension de l'attente qui se prolonge. La porte s'ouvre enfin. Une main tendue s'avance vers la mienne[4], la serre énergiquement tandis que mon esprit, déconcerté, enregistre le ton chaleureux de sa voix. L'image fabriquée vole en éclats, narguée par celle que, sourire aux lèvres, Ismaël Chateh me présente de son personnage. Échec et mat, « Frère », le point est pour toi.

Sur cette question justement de l'allégeance de l'association au mouvement des Frères musulmans, Ismaël Chateh a à cœur, dès l'abord, de dissiper toute confusion : « Les Frères musulmans sont les Frères musulmans et Jamia el Islah el Jtimaï est Jamia el Islah el Jtimaï. La pensée des Frères égyptiens est présente sur la scène koweïtienne, comme elle l'est à l'intérieur de notre association où son influence est incontestable. Il y a parmi nous beaucoup de Frères mais nous différons fondamentalement des Égyptiens dans la mesure où eux sont constitués en parti politique et nous en association à qui toute activité politique est interdite par la loi. Nous nous retrouvons par l'esprit et par l'âme », ajoute-t-il avec un fin sourire qui en dit bien plus long que ses paroles, nébuleuses à souhait.

Développer les valeurs et la morale islamiques, appréhender et gérer à travers elles les événements sociaux, en un mot islamiser la société dans la moindre de ses composantes, telle est la volonté de Jamia el Islah, créée en 1963, au lendemain de l'indépendance koweïtienne. Tout en obéissant à la législation sur les associations, explique Ismaël Chateh, elle formule ses revendications d'islamisation sociale et les présente aux autorités publiques. Ses sympathisants véhiculent ses idées jusqu'au cœur du Parlement. « Notre système fonctionne selon une formule de participation populaire, non de démocratie complète. Les électeurs choisissent leurs élus en fonction de leur personnalité et non en tant que représentants d'un parti. Officiellement, les partis n'existent pas. Mais à un niveau souterrain, ils sont bien présents. » Et de reconnaître que parmi les acquis de l'association, l'un des plus importants fut justement la pénétration du Parlement par les islamistes : « Nous avons commencé à prendre part au jeu politique, à en comprendre les mécanismes, à créer des canaux de communication avec les appareils de l'État, à devenir des partenaires dont il faut tenir compte... » Avec cela, Jamia el Islah respecte la loi : elle ne fait pas de politique ! Elle fait simplement mieux : de l'infiltration tous azimuts.

S'exprimant plus « entre » que « dans » les lignes, Ismaël Chateh joue sur les mots avec une dextérité remarquable. Sans essayer de contourner aucune des questions posées, il formule ses réponses de manière à demeurer inattaquable sur le plan légal tout en laissant clairement transparaître sa pensée. Décontracté et jovial, il intercale dans ses explications quelques mots de français conservés d'un lointain séjour en France, quand mon regard l'avertit que le sens d'un mot m'a échappé. Manifestant une volonté évidente de me mettre à l'aise, il conjugue tout le long de l'entretien humour et bonne humeur comme pour me démontrer que les islamistes ne sont pas nécessairement les grands méchants loups qu'on imagine. Une opération de charme très réussie, il faut bien le reconnaître. Mais c'est en abordant la question féminine que j'eus le loisir d'admirer l'art avec lequel il s'emploie à démontrer la justesse de son argumentation en tentant d'enferrer l'autre — moi en l'occurrence — dans ses propres contradictions. La technique socratique par excellence.

Invité à donner son point de vue sur les droits politiques de la femme, il commence par marquer un temps de réflexion. Hésite, puis renverse les rôles en répondant à ma question par une autre question : « Estimez-vous que la femme égale l'homme à tous les niveaux ? » Je concède, bien sûr, l'existence de différences physiologiques (la tarte à la crème), et lui d'enchaîner : « La femme, à mon sens, est l'égale de l'homme sur certains points mais non sur tous. La femme est la femme et l'homme est l'homme (la tautologie des antiféministes de tous bords). N'a-t-elle pas d'ailleurs été créée après lui ? (Mais voyons !) La femme est l'égale de l'homme pour ce qui est de ses responsabilités à l'endroit de Dieu. Le Coran l'interpelle tout comme lui sur les agissements de la société. « *El mouminoun wa el mouminate yamourouna bil maarouf wa yadana al mounkar* »[5]. Il incombe aux deux sexes de corriger les erreurs et de propager la Vérité. Si, au jour du Jugement dernier, Dieu lui demande pourquoi l'organisation économique de la société est mounhar, elle ne pourra pas lui répondre : ''Je suis une femme, je n'en suis pas responsable''. S'il y a perversion de la société par les hommes, les femmes ne sont pas autorisées à se taire car elles auront elles aussi à en rendre compte. Étant donc responsables au même titre qu'eux de cette société, leurs droits sont similaires aux leurs en matière économique, politique et sociale. *Mais* (car tout est dans ce *mais*), les choses doivent être organisées. Pour qu'une entreprise fonctionne, elle a besoin d'un président pour la diriger. Il en est de même pour la famille. Aucune formation ne peut avoir deux chefs à sa tête (*sic*). Aussi le Coran a-t-il tranché en décidant que les hommes seront supérieurs aux femmes. Cette supériorité cependant n'existe qu'à l'intérieur du foyer. Pas à l'extérieur de celui-ci. Cette supériorité masculine implique une totale responsabilité financière. L'homme devra assumer entièrement toutes les dépenses de sa femme. C'est la raison pour laquelle en cas d'héritage, la part qui lui revient correspond au double de la sienne ; s'il hérite de 100 F, ces 100 F, il devra les dépenser pour l'entretien de sa famille. La femme n'héritera que de 50 F mais 50 F dont elle sera libre d'user à sa guise.

— La réalité actuelle nous montre que la femme participe de plus en plus fréquemment à la prise en charge financière de sa famille.

— J'y arrive. Il est du droit de la femme de mettre son argent à la disposition de sa famille si elle le désire, comme il est du droit de l'homme de la dispenser de ses devoirs de maîtresse de maison et de l'autoriser à travailler. Mais ces arrangements sont du registre du choix personnel. Nous disons donc : il n'y a pas d'opposition à ce que la femme soit active au sein de la société, puisqu'elle en est responsable. Que toutes les fonctions lui soient accessibles. Même celle de président de la république. D'accord ! Mais quelle est sa fonction principale ? Être président de la république ou être mère ? Qu'y a-t-il de plus important pour le devenir d'une société ? Son développement économique ou l'éducation de ses enfants ? J'estime que cette dernière l'est bien plus. Or si la femme se met en tête de calquer son comportement sur celui de l'homme au nom de l'égalité, qui va s'en charger ? Peut-on dire que l'éducation donnée à nos enfants par les domestiques vaut celle de leur mère ?

— Dans cet esprit d'égalité, cette éducation peut être assumée à la fois par le père et par la mère... »

Contournant cette remarque, il enchaîne : « Voyez ce qu'il en est, même dans les pays où le principe de l'égalité des sexes est posé comme un axiome. Une femme, deux femmes sont à la tête de la Grande-Bretagne. Mais avec qui la gouvernent-elles ? Pour quelle raison Thatcher ne s'entoure-t-elle que de ministres hommes ? Prenons un cas encore plus radical : l'URSS. Pourquoi, parmi ses cinq têtes dirigeantes, n'y a-t-il pas une seule femme ? On pourrait multiplier les exemples, on arriverait à cette même constatation : il y a une répartition naturelle des tâches, et l'histoire de l'humanité nous prouve qu'il revient à l'homme d'assumer la responsabilité. » Je me lance dans une évocation du système patriarcal et de sa marque au cours des siècles sur les sociétés ; je lui fais remarquer l'aspect culturel et non naturel de cette situation, en lui citant les changements intervenus en Occident dans le domaine de la répartition des tâches entre l'homme et la femme... Peine perdue. « Bien, me dit-il, je poursuis le débat. A quoi donc la double direction au sein de la famille a-t-elle conduit ? La famille en Occident est-elle stable ? Quelle est la proportion des divorces et les conséquences de ceux-ci sur les enfants et la société ? Nos femmes, ces dernières décennies, ont elles aussi été élevées dans l'esprit de ce principe. Le résultat est qu'actuellement 70 % de nos mariages finissent par des divorces. Les enfants sont élevés par des domestiques, étrangers de surcroît. En admettant même que ce principe soit valable, nous l'appliquons de manière déplorable. Je ne suis pas contre la femme. Je suis avec elle. Mais j'aimerais qu'elle réussisse dans sa fonction. Nous voulons qu'elle ait les droits qui lui permettront de réussir dans sa vie. Pas ceux qui la conduiront à l'échec. Je reviens à ma question : qui est responsable de l'éducation des enfants ? Qui doit rester à la maison pour les élever ?

Je lui cite l'exemple des « papa-poule »...

« Qui a été créé physiologiquement pour porter les enfants ? me rétorque-t-il. Pour les allaiter ? Pour les éduquer ? La femme a une capacité de tendresse supérieure à celle de l'homme. Elle a *el oumouma* (la fibre maternelle).

— C'est une question d'éducation.

— D'accord, l'éducation intervient mais la physiologie également. Vous ne croyez pas à la différence biologique ? »

Le débat pouvait ainsi repartir, interminable.

Anissa, l'orpheline du socialisme arabe

Le lendemain, de jour cette fois-ci, je me rends à la section féminine de Jamia el Islah, située dans un local indépendant où l'une des responsables, Anissa Jarrallah, me reçoit. Bien que son accueil soit d'une correction irréprochable, je la sens tendue, sur ses gardes.

Anissa — je ne le saurai qu'à la fin de l'entretien — a fait un détour par l'idéal progressiste symbolisé par le nassérisme dans les années 70 avant de rallier le mouvement islamiste. Un parcours devenu tristement habituel pour bien des orphelins de la cause du socialisme arabe. Dans la fougue de sa jeunesse, elle se bat pour partir poursuivre des études de sciences politiques au Caire. Là, elle dévore les brûlots qui chantent la victoire prochaine des opprimés sur tous les impérialismes. Elle n'a alors que dédain pour les islamistes qu'elle considère comme les tenants de la réaction. Mais le vent de la défaite arabe emporte ses rêves. Ses illusions envolées, elle demeure avec un immense vide au fond du cœur. Un vide qui n'aspire qu'à être comblé. « J'ai été à La Mecque. Progressivement, je me suis mise à lire des livres islamistes. Je n'en avais jamais lus auparavant, pensant qu'ils ne pouvaient contenir que des idées réactionnaires. Les écrits de Sayed Qotb, de Mawdoudi... m'ont convaincue du contraire. Le nationalisme arabe, le socialisme n'ont donné aucun résultat. Alors pourquoi aller chercher ailleurs ce qui se trouve dans l'islam ? J'avais le sentiment également que l'islam écrasait la femme mais je me trompais aussi sur ce point. Mon oncle était membre de Jamia el Islah el Ijtimaï. J'ai constaté que celle-ci poussait la femme à entreprendre des activités. Je suis arrivée à la conclusion que la voie qu'elle prône est la bonne et j'y ai adhéré. »

Alors que Jamia el Islah a bouclé le quart de siècle, sa section féminine est encore relativement très récente (six ans). Créée sous l'impulsion des sœurs, femmes ou proches comme Anissa des membres de l'association, elle regroupe ses adhérentes autour de différentes activités : bazars de charité, fêtes religieuses, manifestations culturelles... La notion de *Oumma* est entretenue par une sensibilisation constante à la « lutte de la femme musulmane » à travers le monde comme en Palestine ou en Afghanistan. Abordant des thèmes sociaux relatifs à la famille, les jeunes et la femme, l'association met l'accent sur la nécessité pour celle-ci de préserver son identité musulmane et de dispenser à ses enfants une éducation conforme aux préceptes islamiques, seule parade véritable, selon elle, aux fléaux qui guettent la société. L'enfant fait l'objet d'une très grande attention : quantité d'opuscules scolaires et religieux sont imprimés spécialement pour lui, des conférences animées par des cheikhs, des pièces de théâtre sont organisées à son intention.

Mais les problèmes propres à la femme, ses droits... qu'en est-il ?

« La plupart d'entre eux sont engendrés par l'ignorance. Plus une femme est instruite, plus elle est consciente de ses droits, plus elle est en mesure de se défendre. C'est l'ignorant qui est injuste à son égard, pas le bon musulman, pas celui qui comprend correctement l'islam. » De ces questions de polygamie et de divorce, Anissa et ses compagnes ne se préoccupent pas outre mesure : « La polygamie est surtout le fait des bédouins, encore analphabètes. Elle devient très rare parmi les citadins. Le divorce, lui, affecte particulièrement les couches supérieures. Nous essayons de sensibiliser la femme afin qu'elle préserve la stabilité de la famille. » En lui conseillant en quelque sorte de moins ruer dans les brancards ! Quant à l'information sur ses droits spécifiques, elle est diluée dans les exposés généraux. « Lui parlez-vous par exemple de sa possibilité de recourir à la ismaa* ? ai-je demandé avec un soupçon de perversité. — Si nous l'informons sur ce point en particulier, elle risque d'en abuser et les divorces ne feront qu'augmenter. » Sans commentaire.

Le travail de la femme ? La réponse stéréotypée : « Oui, à condition de respecter les règles islamiques, de se diriger de préférence vers des fonctions ''féminines'', d'éviter une trop grande promiscuité avec l'homme. » Le droit de vote aux femmes ? Pas d'opposition de principe mais les conditions actuelles ne sont pas encore idéales...

Anissa ne m'apprendra pas grand-chose. Elle ne voudra pas. Elle ne pourra pas. Dans son expression raisonnable d'élève studieuse, j'ai cru lire une muette prière ; celle de passer mon chemin et de laisser en paix l'édifice de ses convictions.

« Love story »

D'un geste plein de tendresse, il lui effleure la joue de sa main pour répondre à la question qu'elle lui pose. Elle, câline, darde sur lui son beau regard souligné de khôl en continuant à parler avec une langueur dans la voix. Assise à l'arrière de la voiture, je les observe à la dérobée pendant qu'ils me reconduisent à Salmya. Tirant le petit bloc-notes enfoui au fond de mon sac, je griffonne à la va-vite quelques notes, de peur que cette impression ne s'envole.

Au téléphone déjà, en réponse à ma demande d'entretien, il me proposa de rencontrer sa femme plutôt que lui-même. Or c'était avec lui, Abdallah Nafissi, professeur de sciences politiques, essayiste et sympathisant des Frères musulmans que je souhaitais m'entretenir. Je le lui fis comprendre en ajoutant que faire la connaissance de sa femme serait également un plaisir. « Bien, finit-il par acquiescer, contactez-moi ultérieurement, je vais la consulter pour convenir du moment où vous pourrez venir nous rendre visite à la maison. » En voilà un, me suis-je dit, qui ne maintient pas son épouse à l'arrière-plan. Je ne m'étais pas trompée.

La chaleur du jour est tombée. L'air est d'une divine douceur. Ondulant dans sa longue jupe noire, Bathoule Nafissi m'accueille avec une grâce tout orientale. Élancée, elle porte le hijab avec une sobre élégance, qui n'ôte rien à son charme ; au contraire, il le met en relief. Revêtu de la traditionnelle habaya, Abdallah Nafissi a la barbichette pensive mais le regard scrutateur. Bien qu'un certain nombre d'années les séparent, leur couple offre une image d'heureuse harmonie. Sans doute le professeur a-t-il épousé son étudiante. Une étudiante qui, devenue épouse, continue à manifester la même admiration pour le savoir du maître.

Installée entre eux deux sous la tonnelle d'un jardin, étonnamment luxuriant pour le pays, je me sens prise sous le charme tranquille de l'instant, n'ayant plus qu'une envie, celle de laisser filer mon esprit à la poursuite des étoiles. Mais l'heure n'est pas à la rêverie car mes hôtes n'ont guère l'intention de se prêter à un long entretien. « Des amis nous attendent, me dit Bathoule sur un ton d'excuse, nous allons devoir bientôt les rejoindre. » Moi qui escomptais une discussion approfondie, j'en suis réduite au survol des têtes de chapitres ! La recevoir, lui offrir un bon verre de jus d'orange pur fruit, lui accorder l'entretien qu'elle demande mais en en limitant le temps de manière à éviter tout réel débat, voilà, ma foi, une manière astucieuse de neutraliser une journaliste importune sans paraître se dérober à ses questions... Va pour le protocole, je me contenterai d'écouter votre opinion, monsieur le professeur, sur deux points : la volonté prêtée au mouvement islamiste de ramener la femme à la maison et la question du droit de vote féminin.

« Le mouvement islamiste, commence par expliquer Abdallah

Nafissi, est un mouvement qui épouse les caractéristiques du substrat social koweïtien. Un substrat social — celui du Golfe dans son ensemble — dont la nature tend au traditionalisme et au rejet des influences extérieures. Il y a trente à trente-cinq ans, la femme au travail ne représentait pas un fait naturel. Mais la découverte du pétrole et ses conséquences (modernisation du pays, indépendance économique de la femme par rapport à l'homme, élargissement de l'élite intellectuelle, etc.) ont bouleversé les anciennes données. Mouvement idéologique, le mouvement islamiste est porteur d'un programme et de projets économique, politique et social. La question féminine fait partie de ce programme. Le projet islamiste tire sa substance de la Sunna et du Coran. Il est en cela originel et non importé (*stilahi*) comme le sont les projets démocratique ou libéral. Il échappe à l'influence de l'Occident et de ses courants de pensée. Le point de vue islamiste sur la femme peut apparaître pour cette raison, à l'observateur occidental, étrange alors qu'il est *acil*. A mes yeux, le hijab, outre son caractère d'obligation religieuse, possède une dimension essentielle ; celle de refléter notre personnalité, une personnalité distincte de la personnalité occidentale. Nous appelons à l'indépendance ; pas seulement politique et économique mais également culturelle et intellectuelle. Or l'indépendance se traduit par des images, des signes, des symboles ; le hijab en est un. La vague d'occidentalisation a déformé, écrasé, notre personnalité. Nos schémas de pensée nous sont imposés par le biais de la télévision, des satellites de communication. Nous, les enfants du mouvemnt islamiste, nous appelons à de nouveaux schémas à travers lesquels façonner l'éducation, le rôle de la femme, des associations, etc. Pour en revenir à la question du travail de la femme, je vous répondrai que celle-ci n'émane pas de nous ; comme beaucoup d'autres, elle nous a été imposée de l'extérieur. Le Coran, qui est notre véritable Constitution, ne parle ni de la nécessité ni de la non-nécessité du travail de la femme. Il se contente d'en définir les principes. A partir du moment où ces principes sont respectés, il n'y a aucune différence entre le fait que la femme travaille ou ne travaille pas. »

A cette question cependant, on ne peut répondre de manière générale. Tout dépend du contexte. S'il y a une nécessité sociale au travail féminin, celui-ci revêtira le caractère d'obligation islamique. Il en est de même pour le cas contraire où rester à la maison serait plus bénéfique. Ibn el Qayam, l'un des grands théologiens de l'histoire du *Fiqh*, a énoncé un principe qui donne vraiment la mesure sur ce point. "Là où se trouve l'intérêt des musulmans se trouve la loi de Dieu". Donc tout dépend de l'intérêt fondamental de la *Oumma*. Pour cette question comme pour toutes les autres. Venons-en à la question des droits politiques de la femme. Il y a quelques années, j'enseignais à l'Université d'El Aïn aux E.A.U. Un jour, un étudiant me questionna sur ce sujet. J'ai éclaté de rire, d'un rire qui venait du fond du cœur. "Pourquoi riez-vous ?" m'a-t-il alors demandé, d'un air offusqué. "Je ris, lui ai-je répondu, parce que, dans vos sociétés, les droits de l'homme n'existent pas. As-tu toi, en tant qu'homme, des droits politiques ?" Là est le problème ; dans les sociétés arabes, les droits politiques sont étouffés. Aussi poser la question des droits politiques de la femme est à mes yeux une question purement académique. Elle ne peut être détachée de l'ensemble. Je n'ai pour ma part aucune prévention à l'octroi du droit de vote aux femmes mais, sur ce sujet, l'expérience arabe n'est guère encourageante. Prenons le cas de la Syrie ; c'est le pays qui, le premier, a accordé ces droits à la femme. Or toutes les formations qui se sont succédé au pouvoir ont exploité son vote dans leur intérêt. Et non dans le sien ou celui de la nation. Pour cette raison, je préconise au préalable une étude du contexte. Au Koweït, la structure tribale prédomine sur toutes les autres. La société est à l'image d'un fruit dont la peau serait l'État et le cœur la *kbila* (la tribu). Si la femme a le droit de vote, les hommes de sa famille l'utiliseront pour raffermir le pouvoir de leur *kbila*. Ni elle, ni la nation n'en bénéficieront. Aussi devons-nous assainir dans un premier temps la situation, éliminer ces intermédiaires entre l'État et le citoyen en effritant la kbila. C'est alors que la femme comme l'homme pourront user de leurs droits dans l'intérêt général. Le mouvement islamiste ne s'oppose pas à l'octroi du droit de vote à la femme ; demain, si elle l'acquiert, c'est pour lui qu'elle votera. A l'université, l'Union des étudiants koweïtiens est largement dominée par les islamistes. Or d'où vient leur principal soutien ? Des étudiantes...

Chiites à l'âme rebelle

Empêtrée dans l'étoffe soyeuse d'une immense habaya, je plaque mes pas sur ceux de ma compagne en prenant soin d'imiter chacun de ses mouvements. A l'entrée de la salle, un amoncellement de paires de chaussures disposées pêle-mêle fait barrage. Avant de pénétrer à l'intérieur, nous nous déchaussons à notre tour. Une mer de tchadors, impressionnante de sévérité, s'étale sous mes yeux ; elles sont plus d'une centaine de femmes à être là, assises en tailleur les unes à côté des autres à même la moquette de cette pièce aux dimensions de salle de fête mais dont le seul meuble est une chaise haute occupée par une oratrice et trônant au centre de l'assemblée. Nous prenons place non loin de celui-ci après nous être frayées aussi discrètement que possible un chemin au milieu de cette masse compacte.

Malgré la habaya et le hijab dans lesquels, sur les conseils de Awatif, mon guide inattendu, je me suis emmitouflée, j'attire rapidement l'attention. La manière dont mon hijab est noué et la maladresse avec laquelle je tiens les pans de la habaya parlent, à vrai dire, d'elles-mêmes. Je m'aperçois que le port et la maîtrise de celle-ci sont tout un art. A l'image des autres, je m'y enveloppe avec application de façon à ne rien laisser transparaître mais un moment d'inattention et la voilà qui glisse, dévoilant le bleu lumineux de ma djellaba, tache narquoise dans cet océan sombre. Observant à la dérobée les femmes qui m'entourent, je note la diversité des méthodes de fixation du hijab. Chez certaines, il encadre très étroitement le visage dont ne se révèle que le triangle des yeux et de la bouche, d'autres le maintiennent sous le cou par une épingle mais, pour toutes, le but est identique : cacher jusqu'à la racine même du cheveu. Dans la dominante noire, quelques hijabs blancs font acte de dissidence. Par contraste, leurs propriétaires en paraissent presque de gaies luronnes.

Un traitement de faveur distingue une demi-douzaine de participantes du reste de l'assemblée. Installées, à la différence des autres, sur de petits fauteuils sans pieds, elles forment le noyau central vers lequel convergent les regards. A un moment donné, l'une d'elles se lève, prend place sur la chaise haute, ouvre un livre usé à force d'être manipulé et, d'une voix sourde, commence à lire. L'assemblée frissonne. Dans un mouvement collectif de balancier, le corps des femmes dodeline. Leur regard, éperdu, s'embrume. Puissante et farouche, l'émotion monte telle une vague qui s'enfle jusqu'à écumer de fureur en atteignant la rive. De grosses larmes, encore hésitantes, perlent au bout des cils. Le ton de la lectrice se fait âpre, à écorcher le cœur, et les phrases qu'elle arrache au silence des pages sont autant de couperets qui le lacèrent. Les premiers sanglots éclatent. La tête enfouie sous la habaya, les femmes libèrent leur douleur. Une douleur inconsolable depuis plus de mille ans. Elles pleurent et pleurent, encore et toujours le martyre de Hussein, fils de Ali et petit-fils du Prophète[5].

« Il y en a une ce soir, comme chaque semaine. Si tu le désires, tu peux m'y accompagner », m'avait proposé Awatif avec simplicité. « Tu verras alors de toi-même ce qu'est une *husseiniya.* » J'ai « vu » mais, surtout, j'ai senti, à la palper presque, la puissance de l'émotion que la foi peut éveiller lorsque le sentiment de l'injustice la nourrit et l'exacerbe. Grâce à cette invitation, pour la première fois, je prenais contact avec l'univers chiite.

« Ne dis à personne que c'est moi qui t'y ai emmenée. » Parce qu'elle est chiite et mouhajjaba, Awatif cultive prudence et discrétion. Pourtant, le contact avec cette jeune étudiante s'est établi avec une facilité étonnante. Je m'étais rendue ce jour-là à l'université, mais l'approche des examens en avait vidé les allées. Installée sur la pelouse à l'ombre d'un arbre aux feuilles anémiques, je profitais du calme ambiant pour mettre au clair quelques notes quand je la vis passer à quelques pas de moi, ses livres sous le bras. A l'affût comme de coutume du moindre hijab, je l'abordai. Et elle, de bonne grâce, accepta d'oublier un moment ses révisions pour m'accorder le brin de causette que je lui demandais.

« La husseiniya est propre aux chiites. C'est une pièce à l'intérieur de la maison que l'on réserve à une réunion, généralement hebdomadaire, de femmes regroupées autour d'une *moulaya*. La moulaya est une personne versée dans la théologie et l'historiographie religieuse chiite. Elle organise et anime ces réunions par des lectures et des commentaires du Coran ainsi que de textes évoquant l'assassinat de Hussein et son martyre. Jadis, seules les personnes âgées allaient dans les husseiniyas. Aujourd'hui, cette institution attire de plus en plus de jeunes. » Des jeunes qui, comme Awatif, ont été convaincus de l'impossibilité du salut hors des voies célestes. A la fin de la réunion à laquelle j'assistai, des informations ont été communiquées à l'assemblée, sur les prochaines activités de « Jamia Takafa el Islamiya » (Association de la culture islamique). Entre les institutions traditionnelles et les institutions modernes, les radicaux chiites ne manquent pas de structures d'encadrement, fonctionnant comme des vases communicants, elles assurent au message islamiste des canaux de diffusion d'une parfaite efficacité.

Awatif est à moitié iranienne par sa mère, que son père épousa lors d'un voyage en Iran. De hijab, pourtant, dans sa famille, il n'a jamais été question. « Ma mère, dans sa jeunesse, ne le portait pas. Quand, à quinze ans, j'ai décidé de le mettre, mon père s'est moqué de moi. Il en allait de même dans les autres familles des premières mouhajjabates. A l'université, on raillait les filles qui venaient en habaya parce que ça faisait démodé. Alors le hijab ! Mais avec la révolution iranienne, la situation s'est renversée au point que les non-mouhajjabates sont devenues la minorité. J'ai dû interrompre mes études pendant trois ans. Quand je suis revenue cette année à l'université, j'ai senti à nouveau un changement. Le nombre de hijabs a diminué, et celui-ci est devenu moins strict. Les filles l'amidonnent pour lui donner une forme. D'autres, ne pouvant le retirer complètement, laissent dépasser quelques mèches de cheveux. » Pour qui débarque pour la première fois à l'université du Koweït, le nombre des étudiantes en hijab demeure cependant impressionnant ; elles forment encore indiscutablement la majorité. Certaines, par la superposition de la habaya noire sur un hijab blanc et raidi au-dessus du front, ressemblent étrangement à des nonnes.

« L'Association des étudiants koweïtiens est toujours dominée par les islamistes mais moins qu'avant, ajoute Awatif. Il y a ceux qu'on appelle les indépendants qui commencent à émerger. » Interrogée sur la question du droit de vote, Awatif confirme le point de vue d'Ismaël Chateh : « Si les femmes avaient le droit de vote, elles voteraient en masse pour les représentants islamistes. A l'université, quand une jeune fille arrive en première année, elle est naturellement attirée par les associations islamistes parce que le port du hijab et l'absence de mixité lui rendent l'intégration plus facile alors que l'attitude des autres groupes démocrates, où garçons et filles se mélangent et s'habillent à l'occidentale, va la bloquer. Et puis, n'oublions pas qu'au fond, la femme koweïtienne est très pieuse. Pour ma part, j'estime qu'une femme doit avoir le droit de vote. Pour que les islamistes soient à la tête de l'UNEK, il a bien fallu que les étudiantes les élisent ! Si elles participent à des élections estudiantines, pourquoi ne seraient-elles pas en mesure de participer à des élections plus larges ? Lors du débat sur la question, en 1985, cette position a été celle défendue par bien des militants de l'association chiite islamiste. Quant au droit d'éligibilité, je n'ai pas d'opinion car j'ignore ce qu'en dit exactement la Charia. Si la Charia l'autorise, je n'ai pas d'opposition. Mais se pose toujours le problème de la femme et de son foyer. Une femme ne peut pas assumer les mêmes fonctions qu'un homme parce qu'elle a l'éducation de ses enfants à assumer. Là est la priorité principale. Comment résoudre le dilemme ? Toute la question est là. »

Awatif est un esprit curieux. On la sent assoiffée de connaissance. Elle se plonge sans réserve dans la discussion, écoute mon point de vue, interroge et s'interroge. Ni agressive ni bornée, Awatif ne se barricade pas derrière sa foi et ne la brandit pas comme une arme. Pourtant, celle-ci est profonde et fait partie intégrante d'elle, de son identité. Chiite, Awatif se reconnaît dans le mouvement islamiste car, à travers la révolution iranienne, il a offert une victoire à sa communauté, une communauté où le sentiment de révolte est toujours latent. Mais, dans son regard, il n'est nulle trace de fanatisme. Et, les jours suivants, sa gentillesse et sa serviabilité me démontreront qu'un hijab, même chiite et à demi iranien, n'interdit pas l'exercice de la tolérance.

Après avoir quitté Awatif, j'ai tenté à nouveau ma chance

auprès de deux autres étudiantes dont l'une portait carrément le niquab. Pourtant — il est bon de le préciser — dans cette aile de l'université réservée à la faculté de la Charia (études théologiques), la non-mixité est de règle. Loin de rencontrer la même acceptation de la discussion que précédemment, tous mes efforts durent tendre à convaincre mes interlocutrices de ma bonne foi. « Nous n'avons plus aucun désir, me dirent-elles, de discuter avec les journalistes ni de leur donner nos points de vue car, ici, la presse est contre nous. Nos propos sont systématiquement déformés. Parce que nous portons le hijab ou le niquab, on jette sur nous un regard négatif. Alors que le fait d'être mouhajjaba constitue la situation originelle de la femme musulmane, le hijab étant un commandement divin au même titre que la prière ou le jeûne, on le pose comme un fait anormal, bizarre. Comme un objet d'analyse et de réflexion. »

J'apprends toutefois que Ihsen, l'étudiante au néquab, est docteur en chimie et qu'elle revient d'un séjour universitaire de deux ans en Grande-Bretagne. « A Londres, affirme-t-elle, je ne me suis jamais départie de ma tenue (habaya, néquab et gants noirs). Un jour, un groupe d'Anglais m'a accostée dans la rue. Parmi eux se trouvait une femme. Voici ce qu'elle me dit : ''Votre religion est une bonne religion car elle vous permet de vous faire respecter. En vous habillant de la sorte, vous signifiez à l'homme que vous n'êtes pas à prendre. Moi, mes vêtements m'offrent à lui.'' »

Je la regarde et ne dis mot. Que dire en effet, que répondre à une conviction nourrie d'irrationnel ? L'irrationnel de la peur.

Au Koweït, le port du néquab se rencontre en particulier chez les membres de l'association fondamentaliste Ahia Touras. Celle-ci se distingue par un rigorisme encore plus accru à l'égard des femmes que ne l'est celui des autres associations islamistes. Un saut à son local et une rencontre avec quelques-unes de ses adhérentes m'en convainquirent rapidement.

On ne peut douter d'une chose en visitant ces associations, c'est de la puissance de leurs moyens financiers. Accolée à la section masculine, la section féminine de « Ahyia Touras » est installée dans une immense construction comprenant une salle de conférence aux dimensions plus qu'honorables. Ce soir, une de leurs manifestations y est organisée. Dans une débauche de voiles noirs, les femmes emplissent l'espace. Heureuses de se retrouver entre elles, elles se départent de leur réserve habituelle. A les entendre rire, je ne peux m'empêcher de ressentir l'effet d'une incongruité. La sévérité de leur tenue est telle qu'on ne les imagine qu'impassibles. Pourtant là, sur leur territoire, elles m'accueillent en me montrant leur autre visage ; celui de femmes tout simplement.

« Nous voulons que notre religion redevienne ce qu'elle était au temps du Prophète. Nous voulons retrouver la foi islamique telle qu'elle a éclos dans le cœur des premiers musulmans. Pourquoi insistons-nous tant sur la foi ? Parce qu'elle est la base de l'Islam. Si elle est défaillante, c'est comme une maison dont les fondations ne sont pas solides ; tout le reste s'écroule. Celui dont la foi est solide réussit dans la vie comme dans l'au-delà. L'autre échoue dans les deux. » Installée au milieu d'un groupe de quelques adhérentes qui ont accepté d'abandonner leurs compagnes pour discuter avec moi, je les écoute dans un premier temps définir l'objectif de leur association. Un objectif que résume le nom Ahyia Touras donné à celle-ci. Très bien, on applaudit. Mais par un de ces tours de passe-passe magiques si chers aux islamistes, le raisonnement est aussitôt dévié sur la femme et sa responsabilité dans l'éloignement du « véritable islam ». « L'un des éléments de notre religion est la famille. Or à travers l'éducation donnée aux enfants, le rôle joué en son sein par la femme et son entrée dans le monde du travail, la famille a commencé à être affectée par la pénétration de valeurs non-islamiques. » Que l'accusé se lève ! On le connaît, c'est le travail féminin. Rien de nouveau sous le soleil islamiste. Un « mérite » cependant à reconnaître aux militantes de Ahyia Touras : la transparence de leurs propos. Foin d'ambiguïté, la pensée est exprimée dans sa nudité : « En sortant travailler, nous avons négligé notre foyer, abandonné nos enfants aux domestiques, provoqué l'instabilité de notre famille. Nous sommes venues concurrencer l'homme sur son terrain. En raison de quoi, la société koweïtienne connaît aujourd'hui le chômage. Des jeunes attendent plusieurs années avant de trouver un emploi pendant que les entreprises engagent des femmes. Les vols et les crimes, inconnus jusque-là, ont augmenté... » Qui, un jour, a-t-il émis l'idée selon laquelle il n'est pas de pire ennemi pour la femme que la femme elle-même ? Devant une telle prédisposition à la flagellation, on serait vraiment enclin à lui donner raison ! Que la femme s'instruise (là, pas de problème), puis demeure dans son foyer pour éduquer ses enfants à la lumière de ses connaissances, voilà l'idéal aux yeux de ces jeunes femmes. Elles iront même jusqu'à convenir qu'il est préférable de donner du travail à un homme étranger plutôt qu'à une femme koweïtienne. A partir du moment, toutefois, où il est de confession musulmane. Sur le dos des femmes, la notion de grande Oumma fonctionne à merveille. Quant au sentiment national, pour une fois, il passera au second plan.

Pour justifier le port du néquab par certaines d'entre elles, elles renchérissent de plus belle dans leur logique dévastatrice tout en reconnaissant cependant que, sur ce sujet, les points de vue divergent : « Cela s'explique par le fait que nous ne nous contentons pas seulement des injonctions contenues dans les versets coraniques mais également de ce que rapportent les hadiths.

— Mais même dans les hadiths, il n'est fait, à ma connaissance, allusion au port du néquab que dans le cas où la femme est d'une beauté réellement extraordinaire.

— Oui, mais la notion de la beauté diffère selon les personnes. Tu peux te considérer comme laide alors qu'un homme te percevra comme très belle. Le visage est la partie la plus attractive chez la femme. Porter le néquab est donc ce qu'il y a de mieux pour éviter tout risque de fitna ! »

CQFD : si la femme pouvait se fondre complètement dans le néant, le Paradis s'instaurerait, sans plus tarder, en ce bas monde.

Par acquit de conscience, je leur pose l'ultime question tout en ne me faisant guère d'illusion sur leur réponse : « Et le droit de vote ? »

Elles se regardent. Puis avec un sourire hésitant qui semble me dire : « Je sais que cela va encore vous choquer mais c'est ainsi », l'une d'elles se lance : « Moi, je ne suis pas en faveur de l'entrée de la femme dans l'arène politique. Cela va la détourner de l'islam et de sa famille. Elle entrera en compétition avec l'homme. » Puis, pour essayer de me faire mieux comprendre ses motivations, elle poursuit : « Vous savez, nos coutumes sont encore très fortes. Lorsqu'ils sont étrangers les uns aux autres, les hommes et les femmes ne s'assoient pas dans un même endroit. Ils ne s'y sentiraient pas à l'aise. Or nos élections se déroulent sous des tentes où tout le monde est assis à même le sol. Vous nous imaginez ainsi mêlées aux hommes, genoux contre genoux ? C'est inconcevable. Les candidats voient leurs adversaires exploiter certains aspects de leur vie privée. Nous ne pourrions pas tolérer que celle de la femme soit ainsi jetée en pâture sur la scène publique. »

Reprenant son souffle, elle conclut, encouragée par les hochements de tête approbateurs de ses compagnes : « Nous pensons que la politique doit rester entre les mains des hommes parce qu'elle est affaire d'hommes. Elle exige de la virilité. Et puis, voyez l'image qu'offre Thatcher et son mari. On la voit toujours devant et lui derrière. Ce n'est pas une attitude naturelle. Même les Européens s'en offusquent. C'est à l'homme de se trouver en tête. Sinon, ce n'est plus un homme. »

Kafia : « Non au hijab de l'esprit ! »

Le déjeuner, qui fut des plus copieux, s'achève enfin. Pendant que les enfants disparaissent dans leurs chambres, nous passons de la salle à manger dans un petit salon arabe où une infusion de menthe fumante nous attend. De délicieux gâteaux fourrés aux dattes l'accompagnent. Fondant dans la bouche, ils égayent le palais d'une douceur légèrement âcre. Repus, la somnolence nous guette et l'échange de propos s'engourdit au fur et à mesure que la digestion s'installe. Soudain, par une incompréhensible et mystérieuse alchimie, la discussion jusque-là parfaitement anodine, dérape sur les questions de femme et d'Islam. Pourtant, sans aucune concertation préalable, Kafia mon hôte et moi-même avions soigneusement évité d'y revenir au cours de ce repas familial auquel elle m'avait conviée. La mine brusquement renfrognée, le mari de Kafia saute sur le sujet et l'enfourche comme un cheval de bataille fougueux ; « Le port du hijab, déclare-t-il est une obligation religieuse, et la femme est tenue de le porter. Comme elle est tenue de s'acquitter de ses autres devoirs de musulmane et de concentrer tous ses efforts sur son foyer. Mais aujourd'hui le travail à l'extérieur l'en détourne... Je suis contre le travail de la femme. »

De stupeur, j'en avale ma salive de travers. Ne sachant que penser, je regarde Kafia, son allure soignée, ses cheveux impeccablement coiffés, son allure déterminée... Je la regarde et m'étonne de ne pas la voir frémir. Mais elle ne sursaute même pas. Continuant à tourner lentement sa cuillère dans sa tasse de thé, elle fixe son mari d'un air tranquille et lui dit : « C'est ton droit de penser ce que tu veux. Je respecte tes idées... mais ce sont les tiennes... » Puis, sans plus accorder d'importance à l'opinion qu'il a émise, elle passe à tout autre chose.

Son flegme me laisse béate d'admiration. Professeur de sociologie à l'université du Koweït, Kafia Ramadan offre l'image type de la Koweïtienne moderne. Bien que mariée et mère de deux enfants, elle accorde une grande importance à son travail d'enseignante et de chercheur. Soucieuse d'approfondir en permanence ses connaissances et de se tenir au fait du mouvement des idées, elle participe régulièrement, hors du Koweït, à de nombreux colloques et congrès internationaux. Surtout lorsque la question féminine est à l'ordre du jour...

Elle revient justement d'un congrès des femmes du Golfe organisé en ce mois de mars 1989 à Bahrein sur le thème de « La famille dans le monde arabe. » On y a débattu, rapporte-t-elle, de l'enfant, de l'aliénation de la jeunesse par rapport à sa culture, de la drogue et enfin de la femme... Mais, à la différence de l'enfant ou de l'adolescent, la femme n'était pas considérée comme *ayant* des problèmes au sein de la société mais comme *étant* un problème pour sa société. La tendance générale de tous les débats fut en somme celle-ci : la famille vit une crise parce que la femme n'est pas restée à sa place, entendez à l'intérieur de la maison.

Cette opinion à laquelle son propre mari n'est pas loin d'adhérer est le fruit du travail de sape effectué dans les esprits par le mouvement islamiste pour provoquer un retour des femmes au foyer. « Mais, s'indigne Kafia, garder les femmes à la maison signifie démobiliser la moitié de la population. Dans de telles conditions, quel progrès, quelle évolution peut-on espérer pour notre société ? Même au temps du Prophète, la femme était active et côtoyait les hommes. Chiffa avait été nommée *cadi* (juge) du marché par le calife Omar, Khadija[6] était une femme d'affaires. Et de Aïcha[7], le Prophète ne disait-il pas ? : ''Prenez la moitié de votre religion de cette rouquine'', en s'adressant aux musulmans. L'islam n'a jamais prôné l'enfermement des femmes et leur exclusion de la vie active. »

Ce discours, à vrai dire, rencontre un faible écho auprès des femmes elles-mêmes. Au Koweït, d'une manière générale, la motivation au travail accuse une grande faiblesse. Selon les Nations unies, la rentabilité d'un fonctionnaire n'excède pas... 17 minutes par jour. L'absence d'ambition chez les gens est criante. Comment voudrait-on d'ailleurs qu'un jeune qui se rend à la faculté en Mercédés manifeste par la suite un goût quelconque pour le travail et pour l'effort ? La femme, encore plus que l'homme, n'a pas un besoin réel de travailler. Et quand elle travaille, ce n'est pas vraiment lucratif, car il lui faut payer un ou deux employés pour la remplacer à la maison. Mais le plus grave est que sa capacité à s'affirmer en tant qu'être indépendant ne se développe pas ; rien ne la pousse dans ce sens. Les médias et les programmes scolaires renforcent au contraire son image traditionnelle. Dans les livres, on la voit aidant sa mère à la cuisine pendant que son petit frère — qui deviendra médecin ou ingénieur — lui donne des conseils. A la TV, même lorsqu'il s'agit de publicité de lessive, c'est une voix d'homme qui lui dicte le bon choix. Bref, elle ne doit pas penser ; on pense pour elle. Elle ne doit pas décider ; on décide pour elle. Alors, quand on lui enjoint d'arrêter de travailler, elle arrête. Et prend une retraite anticipée.

Spécialisée, outre sa formation en sociologie, dans les études islamiques, Kafia est une musulmane pratiquante. Priant et jeûnant, elle n'exclut pas de porter un jour le hijab. Mais elle s'élève avec force contre le « hijab de l'esprit » et dénonce le danger de l'idéologie islamiste. « Un tel islam n'est pas souhaitable. Les islamistes utilisent la religion comme un véritable terrorisme. Sous prétexte d'islam, ils font ce qu'ils veulent et te traitent d'hérétique si tu t'opposes à eux. La politique de leurs associations est double : l'une déclarée et l'autre souterraine. Leur véritable programme n'est jamais divulgué. Par leurs attitudes agressives, ils menacent l'ordre public. Ils vont parfois jusqu'à imposer de force leur propre loi. Dans mon quartier par exemple, il n'existe pas un seul salon de coiffure. Ils ont réussi à décourager quiconque souhaitait en ouvrir un. Quand ils ont vent d'un fait répréhensible commis par une femme, ils la dénoncent dans les mosquées en l'interpellant par son propre nom. Une manière de jeter le discrédit sur toutes les autres. Enfin... sur celles qui ne se plient pas à leurs injonctions. Par le biais de leurs associations, ils ont réussi à encadrer un grand nombre de femmes. En 1985, un groupe de personnalités féminines s'est rendu chez le chef de l'État pour lui demander de porter la question du droit de vote à l'ordre du jour. Il leur a donné son accord et les a dirigées vers le Parlement pour qu'elles lui soumettent leur proposition. Aussitôt, une pétition contenant 3 000 signatures de femmes islamistes a été brandie pour s'opposer à cette demande. Et le projet a été abandonné. »

Kafia, tout comme Mouza et Rafia, mes interlocutrices des Émirats, est persuadée que l'action des islamistes dans les pays musulmans est fomentée de l'extérieur. Son regard à elle aussi se porte sur les USA. « C'est une politique planifiée et puissamment orchestrée. L'étude du terrain détermine les méthodes d'infiltration et les arguments à faire valoir au cours des dawas. Dans nos pays du Golfe, la jeunesse est très tourmentée. Pour la génération actuelle, plus rien n'est clair mais, pour celle qui monte, la situation est plus grave encore car nous nous sommes déchargés de son éducation sur des gens dont tout nous sépare ; langue, religion, traditions... Étant donné le haut niveau de confort dans lequel vit la société, toutes les familles emploient un personnel d'origine asiatique. Quand l'enfant revient de l'école, il se retrouve soit sous son influence, soit sous celle des médias dont le contenu est explicite. La conséquence la plus visible est que nos enfants ne parlent plus correctement l'arabe. Maîtrisent-ils pour autant une langue étangère ? Non, ils baragouinent l'anglais. Si la situation demeure ce qu'elle est, l'avenir risque d'être dangereusement compromis. Les islamistes lient ce désarroi au travail de la femme. C'est faux, car nombreuses sont celles qui demeurent à la maison mais passent leur temps accrochées au téléphone ou en visite chez une copine. Le problème ne se pose pas au niveau d'une présence physique mais de la qualité du contact établi par les parents avec l'enfant, or sur ce point, on enregistre une réelle démission. Cet enfant dont personne ne s'est vraiment occupé sera demain la proie de n'importe quel courant extrémiste. Pourvu qu'il lui offre une identité, un objectif... »

Le Liban

Escale à Damas, énigmatique et silencieuse

Les uns après les autres, les bruits de la rue s'éteignent. La nuit étend un voile de silence sur Damas qui se recroqueville dans son sommeil. Allongée, les yeux grands ouverts, je concentre mon attention sur les ombres qui dansent au plafond en espérant y puiser une bienheureuse anesthésie. Ce soir, le royaume des songes s'obstine à garder ses portes closes. Une étrange conscience de mon corps s'empare de moi. Je ressens chacun de mes membres avec une acuité saisissante. A mon retour, ce gros orteil, celui-là même que je trouve si laid, pourrai-je encore le bouger ? Je me sens soudain envahie à son égard d'une profonde affection. Et si demain je ne l'avais plus ? Mon esprit est encombré d'images, de ces images insoutenables d'hommes, de femmes et d'enfants amputés dont la télévision nous a abreuvés ces jours derniers avec le retour du Liban et de son interminable guerre civile à la « une » de l'information. Incrustées dans ma mémoire, elles refusent de s'effacer et surgissent sans crier gare à la moindre incitation. En cet instant précis où je traque désespérément le sommeil, elles s'imposent à moi avec une insistance qui frise la fixation. Un étau m'enserre le cœur, dont le rythme s'accélère. J'étouffe. Des signes qui ne trompent pas. Finie la comédie. Dans la solitude de la nuit, les forfanteries du jour ne sont plus de mise. Il me faut bien me l'avouer ; j'ai peur, horriblement peur.

Le matin me cueille l'esprit vide. Je ne veux plus penser, plus réfléchir. Comme une automate, je mets de l'ordre dans mes affaires et prépare quelques effets pour le voyage. Ma décision pourtant n'est toujours pas arrêtée. Tout dépendra, me dis-je, de la situation ce matin à Beyrouth. Mais un coup de fil à l'Agence France-Presse-Damas avec laquelle je suis en contact régulier depuis mon arrivée ne m'aide pas plus à trancher. « Je ne peux absolument rien vous affirmer, me répond la personne que j'ai au bout du fil. Venez sur place lire les dernières dépêches. Vous pourrez alors vous faire vous-même une idée. » N'y aurait-il vraiment personne pour me faire la grâce de décider à ma place ?

Depuis deux mois, Beyrouth vit sous une pluie ininterrompue d'obus. Terrés dans leurs abris, les habitants assistent impuissants à ce nouveau round de violence qui oppose l'est chrétien à l'ouest à majorité musulmane de la ville. Réuni de toute urgence, un comité arabe de bons offices a réussi avec peine à faire accepter aux belligérants un fragile cessez-le-feu depuis une semaine. A quelques jours du sommet arabe prévu pour le 23 mai à Casablanca et lors duquel la question libanaise sera traitée en priorité, il semble encore tenir. Mais Hanan, mon amie libanaise, continue à me déconseiller fermement de venir. « Cinquante obus sont encore tombés cette semaine sur mon quartier », me télexe-t-elle en réponse à la note que je lui ai fait parvenir pour l'informer de mon arrivée imminente. Ayant fixé celle-ci à samedi, vendredi, elle m'envoie un nouveau télex disant que les rumeurs sont extrêmement pessimistes et que tout le monde s'attend à une nouvelle explosion à la veille du sommet. Soit donc aujourd'hui ou demain. Mon baluchon sur l'épaule, je me rends à l'A.F.P. Les nouvelles ne sont guère fameuses. Britanniques et Américains battent le rappel de leurs derniers ressortissants à Beyrouth. « Vous devez vraiment y aller ? » m'interroge le permanencier. Et de rajouter, comme si on ne me l'avait pas suffisamment répété : « Vous savez, c'est très dangereux actuellement. » Soudain, j'en ai assez de cette valse-hésitation dans laquelle je me débats depuis plusieurs jours. Je saute dans un taxi qui me conduit au garage d'où démarrent les voitures effectuant la liaison Damas-Beyrouth. A mon grand étonnement, il y a foule. Deux chauffeurs se disputent mon sac de voyage, chacun essayant de me faire monter dans son véhicule. Une demi-heure plus tard, serrée dans une vieille américaine jaune en compagnie de six autres personnes, je fais route vers le pays des cèdres.

Dans mon plan de voyage initial, la Syrie n'était pas programmée, à la différence du Liban. Mais les hostilités ayant entraîné la fermeture de l'aéroport de Beyrouth, je me devais de transiter soit par Damas soit par Larnaca pour rejoindre la capitale libanaise. Devant me rendre prioritairement dans le secteur occidental de celle-ci, il me fallut choisir le premier itinéraire. J'ai atterri dans un aéroport quasi désert et mon premier contact avec le pays, malgré la piètre réputation de son régime, est des plus courtois. Pour la « sœur arabe » que je suis, les formalités sont brèves et les douaniers tout sourire. Pas de visa, pas d'interrogatoire pointu sur le pourquoi et le comment de ma visite, pour une fois le concept d'unité arabe paraît avoir ici quelque consistance. Il me sera toutefois demandé — très aimablement — de me rendre au ministère de l'Information pour faire viser ma carte de débarquement. Parce que je suis journaliste. Dans un État policier qui se respecte, il ne serait pas décent, on le comprend tout à fait n'est-ce pas ? de laisser circuler sans un minimum de contrôle des gens à l'activité aussi, comment dire ? « sensible ».

Surplombée par un magnifique ciel bleu et habillée de verdure, Damas en cette fin de printemps soupire de bien-être sous les rayons encore doux du soleil. Je l'imaginais grise et revêche ; je lui découvre le visage énigmatique d'une belle qui ne s'en laisse plus conter. Avec ses larges artères bordées de palmiers et ses constructions toutes blanches, elle rappelle étrangement Casablanca. Sans la mer. Après Le Caire et son infernal brouhaha, le calme qui y règne semble par contraste sidéral. Cultivant le silence, Damas chuchote à voix feutrée mais ses regards sont lourds des paroles enfouies. Ces regards... le regard déshabilleur des hommes lorsqu'il se pose sur les femmes, le regard furtif du passant sur les faux badauds qui stationnent au coin des rues, le regard méfiant de chacun sur l'autre... tous ces regards ont un langage plus qu'éloquent. Sur eux plane un autre regard, les embrassant tous sous son feu glacé : le regard de Hafez El Assad, le président de la République. A chaque artère principale, portraits géants, fresques primitives et statues hiératiques rappellent le « lion du Cham » au bon souvenir de la population... (nom antique de la Syrie).

Les combats qui font rage de l'autre côté de la frontière se traduisent dans la capitale syrienne par une omniprésence de l'armée. Voitures et camions militaires sillonnent en permanence les grands boulevards. Sur les trottoirs, des jeunes en treillis traînent leur ennui en attendant de reprendre la route du front. Quand de plus s'ajoutent à eux les policiers en civil disséminés dans la foule et les gardes, armes à la main, qui veillent aux abords du quartier des ambassades où se trouve la résidence présidentielle, on ne s'étonne pas de ce que l'air, parfois, devienne irrespirable.

A mon arrivée, j'ai eu la chance de faire la connaissance d'un compatriote et de son amie française installés à Damas dans le cadre d'une année de perfectionnement d'arabe. Grâce à eux, la solitude des premiers pas s'est trouvée sensiblement atténuée. « Surtout, fais très attention à ce que tu dis. Et n'oublie pas que tous tes faits et gestes seront surveillés. Il en est ainsi pour tous les étangers. » Ce conseil, Ryad et Frédérique me le délivrèrent avec le plus grand des sérieux mais je ne l'enregistrai sur le moment que d'une oreille distraite. Je devais m'apercevoir par la suite que l'appréhension qui le sous-tendait relevait d'un sentiment général. Justifiée ou non, elle fonctionnait comme une véritable paranoïa, scellant les bouches et faisant divaguer les imaginations sur le mode tragique. Très vite, j'en fis moi-même l'expérience. Une expérience qui faillit très mal se terminer d'ailleurs...

Espionne, moi ?

Je veux mettre à profit mes quelques jours passés à Damas pour prendre le pouls de la société syrienne en matière d'extrémisme religieux et cherche naturellement à entrer en contact avec des femmes. Fouad, un ami syrien de Ryad a une sœur qui porte le hijab par tradition. Il me propose de la rencontrer.

Ce jour-là, Nayla s'affairait en compagnie de trois autres amies à la préparation d'une spécialité syrienne. Elle m'ouvrit la porte de sa maison et de sa cuisine en toute simplicité. Nayla et ses compagnes — je devais rapidement le constater — n'avaient nulle envie de s'appesantir sur des questions à leurs yeux sans intérêt car d'une évidence qui ne mérite pas discussion. J'en appris davantage auprès d'elles sur les particularités culinaires du pays que sur la problématique islamique, mais nous rîmes beaucoup et je retrouvai avec plaisir cet humour corrosif dont les femmes de chez nous savent faire si bon usage lorsqu'elles sont en comité exclusivement féminin. Au cours de la conversation je leur confiai mon intention de partir au Liban. « Notre voisine vient justement de recevoir une de ses parentes qui a fui les bombardements, s'exclama alors Nayla. Pourquoi n'irais-tu pas lui rendre visite ? Ma fille peut t'accompagner chez elle », me proposa-t-elle. Pourquoi pas ? me dis-je. Un « pourquoi pas ? » dont je n'imaginais pas les conséquences. Nous allâmes toquer chez la voisine. Surprise, celle-ci n'en dérogea pas pour autant aux règles sacrées de l'hospitalité. D'un ton aimable, elle m'invita à entrer et me présenta sa cousine. La discussion se concentra un moment sur le drame du Liban, puis dévia sur les événements sanglants de 1982 [1]. Apprenant que mon hôtesse était originaire de Hama, j'eus l'imprudence de lui demander si le fait de porter le hijab et de faire preuve d'une grande piété ne lui attirait pas des ennuis de la part des autorités... Ma question, en vérité, était très maladroite. Je la sentis aussitôt se crisper. Elle me rétorqua précipitamment que les personnes ayant subi à l'époque la répression du régime l'avaient été pour des raisons politiques et non religieuses. Que le gouvernement de son pays était un gouvernement musulman, que tous les musulmans pouvaient pratiquer comme ils le souhaitaient... Bref, une véritable profession de foi à laquelle ne manquait que la sincérité. Inutile de poursuivre l'entretien sur ce thème ; je l'orientai donc vers un terrain moins glissant avant de prendre congé sur l'échange classique de politesses. Le lendemain, je recevais un coup de fil inattendu de Fouad : « Je voudrais te voir », me dit-il sur un ton précipité. Je m'abstins de l'interroger, sentant à l'intonation de sa voix que ce dont il avait à m'entretenir ne souffrait pas d'être évoqué au téléphone. Dix minutes plus tard, il m'attendait au bas de la rue. A sa physionomie, je compris qu'il y avait effectivement un problème.

Et quel problème ! La voisine de ma sœur, m'expliqua-t-il, t'a prise pour un agent des moukhabarates (services secrets) à cause des questions que tu lui as posées. Elle a ameuté tout le voisinage en clamant que si tu ne travaillais pas pour eux, tu étais alors certainement une espionne israélienne. Elle menace d'aller te dénoncer. J'ai dû me rendre dans le quartier pour discuter avec les gens et ramener les choses à leurs proportions justes. Ils ont essayé de la raisonner, mais elle est déchaînée. Elle ne veut écouter personne. » Fouad était complètement affolé. Si affolé qu'il parlait à son tour de précéder les événements en avertissant lui-même les moukhabarate de ce qui s'était passé. « Il vaut mieux aller vers eux plutôt que ce ne soit eux qui viennent t'embarquer. » Il me communiqua son angoisse. Par ma faute, mes malheureux amis risquaient de connaître les pires ennuis. Je me maudissais pour ma légèreté mais jamais je n'aurais pu croire possible une pareille histoire. Essayant cependant de conserver mon sang-froid, je lui suggérai de l'accompagner à nouveau dans le quartier pour tenter de ramener cette femme à la raison. Ce que nous fîmes sur-le-champ. Dans un premier temps, l'intéressée refusa catégoriquement de nous recevoir, d'ouvrir même sa porte à quiconque. Après force palabres, les voisins qui nous servaient d'intermédiaires réussirent à la convaincre de jeter au moins un œil sur mon passeport, ma carte de presse, sur le nom de mon père, de ma mère... enfin sur tout ce qui pouvait témoigner de mon identité de Marocaine, musulmane et journaliste. Ces preuves heureusement vinrent à bout de son entêtement. Acceptant enfin de se montrer, elle reconnut son erreur et s'excusa. La soirée commencée dans l'angoisse s'acheva sur de grandes embrassades... Mais l'alerte avait été chaude.

Cette histoire dont les conséquences auraient pu être catastrophiques était née — je le sus par la suite — d'une absurde prise de bec entre voisines : Maha, la femme en question, a des raisons concrètes de craindre les moukhabarates, son mari étant un Frère musulman notoire exilé de Syrie en raison de son activisme islamique. Après l'avoir soumis à des interrogatoires répétés, les services de renseignements ont sommé Maha de les tenir informés du moindre fait « suspect ». Lorsque j'ai débarqué chez elle sans crier gare, le code de l'hospitalité la contraignait à me recevoir avec tous les égards. Mais à peine avais-je tourné les talons qu'elle se précipita chez la sœur de Fouad pour lui réclamer des explications sur ma visite. Par malchance, l'époux de celle-ci se trouvait là. Celui-ci, dans l'ignorance de mon passage, fit une scène à sa femme qui, à son tour, accusa la voisine de vouloir semer la discorde dans son couple. De mots acides en mots acerbes, la discussion dégénéra... Et nous faillîmes tous atterrir entre les mains si peu douces des si peu tendres « moukhabarate ». Quarante-huit heures à Damas avaient suffi pour me mettre au parfum du pays.

Beyrouth torturée et vivante

Les battements de mon cœur ont fini par se calmer, la frayeur cède la place à la curiosité. Sous mes yeux attentifs, la route déroule son ruban d'asphalte à travers les flancs escarpés de la montagne. Ici et là, gisent des carcasses de voitures, plantées dans le décor comme des fleurs artificielles que la mort aurait semées par dérision. Au début, je crus que les combats montraient déjà là leurs vestiges. Mais à la manière dont notre chauffeur caressait l'accélérateur en dépit des virages en épingle à cheveux, je compris que l'attraction du vide (et de la vitesse) offrait le grand saut tout aussi efficacement.

Au fur et à mesure que les kilomètres nous séparant de Beyrouth se réduisent, l'atmosphère s'alourdit. premiers barrages, premières maisons éventrées, premiers sacs de sable. Inquiète, l'une des passagères demande au conducteur de se renseigner auprès des miliciens sur la situation. Mais celui-ci, après un nouveau « *Kifak ya habibi ?* » (Comment ça va, mon cher ?) lancé à l'homme en treillis qui lui fait signe de passer, la rassure : « S'il y avait la moindre alerte, on ne verrait plus un seul milicien. Ils seraient tous partis se cacher. » Au passage nous déposons un couple de druzes à proximité de son village. Épousant la roche, les maisons disparaissent sous les branchages fleuris. Seul le pépiement des oiseaux égratigne le silence. Rien ne paraît pouvoir rompre la sérénité de ce lieu où le regard se porte haut dans le ciel. Pourtant, un mur défoncé, une toiture éclatée rappellent que la folie meurtrière des hommes a laissé ici aussi ses traces. Trois heures après avoir quitté Damas, distante d'à peine 70 kilomètres, nous abordons enfin la périphérie beyrouthine. Devant nous, la route est complètement dégagée. Rares sont les véhicules qui s'acheminent vers le cœur de la ville. Par contre, dans le sens inverse la cohue est digne des départs de grandes vacances. Capot contre capot, une file ininterrompue d'automobiles croulant sous les bagages prend la direction du sud. Profitant du répit que leur accorde la trêve actuelle, les Beyrouthins fuient leurs foyers pour se soustraire un moment à cette violence et à cette peur qui les paralysent depuis plus de soixante jours, incapables, après avoir subi la rage des bombardements, de supporter l'attente tout aussi cruelle de leur plus que probable reprise.

Bien qu'il s'agisse de ma première visite à Beyrouth, j'éprouve un très fort sentiment de déjà vu en la découvrant. Ces immeubles aux plaies béantes, ces empilements de sacs de sable devant les vitrines et les fenêtres, ces miliciens au regard fiévreux debout devant leur guérite, toute cette atmosphère qui suinte la guerre, quel consommateur d'images télévisées ne l'a-t-il pas présente en mémoire ? Pourtant, il me faudra à deux fois interroger le chauffeur pour me convaincre d'avoir bien atteint ma destination. Il est 16 heures. Les rues de Hamra, le principal quartier commercial de Beyrouth-ouest, sont complètement désertes et les stores des magasins hermétiquement baissés. « Les commerçants ont recommencé à ouvrir leurs boutiques depuis quelques jours seulement », m'explique le dernier passager encore en ma compagnie dans le taxi. « Mais uniquement durant la matinée. A 13 heures, tout le monde baisse les rideaux et retourne s'enfermer à la maison. Les bombardements ont généralement lieu l'après-midi et on s'attend à les voir reprendre d'un moment à l'autre. » Pourquoi pas maintenant, en cet instant précis ? me dis-je en traversant le boulevard pour me rendre sur le trottoir opposé, les jambes redevenues flageolantes et le cœur battant la chamade. Le bureau d'Hanan se trouve à une centaine de mètres à peine de la station de taxis. Ils me paraissent pourtant interminables car, à effectuer ces quelques pas en solitaire sur cette avenue rendue démesurément large par l'absence de circulation, avec pour tout vis-à-vis deux militaires dont la Kalachnikov pointe un museau menaçant, ma frayeur des jours précédents est remontée instantanément en surface. Dévalant les escaliers, Hanan est déjà là qui vient à ma rencontre. *Hamdoulillah ala salama* (A la grâce de Dieu, que la paix soit avec toi) s'exclame-t-elle en me voyant, avec cet accent libanais si chantant. « Voilà plus d'une heure que nous guettons ton arrivée par la fenêtre. Je suis si contente que tu sois enfin là. »

Et moi donc !

Le temps qu'Hanan achève de rédiger ses dépêches, je lie connaissance avec les journalistes présents au bureau, constatant avec étonnement qu'un grand nombre d'entre eux sont de confession chrétienne. A force de voir le conflit libanais réduit à la trompeuse dimension d'une guerre de religion, on oublie qu'au cœur même de Beyrouth-Ouest, Libanais chrétiens et Libanais musulmans continuent à travailler et à vivre côte à côte en dépit de la partition de la ville en secteurs dits chrétien et musulman et des bombes avec lesquels ces derniers se saluent l'un l'autre régulièrement. Là, entre ces murs, au-delà de l'appartenance confessionnelle, un même sentiment vibre au fond de chacun : celui de la libanité. Et quand les obus entament leur sinistre ballet, c'est ensemble que tous s'acharnent à lutter contre la peur.

« Viens, on va te montrer Beyrouth. » Leur travail terminé, Hanan et Ghassan, son fiancé, veulent me faire sans attendre les honneurs de la cité. Malgré ses blessures, Beyrouth conserve une force de vie extraordinaire. Une force de vie que ses habitants portent en eux comme une oriflamme. Sur la corniche, comme aux jours heureux, des gens attablés face à la mer sirotent un café en laissant leur regard se perdre dans les flots. « C'est la première fois depuis bien longtemps qu'il y a autant de monde ici », s'étonne Hanan qui ajoute en riant : « C'est grâce à ta venue. » En chemin, détail moins souriant, je note les trous laissés par les obus sur la chaussée, apprenant à leur taille et suivant les indications de mes compagnons à distinguer les différents calibres utilisés : 60 mm, 120 mm et le plus ravageur, le 240 mm qui lorsqu'il touche terre creuse un cratère de plus de cinq mètres de diamètre. Nous arrivons au carrefour où, le 14 mars, le premier bombardement marquant le début de ces deux mois d'enfer a tué quarante-cinq personnes d'un coup. « Il était huit heures moins le quart, se souvient Hanan. Ne se doutant de rien, les parents accompagnaient comme à l'accoutumée leurs enfants à l'école. Ce fut une véritable hécatombe. Et le plus horrible, c'est que ce sont surtout des enfants qui ont été tués. » La mer est toujours aussi bleue.

En bons Orientaux, Hanan et Ghassan tiennent absolument à fêter mon arrivée en m'invitant au restaurant comme si de rien n'était. Mais les choses étant cependant ce qu'elles sont, aucun restaurant n'est ouvert. Nous en sommes encore à nous interroger sur notre programme quand, au loin, une explosion se fait entendre. Aussitôt, un mouvement de panique s'empare des automobilistes. La promenade est terminée, les pneus crissent et les moteurs s'emballent. En un clin d'œil, la corniche se vide. « Ghassan, demande Hanan d'une voix tendue, ça monte ou ça descend ?

— Ça monte, lui répond-il. Ce sont les Syriens qui bombardent les côtes du littoral.

— Rentrons immédiatement à la maison. Les autres risques de répliquer. »

Cours d'initiation en accéléré. Le bruit creux qui « monte », m'explique-t-on, est celui des obus lancés d'ouest en est. Quand le bruit « descend », il faut bien vite se chercher une petite place où s'abriter car les obus viennent dans le sens inverse. En fait, entendre le sifflement d'un obus signifie que celui-ci vous a dépassé et qu'il n'explosera pas au-dessus de votre tête. Mais ce n'est pas nécessairement le cas de ceux qui suivent...

Hanan, Mae : l'hospitalité conserve ses exigences

A travers les persiennes légèrement entrouvertes, un rayon de soleil insidieux s'infiltre, striant de raies blanches la pénombre de la pièce. J'émerge peu à peu du sommeil. Pendant une fraction de seconde, c'est le grand trou, l'amnésie complète ; je ne sais plus où je suis ni ce que je fais dans ce décor inconnu. Puis le voile se déchire ; le voyage en taxi, l'arrivée à Beyrouth, la rencontre avec la famille d'Hanan... Les émotions de la veille me reviennent à l'esprit en un foisonnant cocktail. La peur d'abord, mais une peur savoureuse car frémissante d'excitation, le plaisir d'être parvenue à destination et l'étonnement, un étonnement pur, total, devant une réalité fascinante de paradoxes.

Il m'arrive rarement de désavouer mes baskets, compagnes de longue date d'une fidélité à toute épreuve. Ce premier soir pourtant, je les aurais bien volontiers transformées d'un coup de baguette magique en fines ballerines... Les malheureuses n'y auraient rien compris. Grises de toutes les poussières engrangées au cours du voyage, elles se mariaient parfaitement avec le pantalon kaki, la chemise en toile de jute et la cravate de scout que je portais. Allant dans un pays en guerre, je m'étais habillée en conséquence, croyant peut-être que le front traversait chaque maison. Quelle ne fut pas ma stupéfaction quand Hanan me présenta Mae, sa maman ! A la place de la dame d'un âge respectable, les traits tirés et les yeux cernés par les nuits blanches passées dans l'angoisse des bombardements, que je m'étais préparée à rencontrer, je découvre une femme à la beauté délicate d'une poupée de porcelaine. Maquillée et coiffée avec un soin extrême, son corps aux formes juvéniles pris dans un tailleur ajusté au millimètre près, elle me fait l'effet d'une apparition. Dehors, les sacs de sable et les murs éventrés, ici une gravure de mode que l'on dirait échappée des pages glacées d'un magazine féminin. Beyrouth, d'entrée de jeu, me dit son irrationalité et s'esclaffe de ma stupeur. Mes surprises, pourtant, ne font que commencer.

La maison sommeille encore. Je m'installe sur le balcon et me laisse bercer par le silence. Au-dessus de ma tête des pans d'azur piquetés de flocons cotonneux s'étendent à l'infini. La douceur de l'air est totale, l'instant irréel de sérénité. Dans la rue, quelques mètres plus bas, un militaire fait les cent pas, sa mitraillette en bandoulière fixant le ciel.

« Déjà réveillée », s'étonne Mae en me rejoignant sur cette petite terrasse aménagée pour les beaux jours... les jours sans obus. « J'espère que tu as bien dormi. »

Bien dormi ? Oui, une fois que mon cœur eut cessé de battre la chamade et mon oreille d'enregistrer tous les bruits suspects qui emplissaient la nuit. Une fois aussi que j'eus placé mon oreiller — qui se trouvait initialement à cinquante centimètres de la baie vitrée — dans le sens opposé. Au milieu de la nuit, des grondements sourds m'éveillèrent en sursaut. Les yeux grands ouverts dans le noir, j'attendis. Puis je sombrai.

Mae me confirme que je n'ai pas rêvé ces tirs. Elle-même dit ne pas avoir fermé l'œil avant cinq heures du matin malgré les somnifères, devenus les indispensables soutiens de bien des Libanais durant ces nuits sans fin. Tout comme la radio, pendant la journée. Où qu'elle aille dans la maison, Mae ne se sépare jamais de sa petite boîte noire qui l'informe tous les quarts d'heure de la situation.

« Je t'ai commandé des *manaïchs* et des *knaïfis* pour le petit déjeuner. Goûte, ce sont quelques-unes de nos spécialités. » Merveilleuse hospitalité libanaise ! Reléguant son angoisse au dernier plan, Mae a d'abord le souci de bien me recevoir. Quinze ans de chassé-croisé quotidien avec la mort n'ont pas eu raison de la civilité de ce peuple, de sa chaleur et de sa générosité. A peine arrivée, je me suis prise à l'aimer, très fort. Car on ne peut qu'aimer les êtres qui vous ouvrent les bras et le cœur alors qu'autour d'eux leur monde s'écroule chaque jour un peu plus.

Pendant ces deux mois de bombardements sans répit, Mae et sa famille ont pratiquement séjourné tout le temps dans le couloir de l'appartement. Ne disposant pas d'un abri en sous-sol — c'est le cas de la majorité des habitants de Beyrouth-ouest — ils se réfugient dans cet espace étroit quand les obus commencent à tomber. Protégé par la présence de deux murs de chaque côté, celui-ci représente le lieu le plus sûr de la maison. Mae me raconte avec humour comment pour tuer le temps et oublier la peur pendant ces heures de démence, elle se livra un jour à des compositions incroyables de masques aux fruits dont elle expérimenta ensuite les effets sur les visages de toutes les personnes présentes. Mais elle avoue qu'elle a atteint les limites de la résistance nerveuse. Au lieu de lui apporter le répit escompté, ces quelques jours d'accalmie ne font qu'accentuer son angoisse. Car il n'est pire torture que l'incertitude. Je n'eus par contre guère à attendre pour en tester à mon tour le poison.

Nous en sommes encore à siroter notre café quand arrive Mona, une amie de Mae. Se rendre visite à l'heure du petit déjeuner est une pratique couramment répandue parmi les femmes de la bourgeoisie beyrouthine. La discussion démarre immédiatement sur les dernières rumeurs à propos de la date éventuelle de la reprise des combats. Nul ne doute qu'ils vont reprendre. Reste seulement à savoir à quel moment. Avant ou après la tenue du sommet de Casablanca, les esprits ne sont plus préoccupés que par cette interrogation. Quant à la capacité du sommet à dénouer la crise libanaise, il y a bien longtemps qu'on ne croit plus ici aux miracles. Partir, fuir cette folie, dont même les plus optimistes ne parviennent plus à entrevoir le bout, apparaît à des femmes comme Mae et Mona la seule attitude encore quelque peu raisonnable. « Les Trad ont quitté Beyrouth ce matin à l'aube, raconte Mona à Mae. Samira, elle, emmène ses enfants demain à Damas. Son mari est obligé de rester mais elle ne veut pas passer un jour de plus dans cette tension. J'ai eu ma mère au téléphone tout à l'heure. A l'est, après la dernière déclaration d'Aoun, ils sont persuadés que c'est pour ce soir. » Mona, comme ses propos me le laissent deviner, appartient à ce noyau de Libanais chrétiens qui, ayant toujours vécu à l'ouest, se refusent à aller s'installer de l'autre côté de la ligne de démarcation, dans la partie est de la ville, « le réduit chrétien », comme l'ont surnommé les médias. Estimé à 60 000 en 1984, leur nombre n'a pu que se réduire depuis cette date mais, aussi limité soit-il, il traduit le refus de la partition du pays et l'aspiration à vivre ensemble dont tant de Libanais, toutes confessions confondues, continuent à être animés.

A regarder Mona et Mae, on chercherait en vain les différences, ce sont les ressemblances qui d'emblée retiennent l'attention. Leur appartenance à un même milieu social a pour effet d'oblitérer presque complètement le fait que l'une est chrétienne grecque orthodoxe et l'autre musulmane sunnite. Amies d'enfance, elles ont fréquenté les mêmes établissements scolaires, partagé les mêmes rêves d'adolescentes et acquis de la sorte les valeurs communes qui sont les leurs aujourd'hui.

N'eût été la guerre, elles auraient continué à fouler avec la même insouciance le ruban soyeux que la vie avait jusqu'alors déroulé à leurs pieds. A les entendre évoquer, entre deux rumeurs, leurs dernières vacances à Marbella, la partie de bridge de la veille ou discuter de la « tea-party » prévue pour le milieu de la semaine chez une amie, on a presque le sentiment que la tragédie libanaise n'est que pure invention journalistique. Mais voilà que la conversation dévie sur la mort du jeune fils de l'une de leurs amies, tué par un éclat d'obus au moment où il se rendait chez le concierge, alors qu'il quittait pour la première fois depuis plusieurs semaines l'abri où il s'était réfugié en compagnie de ses parents. Mona et Mae iront donc demain à l'église pour assister à la cérémonie funèbre à la mémoire de l'adolescent. Sur le programme de leurs activités, entre l'esthéticienne et la séance de gymnastique, la mort est là elle aussi qui inscrit régulièrement ses rendez-vous. Sans discrimination ni de classe, ni de sexe, ni de religion.

On l'aura deviné, ce n'est pas auprès de la famille d'Acil que mes chances d'établir des contacts avec des islamistes sont les plus grandes. Quoique, en vérité, il aurait pu s'en falloir de peu...

Dans cette famille très occidentalisée de la bourgeoisie sunnite où la mère comme les trois enfants ont fait toute leur scolarité dans des écoles françaises, la religion n'est pas au cœur des préoccupations. On se dit musulman certes mais aucune pratique ne corrobore cette profession de foi. Cela étant dit, l'ombre du hijab a plané sur la maison quand, vers l'âge de douze-treize ans, Nayla, la plus jeune, s'est mis en tête de se voiler. « J'avais au lycée une femme professeur de religion que j'aimais beaucoup. A la fin des cours, elle nous invitait régulièrement à venir chez elle pour poursuivre la leçon. Pendant plusieurs semaines, en compagnie d'une dizaine d'autres élèves, j'ai assisté à ces cours particuliers à l'insu de ma famille. C'est ainsi que, peu à peu, j'en suis arrivée à vouloir porter le hijab. Quand je l'ai annoncé à mes parents, ils sont complètement tombés des nues. » La réaction de ces derniers fut radicale : il ne saurait en être question. L'adolescente se voit interdire de continuer à participer aux réunions organisées par son professeur. Une solide prise en main par tout son entourage parvint, après maintes et maintes discussions enflammées, à la faire revenir sur son intention de se voiler.

Qu'une jeune fille, baignant dans un milieu bourgeois, occidentalisé et laïc, ayant de surcroît une sœur aînée très engagée aux côtés de la gauche libanaise, se soit laissé séduire par les sirènes islamistes, montre combien, dans cette société martyrisée, le chant de ces dernières a su se faire envoûtant. Et par quel biais les jeunes sont gagnés en douceur à cette idéologie au moment critique de l'adolescence où la personnalité est la plus malléable.

Ma première matinée beyrouthine s'écoule rapidement aux côtés d'une hôtesse charmante et pétulante de jeunesse. L'accompagnant dans les multiples courses ménagères négligées pendant les semaines précédentes et qu'il lui faut achever avant la fermeture en fin de matinée des magasins, je prends contact avec une ville que l'on sent encore groggy par les coups assenés mais, dans un même temps, agitée de mouvements frénétiques et désordonnés. Embouteillages, concert de klaxons mêlé au ronronnement des générateurs placés devant les magasins, cris des vendeurs à la sauvette qui proposent tout et n'importe quoi, les Beyrouthins semblent s'être tous donné rendez-vous sur l'étroite avenue qui traverse Hamra. « Comme les gens craignent une reprise des combats, ils profitent de cette trêve pour renouveler leurs stocks, m'explique Mae. Dans une heure, les rues seront à nouveau complètement désertes. Personne ne prend le risque de s'attarder dehors car rien n'est plus terrible que de se faire surprendre dans la rue par un bombardement. C'est là que le bilan des victimes est le plus lourd. » Nous aussi, nos emplettes terminées, nous nous dépêchons de revenir à la maison. Un message m'y attend : rappeler d'urgence Ghassan. « J'ai un copain islamiste qui est disposé à te rencontrer dès cet après-midi si tu le souhaites », me dit-il lorsque je le joins au téléphone. Mi-taquine mi-sérieuse, je m'étonne : « Un copain islamiste ! Mais depuis quand les communistes frayent-ils avec les islamistes ? » Militant actif de la Jeunesse communiste libanaise pendant longtemps, Ghassan, bien qu'il ait rendu sa carte du parti, reste un marxiste convaincu.

Il éclate de rire et me lance : « Venant de nous, rien ne doit te surprendre. En fait, Issam n'est islamiste que depuis peu de temps. Avant, il militait dans les rangs de l'extrême gauche. Nous nous sommes connus durant cette période. Je le soupçonne d'avoir opéré ce revirement plus par stratégie politique que par conviction religieuse. Mais il est resté très ouvert. Tu pourras discuter librement avec lui... »

La diligence de mes amis me ravit. Refusant de me laisser me déplacer seule en raison des risques qu'encourent les étrangers dans les rues de Beyrouth, Ghassan, sitôt son travail terminé, passe me chercher. Issam l'accompagne. Le cheveu en tire-bouchon et le visage criblé de taches de rousseur, je fais la connaissance avec amusement d'un islamiste « poil de carotte ». Malgré les réticences de ce dernier, Ghassan nous conduit dans un petit café, style crêperie, décontracté et sympathique. Riant de l'hésitation de son ancien compagnon de manifs, il lui jette en manière de plaisanterie : « Tu as peur pour ta réputation, c'est ça, n'est-ce pas ? Que diraient tes nouveaux copains s'ils te voyaient ici avec nous ? Allez, va... tu es sûr que tu ne veux pas une petite bière ? » Issam, habitué semble-t-il aux moqueries de Ghassan, se contente de les balayer d'une grimace et d'un haussement d'épaules, mais du coup l'ambiance se détend. Une discussion à bâtons rompus s'enclenche entre nous trois, et j'ai tôt fait d'oublier que ce parfait francophone pour lequel, à force de les avoir arpentés, les pavés de la Sorbonne n'ont pas de secret, est un islamiste.

La mosaïque islamiste

« Au Liban, rappelle-t-il, le mouvement islamiste a connu une évolution différente des autres pays arabes. Ainsi, ce n'est pas à lui que la défaite de 1967 a servi de catalyseur comme ce fut le cas ailleurs, mais à la gauche qui a su l'exploiter pour mettre en avant sa politique... Cette nouvelle gauche libanaise, composée de l'O.A.C.L. (Organisation de l'action communiste libanaise), des formations trotskistes, des maoïstes, etc., s'est regroupée à l'intérieur du Mouvement national libanais[2]. Aux yeux de la jeunesse, la réponse à la défaite ne pouvait être qu'une plus grande mobilisation aux côtés de la résistance palestinienne, considérée comme le fer de lance de la révolution dans le monde arabe. Le large courant nassérien qui s'était développé sur la scène politique libanaise avec l'arrivée au pouvoir de Nasser en Égypte ne s'est pas disloqué ; il est devenu marxisant avec pour modèle d'action Cuba, le Che... 1982 marque la fin de cette époque. Déjà, en 1976, l'intervention syrienne avait porté un coup très dur au Mouvement national libanais en le battant sur le terrain des armes. L'invasion israélienne et la mise en place d'un régime pro-américain et pro-israélien achève d'anéantir le projet de société laïque défendu par les forces progressistes. La réaction à l'occupation israélienne se traduit par un retour au confessionnalisme. Les islamistes vont profiter de cette conjoncture pour gonfler leurs rangs et asseoir durablement leur mouvement en faisant de la lutte contre Israël leur principal mot d'ordre.

— Il faut préciser un point, intervient Ghassan. Dans un premier temps, la stratégie israélienne visait en priorité à liquider la résistance palestinienne et ses alliés directs, les progressistes libanais. Aussi toute la répression a-t-elle été axée sur eux. Les islamistes feront par la suite également l'objet de cette répression mais, à cette époque, Israël ne les connaissait pas. Ils ne représentaient pas une force organisée ; ils étaient dispersés dans plusieurs formations politiques dont deux essentiellement, Amal et le Fatah. La concentration de la répression sur les militants progressistes a permis au Hezbollah, qui venait juste de naître, d'occuper le terrain laissé libre par ces derniers et de récupérer tous les jeunes qui voulaient lutter contre l'occupation israélienne.

— Mais quels sont les facteurs qui ont provoqué justement la naissance du Hezbollah à ce moment précis ?

— La révolution iranienne de 1979 a fasciné beaucoup de jeunes, surtout parmi les chiites. Certains sont partis en Iran et on a même vu d'anciens maoïstes devenir islamistes. Un courant intégriste pro-iranien a pris forme avec l'arrivée au Liban des premiers représentants de la République islamique. Au sein du mouvement chiite Amal, une aile islamique s'est constituée sous la direction de Hussein Moussawi. Amal avait par ailleurs un représentant attitré à Téhéran. Mais en 1982, c'est la rupture et la scission au sein d'Amal. Le motif : la participation de Nabib Berri, le chef d'Amal, à un "Comité de salut national" aux côtés du leader chrétien, Béchir Gémayel, tenu pour un allié d'Israël. Téhéran l'a sommé de se retirer de ce comité. Le refus de Nabib Berri a conduit Hussein Moussawi à claquer la porte, suivi d'Ibrahim El Amine, le représentant d'Amal à Téhéran. Avec l'appui de quelque cinq cents ''Gardiens de la Révolution'' iraniens envoyés au Liban pour combattre théoriquement Israël, Hussein Moussawi créa Amal islamique. C'est le rassemblement de celle-ci avec les autres groupuscules intégristes chiites libanais qui va donner naissance au « parti de Dieu », le Hezbollah.

— Vaincre l'ennemi israélien et empêcher le régime libanais de poursuivre sa politique pro-israélienne, telles ont été les priorités que s'est définies à ce moment-là le Hezbollah, résume Walid. La gauche, ajoute-t-il en se tournant vers Ghassan, n'avait rien fait pour s'opposer à l'accord du 17 mai [3].

— C'est faux », réplique celui-ci... et pendant cinq bonnes minutes les voilà partis dans un échange contradictoire aigu. « L'autre principal point de divergence à signaler entre le Hezbollah et Amal continue Issam, quand lui et Ghassan en ont fini de discuter de la réaction du mouvement national à la conclusion de ce fameux accord, est l'acceptation par Amal des résolutions des Nations unies selon lesquelles il n'y aurait plus de lutte contre Israël si celui-ci quitte le Sud-Liban. Or le Hezbollah a une position de principe contre l'existence même d'Israël. Sur le plan de la politique interne, le Hezbollah est pour une solution radicale ; il sait qu'il ne peut pas mettre en avant l'objectif de république islamique au Liban parce que les forces en présence ne le lui permettent pas. Mais, à long terme, son but vise l'établissement d'une république islamique à l'échelle de tout le monde arabe.

Le Hezbollah, cependant, ne représente pas à lui seul le mouvement islamiste au Liban. Du côté sunnite, il faut citer le mouvement d'unification islamique Tawhid, de Saad Chabane, localisé à Tripoli, très radical et pro-iranien, et la Jamaa islamiya qui appartient à la mouvance des Frères musulmans. Celle-ci se situe plus du côté saoudien. Hormis l'action menée par sa formation de Saïda, elle n'a pas vraiment participé à la lutte contre l'occupation israélienne. Ses thèses ne sont pas révolutionnaires. Ouverte aux compromis, l'établissement d'un État islamique est vraiment quelque chose qu'elle envisage à très long terme.

Mais dans la banlieue sud de Beyrouth, dans la Bekaa et au Liban Sud, c'est le Hezbollah qui mène l'action.

— Et les femmes dans tout ça ?

— Quand il y a eu le soulèvement des villages dans le Sud contre les Israéliens, les femmes ont joué un rôle très important. Un rôle similaire à celui des hommes. Ils menaient ensemble les actions de harcèlement. Au Hezbollah, les femmes sont d'une manière générale un peu plus actives dans le domaine politique, et la mixité n'est pas proscrite. Par contre, dans les formations sunnites, elles restent cantonnées dans le domaine traditionnel du social et de l'éducatif. »

Je lui pose alors la question qui depuis le début de l'entretien me brûle les lèvres : « Mais toi, pour quelles raisons es-tu devenu islamiste ? » Il sourit et, tandis que Ghassan repart dans un grand éclat de rire, me demande d'éteindre mon enregistreur. « Si tu regardes l'histoire arabe, me dit-il, tu constateras que chaque fois que les régimes ont voulu mobiliser les masses derrière eux, ils ont invoqué le nom de Dieu. En Égypte sous Nasser, en Turquie sous un homme aussi farouchement antireligieux que Mustapha Kemal, ou durant les guerres de libération menées par les pays colonisés pour l'indépendance, c'est toujours au cri de Allahou Akbar (''Dieu est le plus grand !'') que les peuples se sont jetés dans la bataille. Les choses n'ont pas changé. Rien ne galvanise plus les masses contre les agressions extérieures que la notion de *djihad* (''guerre sainte''). Actuellement, notre ennemi principal est Israël. Il est l'instrument de l'impérialisme américain dont le but n'est autre que le maintien du monde arabe dans la dépendance. Pour cela, il lui faut le morceler, provoquer et entretenir les divisions internes. L'éclatement du Liban va dans le sens de cette stratégie. Il n'en est cependant que la première étape. Pour lutter contre ce péril, il nous faut combattre Israël. Mais les masses sont fatiguées, et ce n'est pas au nom de Marx ou de Lénine que nous parviendrons à les mobiliser. »

Issam n'en dit pas plus ; tout est dit. Dans ce contexte libanais de violence et de luttes sans merci, la dimension éminemment politique de l'islamisme est affichée sans ambages. Plus que jamais, la foi devient une arme de combat. Quant à

Dieu... puisque c'est pour la bonne cause... il comprendra qu'on use et abuse de son nom.

Une promenade mouvementée

Le sommet arabe de Casablanca s'est achevé. Ni Michel Aoun ni Sélim Hoss[4] n'y ont été conviés. La question libanaise a été traitée en leur absence par leurs pairs arabes ; ceux-ci ont nommé un triumvirat pour tenter de trouver l'introuvable solution. Sur place, les belligérants campent toujours sur leurs positions, et l'impasse paraît sans issue mais, miracle, le fragile cessez-le-feu mis en place depuis une semaine et demie déjà tient encore. Après quelques jours d'extrême tension, la vie reprend peu à peu ses droits, l'échéance du sommet étant passée sans qu'aucune nouvelle explosion se soit produite, les Beyrouthins, faisant fi de l'angoisse, se remettent comme à l'accoutumée à profiter intensément du moment présent.

Je décide de ne rien modifier à mes habitudes. Mes baskets bien lacées, je me jette résolument dehors, seule et à pied. La première fois, je parcours les deux kilomètres qui séparent la maison d'Acil de Hamra avec un haut sentiment de fierté. Le lendemain, « l'exploit » a perdu de sa dimension. Au surlendemain, je me sens un peu ridicule de m'être crue si courageuse en accomplissant un acte aussi banal que marcher dans la rue, même si c'est à Beyrouth. Ma liberté de mouvement retrouvée, j'oublie les treillis et les sacs de sable pour ne plus goûter que le plaisir de la découverte d'un nouvel espace.

Hamra, de barrages en escortes

Ce matin, foin de grasse matinée : Myriam m'attend à sept heures trente tapant au bas de son immeuble. La veille, nous étions convenues de nous retrouver dès le réveil pour aller faire des photos sous la lumière somptueuse du matin. Myriam tente de percer dans le dur métier de cinéaste. Cette jeune Libanaise de trente ans vient tout juste de rentrer au pays après une éclipse de trois ans. Désespérant de voir le Liban se libérer de sa spirale infernale, elle était partie ; partie comme tant d'autres pour fuir la violence, la folie, la mort. Partie en se disant que ce sera pour toujours, que ce sera à jamais. A moitié Française par sa mère, elle avait rejoint cette autre patrie qu'est pour elle la France. Mais c'était faire abstraction de la puissance de son attachement pour le Liban. Bien que de confession chrétienne, Myriam a choisi de retourner vivre à l'ouest où elle a toujours habité. Laïque et progressiste, c'est là où elle se sent le mieux, là où elle retrouve ceux qui partagent ses convictions politiques.

Au moment de notre rencontre, elle était de retour à Beyrouth depuis quelques mois à peine, déterminée cette fois à rester, à se battre jusqu'au bout, ne serait-ce que par sa simple présence, pour que le Liban — son Liban à elle — continue à exister. « Je suis résolue à vivre en faisant abstraction de la guerre. Je refuse de me terrer, de devenir esclave de la peur. Pendant ces deux mois, malgré les obus, je suis sortie comme d'habitude. Comme je n'ai pas de voiture, je circule à pied en permanence. Mes amis pensent que je suis une inconsciente, mais c'est ma manière à moi de dire non à cette folie. »

La journée est magnifique. Notre appareil-photo en bandoulière et les mains dans les poches, nous entamons gaiement notre balade. Depuis mon arrivée à Beyrouth, une irrésistible envie de conserver sur pellicule toutes ces images qui assaillent mon regard me tenaille. On m'a déconseillé toutefois de faire usage de mon appareil-photo avant d'avoir obtenu une autorisation des autorités militaires. « Sinon, me prévinrent mes amis, tu risques de sérieux embêtements. Les militaires et les miliciens sont à cran. Ils voient des espions de Aoun partout. » J'ai donc respecté la procédure. Ma demande d'autorisation introduite, il ne me reste plus qu'aller en retirer l'attestation, ce que je compte faire ce matin même. En attendant, je me sens libre comme l'air... mais je n'ai encore aucun papier en main.

Au bout de quelques centaines de mètres, nous parvenons à hauteur d'un premier barrage. Au milieu d'un carrefour désert, un jeune militaire revêtu de la tenue gris-bleu de l'armée libanaise s'ennuie mortellement, seul devant sa guérite. L'auréolant d'un halo doré, un rayon de soleil oblique ravive l'éclat de ses prunelles et met en relief la jeunesse de son visage. En arrière-plan, se détache la toile de jute rugueuse des sacs de sable empilés devant la vitrine d'un magasin. L'image est très belle : j'arme mon appareil pour la saisir, le jeune homme a accepté de se laisser photographier. Au moment précis où je vais appuyer sur le déclencheur, une jeep de la gendarmerie pénètre dans le champ et vient s'arrêter devant le militaire. Mon plan gâché, je baisse l'appareil en attendant le départ des intrus. Mais ses occupants m'ont aperçue. Ils m'interpellent. Contrôle d'identité. Cinq minutes plus tard, une virée en 4 x 4 a remplacé la promenade à pied.

En termes plus prosaïques, cela signifie « se faire embarquer ». Adieu jolie lumière, ta capture n'est pas pour aujourd'hui ! J'ai beau expliquer au brigadier qu'une autorisation en bonne et due forme m'attend au bureau X, rien n'y fait, il s'obstine à vouloir me conduire au poste dont il relève. Celui-ci se trouve juste au niveau de la ligne de démarcation. Petit frisson à l'idée d'être au cœur de la zone la plus sensible de Beyrouth, là où les combats font rage. La vue sur Beyrouth-Est y est imprenable. Sympas, les gendarmes nous autorisent malgré tout à prendre quelques photos de ce décor apocalyptique, des cadavres de voitures calcinées gisant devant l'entrée même du poste...

Celui-ci est pratiquement vide. Pendant trois quarts d'heure, nous attendons en vain l'arrivée d'un chef qui ne se décide pas à apparaître. Visiblement, le brigadier ne sait plus trop que faire de nous à présent. Il n'est guère âgé, vingt-cinq ans tout au plus, comme la quasi-majorité de ceux qui portent un treillis et une arme dans ce pays. Au patronyme (Haddad) de Myriam, il devine qu'elle est chrétienne. Entre les deux s'engage une discussion dénuée de toute virulence. Au contraire. L'un comme l'autre avoue sa lassitude, son écœurement de cette guerre fratricide dont l'absurdité outrepasse toutes les limites.

Se lever aux aurores pour passer la matinée dans un bureau éclairé au néon est passablement déprimant, tentons-nous de faire comprendre à notre interlocuteur. Une dizaine de minutes supplémentaires s'écoule avant qu'il ne se résolve à remplacer cette attente inutile par une invitation à une nouvelle balade. Direction : le commissariat général de police. Là, l'ambiance est nettement plus pesante. Heureusement, nous ne nous y éternisons pas, car rapidement convaincu de ma bonne foi, on nous laisse repartir sur-le-champ, non sans m'avoir recommandé d'aller récupérer sans tarder mon autorisation si je tiens à éviter une nouvelle mésaventure. Pour se faire pardonner, le brigadier ordonne à l'un de ses hommes de nous conduire — dans la même jeep — jusqu'au QG militaire.

« De là, vous aurez une vue panoramique sur Beyrouth. » S'il est une chose que, très vite, cette ville vous apprend, c'est à ne plus vous étonner de rien. Pris de sympathie à notre égard, le gendarme chargé de nous véhiculer nous propose, une fois l'autorisation récupérée, la terrasse de la tour que lui et les siens squattent au cœur de Hamra pour prendre nos photos. Non content de nous y conduire, il nous confie à deux des miliciens qui quadrillent le quartier en leur recommandant de veiller sur nous et de nous introduire auprès des familles de la tour si nous le désirons.

La chance est inespérée. Dans cette ville où l'autorité centrale est en complète déliquescence, les milices règnent sur les quartiers. Il est difficile par conséquent de faire un pas, surtout lorsqu'on est étranger, sans attirer leur attention. Hamra est sous le contrôle des hommes d'Amal [5]. Ainsi encadrées, nous sommes assurées de circuler librement sans devoir nous justifier tous les dix mètres. Après les péripéties des premières heures de la matinée, nous savourons à sa juste valeur cet inestimable avantage.

Escortées par les deux miliciens, nous pénétrons à l'intérieur de la tour, autrefois siège orgueilleux de grandes sociétés. Aujourd'hui, même les murs, sous les graffiti rageurs ne se souviennent plus de l'opulence d'hier. Les quatorze étages sont encore là, mais c'est à pied qu'il faut les gravir car le premier à rendre l'âme fut l'ascenseur. La peinture tombe par plaques. Un linge aux couleurs éteintes par les lavages répétés pend aux fenêtres. Ultime vestige, le verre fumé des vitres sur lequel, toujours insolents, se réverbèrent les rayons du soleil.

Ouvrant une porte, refermant l'autre, nous faisons une drôle de visite guidée à travers un univers qui dénonce le drame de l'exode auquel la guerre a contraint des centaines de milliers de personnes. Ici, une grand-mère et sa petite fille déjeunent frugalement de quelques olives, d'un morceau de fromage blanc, de pain et de thé, assises sur un tapis au beau milieu d'un immense appartement en marbre blanc complètement vide ; là, un monstrueux bric-à-brac s'entasse dans les pièces jusqu'à envahir le couloir mais partout la même douloureuse atmosphère : celle d'un campement.

Le récit qui revient dans la bouche des locataires avec lesquels nous discutons ne varie guère : il dit la fuite, toujours la fuite éperdue devant la destruction et la mort. Certains ont vu leurs biens entièrement détruits par les bombardements, d'autres espèrent retourner un jour dans le village d'où ils ont été chassés et y retrouver leur maison... Nous lions amitié avec une famille sunnite. Autour d'un café fumant, l'une des filles nous raconte les déboires que le fait d'être femme lui vaut dans sa vie professionnelle : « J'ai obtenu ma licence il y a trois ans, mais depuis lors, je n'ai toujours pas réussi à trouver un emploi correspondant à mes compétences. A chaque fois, ma candidature est rejetée. Et à chaque fois, on m'explique ouvertement que mon tort est d'être une femme. La misogynie des employeurs atteint des proportions effarantes. » La difficulté pour une femme d'évoluer dans le monde du travail, Nayfé, à l'étage au-dessus l'évoque à son tour mais sous un angle différent ; celui du comportement des hommes à son égard.

La rencontre avec ce gendarme a été une véritable aubaine. Grâce à lui, me voilà face à ma première *moultazima** libanaise. Nayfé n'habite pas la tour, elle y est simplement en visite chez l'une de ses amies. Nayfé vient de la banlieue-sud, plus précisément du quartier de Bir el Abd, le fief du Hezbollah.

Nayfé, le hijab contre l'occupation israélienne

Originaire du Liban Sud, Nayfé, qui est chiite, a connu elle aussi les affres du déplacement. En 1978, les affrontements entre la milice chrétienne de Saad Haddad, major chrétien à la solde d'Israël, et les forces palestiniennes contraignent sa famille à émigrer une première fois de leur village vers Alli, une localité isolée dans la montagne. « Il n'y avait rien là-bas, se souvient-elle, pas même une mosquée ou un cheikh dans toute la région. »

En 1982, Israël envahit le Liban. Le sud est occupé. Quittant

Alli, Nayfé comme tant d'autres prend le chemin de Beyrouth et de sa banlieue. Ses études achevées, elle commence à travailler. Son père décède. Étant l'aînée, c'est à elle que revient la charge de la famille. Les bouleversements introduits dans sa vie par l'invasion israélienne, la découverte de l'univers professionnel et l'arrivée à Beyrouth vont être déterminants : « J'ai commencé par travailler dans la presse, et cela m'a permis de côtoyer des gens de toutes les catégories sociales. C'est là que j'ai pris conscience de la manière dont la femme était considérée. En travaillant dans un milieu d'hommes, j'ai eu tout le loisir d'observer comment ceux-ci la perçoivent. Ils se fichent de sa valeur intrinsèque. Seules comptent à leurs yeux son apparence extérieure, sa beauté, sa capacité à les séduire. » Au cours de la même époque, Nayfé découvre la littérature islamiste. L'idée du hijab ne tarde pas à germer dans son esprit. Elle raconte : « Pourquoi, me suis-je dit, ne porterais-tu pas le hijab ? Pourquoi ne pas choisir la voie de l'islam ? La solution ne peut être que là. Personne ne m'a contrainte à réfléchir de la sorte si ce n'est ma réalité. La réalité que je vivais en tant que femme. D'un autre côté, l'invasion israélienne me faisait m'interroger sur ce que devait être mon devoir, mon rôle. Devant les injustices que les musulmans subissent au Liban sous le joug de l'ennemi, je ne pouvais plus rester passive. Il fallait que j'agisse d'une manière ou d'une autre, et le voile me paraissait constituer un premier pas dans la lutte. » Mais elle hésite encore, déchirée entre des aspirations contradictoires : « Je voulais devenir présentatrice à la télévision. Avec un hijab, il me fallait définitivement renoncer à ce rêve. Je craignais que mes relations sociales ne se réduisent, que personne ne veuille plus continuer à me parler, que mes parents s'y opposent... J'avais peur de perdre mon emploi. »

Ces contradictions, les événements vont bien vite se charger de les résoudre. Partie rendre visite à ses parents encore au village — un village limitrophe de la zone occupée par les Israéliens — Nayfé se fait arrêter par ces derniers. « On leur avait envoyé un rapport disant que je venais dans l'intention de mener une action contre eux. Ils me faisaient un grand honneur en le pensant, mais c'était faux. » Elle passe deux mois et demi en prison. Deux mois et demi qui vont signer son engagement à la cause de l'Islam et balayer complètement ses dernières hésitations. « Au moment où ils m'ont arrêté, je ne portais toujours pas le hijab. Pourtant, durant leurs interrogatoires, la même question revenait sans cesse : ''Es-tu khomeiniste ?'' Ils voulaient des renseignements sur le cheikh Fadlallah, sur les réunions qui se tenaient à l'intérieur de la mosquée de Bir-Abed, sur les cours que nous recevions. J'ai compris que l'Islam leur faisait peur. Ma décision était prise. Dès le lendemain de ma libération, j'ai revêtu le hijab et, le vendredi suivant, malgré un état d'extrême fatigue, je suis allée écouter le prêche du cheikh Fadlallah. Depuis ce jour, je n'en ai plus manqué aucun. »

Aujourd'hui, Nayfé adhère pleinement au mouvement islamiste et travaille dans la presse. Dans cet environnement, le hijab est tout sauf un handicap. Pourtant, Nayfé est soucieuse de préciser que son port n'a pas réduit son activité professionnelle : « Celui qui croit que le hijab entrave le travail de la femme se trompe profondément. Je continue à assumer avec la même liberté toutes les fonctions d'une journaliste. Tellement de fausses rumeurs circulent... En tant que *safira* (dévoilée), j'ai tout connu. Je ne regrette rien car m'engager dans cette voie m'a permis de m'accomplir. »

Partie en reportage photos, je reviens riche d'une rencontre. La journée n'a pas été perdue.

Au cœur du Hezbollah

Nous y sommes. Il est temps de passer au déguisement. Tirant de mon sac le foulard apporté à cet effet, je m'en couvre la tête en pestant intérieurement contre cette obligation ; à peine posé, je ne le supporte déjà plus. Zut ! j'ai oublié de prendre une barrette pour m'attacher les cheveux. Oh et puis tant pis ! Ils n'auront qu'à éviter de poser leur regard sur mon dos s'ils craignent pour leur sérénité. Je ne sais pourquoi mais je me sens brusquement d'une humeur exécrable ; sans doute à cause de ce fichu foulard. Au moment de pénétrer à l'intérieur du local, le nom d'un magasin situé sur le trottoir opposé accroche mon regard : « Librairie Minette », peut-on lire en lettres rouge sang sur fond jaune canari. Parmi les affiches collées à proximité de la façade, un portrait de Khomeiny. Il me semble voir la barbe de l'irascible vieillard frémir d'indignation devant un pareil voisinage...

Localisée au cœur de Bir-Abed (Puits de l'Esclave), la bâtisse se fond dans le décor poussiéreux de la banlieue sud, fief incontesté des intégristes chiites. Une villa de plain-pied, modeste et quelconque, que rien ne distingue des constructions environnantes si ce n'est qu'elle abrite l'antenne de presse du Hezbollah. Me voilà donc chez ceux que l'on soupçonne d'être les ravisseurs des otages occidentaux détenus au Liban depuis plusieurs années. J'espère que ma vue ne va pas faire naître en eux l'envie de tester une nouvelle monnaie d'échange.

Nous nous déchaussons. Dans le bureau, Amin le responsable de l'information, nous attend, assis derrière un imposant bureau en bois recouvert de dossiers. Le regard sévère de l'Imam, dont un portrait géant trône au mur, plane sur la pièce.

Agé d'une trentaine d'années, Amine est joufflu comme un gros bébé dodu. Une barbe frisottante encadre son visage. Mon compagnon journaliste m'introduit auprès de lui. Ayant des rapports fréquents avec son service, il plaisante et répond avec légèreté aux reproches que lui adresse Amine à propos de la partialité dont ferait preuve son journal à l'égard du Hezbollah.

Contacté au préalable par cet ami, Amin a accepté de me mettre en rapport avec des femmes appartenant à la mouvance islamiste. C'est le but de cette visite. « Une rencontre avec plusieurs jeunes femmes vous a été organisée. Nous allons vous conduire jusqu'à elles. Mais dans un premier temps, nous avons pensé qu'il serait intéressant pour vous de visiter quelques-unes de nos structures sociales, créées pour venir en aide à la population et au sein desquelles beaucoup de femmes travaillent. »

Si Amine, avec son physique tout en rondeurs, ne paraît pas bien méchant, il est difficile d'en dire autant des deux personnages chargés de m'accompagner dans ma tournée. Visage fermé et regard dur, ils ont la jeunesse brutale de ceux dont la violence conjugue le quotidien. L'idée de demeurer seule en leur compagnie ne me rassure guère, mais il est hors de question de le leur montrer. Prenant bravement congé de mon ami, je les suis en silence. De toutes les manières, aucun des deux n'a encore daigné me gratifier d'un regard.

La luxueuse BMW stationnée devant la villa démarre en trombe dans un nuage de poussière. Aux pieds du passager de droite gît une Kalachnikov, négligemment posée comme un vulgaire objet.

Dans l'ancienne ceinture verte de Beyrouth, des cubes de béton de six à huit étages ont remplacé les potagers et les vergers qui ravitaillaient avant la guerre la capitale en crudités et en chlorophylle. Depuis 1984, date à laquelle les miliciens chiites l'ont prise d'assaut, cette bande longue de 22 kilomètres située au sud de Beyrouth est devenue la *dahyé* (la banlieue), un véritable État dans l'État grâce aux dollars généreusement alloués par la République islamique iranienne, que le simple nom de « République » *(el joumhoriya)* suffit ici à désigner. Quatre cent à six cent mille habitants, pour la plupart des réfugiés chiites venus au fil des événements du Liban Sud et des zones chrétiennes, vivent dans cette banlieue que la violence politique a transformée en véritable champ de mines. Aux yeux de tous, c'est à présent « le pays chiite ». Mais un « pays que ses deux représentants en titre, Amal et le Hezbollah, déchirent de leurs luttes fratricides, des luttes féroces et sans merci que seule la nécessité d'alliances conjoncturelles contre le camp chrétien apaisent momentanément.

Nombreux sont ceux parmi les anciens habitants du quartier — quand ils en avaient les moyens — qui ont préféré déserter leur domicile plutôt que de continuer à vivre dans la hantise des balles perdues et des attentats à la voiture piégée. Sans parler de la rue où les femmes, les unes après les autres, se sont transformées en ombres noires et les hommes en justiciers du ciel. Mais certains comme Ahmed, diplômé en philosophie, ont toujours refusé de fuir, même aux pires moments, pour ne pas abandonner complètement le terrain aux islamistes. « Mon acte de résistance, raconte Ahmed, consistait les premiers temps à me promener à côté de la mosquée, un chapeau melon sur la tête, une baguette à la main et *Le Monde* sous le bras. » Jusqu'à aujourd'hui, Ahmed vit avec ses parents dans la demeure familiale. Mais calfeutrés derrière leurs murs et les volets fermés. La façade extérieure est criblée par les impacts de balles ;

pendant des mois, le jardin a servi de champ de bataille aux factions du Hezbollah et de Amal...

Un coup de frein brusque nous projette devant l'entrée d'un immeuble. Mes « guides » me confient à une infirmière pour visiter au pas de course un dispensaire spécialement réservé aux femmes et aux enfants. Le personnel — les médecins et le personnel para-médical sont tous de sexe féminin — porte obligatoirement le hijab mais il n'en est pas de même pour les femmes qui patientent dans la salle d'attente : là, tchador ou tenues européennes sont indifféremment portés. Répondant aux besoins sanitaires d'une population démunie dont l'État libanais, exsangue et désorganisé, ne parvient plus à assurer la couverture médicale, le Hezbollah a mis sur pied une dizaine de dispensaires dans le pays à l'image de celui-ci. Ne dépassant pas quelques dizaines de livres, le prix de la consultation y est à la portée de tous. Des pharmacies subventionnées vendent les médicaments aux malades à des prix nettement inférieurs à ceux pratiqués sur le marché.

Quelques coups d'accélérateur nous font quitter le centre populeux de la dahyé pour nous mener jusqu'à sa périphérie. Là, au milieu des terrains vagues et surplombant la ville, se dresse l'hôpital du Prophète-Suprême. Au-dessus de lui, dans le ciel bleu libanais, le drapeau vert, blanc et rouge de la République islamique d'Iran flotte à côté de l'emblème du parti de Dieu ; par le biais de la puissante Fondation des martyrs de la Révolution, le grand frère iranien a permis également de doter la banlieue d'un hôpital général.

Pour exporter sa révolution, l'Iran engage des dizaines de milliards, par Hezbollah interposé, dans l'assistance sociale, économique et culturelle d'une communauté que la récente crise économique a achevé, après les années de guerre, de mettre à genoux. La création d'une multitude d'institutions a amené le Hezbollah à grignoter progressivement le terrain social en offrant à la population chiite un soutien matériel dans des domaines cruciaux comme la santé, l'éducation ou tout simplement la survie quotidienne. Bourses aux étudiants, crédits scolaires aux écoles, subsides aux familles qui ont perdu un membre au combat, tout est mis en œuvre pour élargir la base des sympathisants. Du point de vue militaire, le Hezbollah dispose aussi de moyens conséquents, et ses miliciens bénéficient d'une solde supérieure à celle accordée par les autres factions. Quand s'ajoute à cela l'art des mises en scènes dramatiques (on me rapporta qu'un jour le Hezbollah n'a pas hésité à exposer au regard de la foule, lors de leurs funérailles, les cadavres nus de sept de ses militants tués au cours d'une action menée contre Israël) qui entretiennent le sens du martyre, si aigu chez les chiites, ainsi que le sentiment d'injustice qui anime une communauté trop longtemps délaissée par l'État, qu'il soit en partie parvenu à ses fins n'est pas étonnant. Mais si les années 85-86 furent ses grandes années, on assiste actuellement à un relâchement de son emprise sur la banlieue, les combats meurtriers avec Amal ayant sérieusement entamé ses forces.

L'heure du rendez-vous avec les femmes islamistes est proche. Abrégeant la tournée, nous revenons vers la dahyé. Au milieu des champs, des immeubles construits à la diable se hérissent de laides excroissances sorties d'on ne sait où. « Regarde, tu vois là-bas... c'est Beyrouth-Est », me fait remarquer l'un des miliciens en m'indiquant, au-delà d'un *no man's land* de quelques centaines de mètres, des constructions toutes proches. Me voilà donc à nouveau sur la ligne de démarcation. Cela devient une habitude. A force de voir Beyrouth-Ouest et Beyrouth-est opposées l'une à l'autre, on oublie en fait qu'elles sont une seule et même ville coupée en deux, et que cette fameuse ligne de démarcation court à travers d'anciens quartiers réduits en ruines par les bombardements.

Au bout de cette petite heure écoulée en leur compagnie, le masque de dureté qu'affichait au départ les deux miliciens s'est estompé. A moins que ce ne soit simplement mon regard sur eux qui ait changé ? Passée l'appréhension première due à leur appartenance au Hezbollah, je m'aperçois qu'ils ne sont pas plus âgés que mon jeune frère. Et que, comme lui, ils aiment « rouler des mécaniques » et faire crisser les pneus. Sauf qu'en ce qui les concerne, l'horizon de la vie est si noir que même la mort n'y est plus qu'une banale péripétie. La BMW freine avec brutalité devant un immeuble inachevé. On fait claquer les portières, et ils me demandent de les suivre, mais je ne suis pas encore descendue de voiture que, sans m'attendre, ils enjambent déjà quatre à quatre les escaliers, pressés sans doute d'en terminer avec la corvée d'accompagnateurs. Ils ne s'arrêtent qu'une fois le sixième étage atteint. Le dernier. Celui qu'aucun autre ne protège de l'obus quand il tombe. C'est là. Un homme, barbe, chemise et pantalon noirs, nous ouvre la porte. Leur mission accomplie, les deux miliciens repartent en sens inverse, toujours aussi pressés, toujours aussi brusques dans leurs gestes. Je m'étais presque habituée à eux.

Dans la pièce étroite où je suis introduite, une demi-douzaine de femmes est réunie. A leurs côtés, deux hommes sont assis et discutent avec le plus grand naturel. A première vue, la mixité ne paraît pas frappée d'interdit chez les militants du Hezbollah. Comparée à l'attitude des islamistes sunnites rencontrés jusqu'à présent, la différence est de taille. Autre point, qui, aussitôt, retient mon attention : la tenue vestimentaire des femmes présentes ; sur les six, seules deux sont en tchador, pourtant vêtement islamiste féminin par excellence des chiites. Les autres portent cette gabardine si particulière aux islamistes du Cham [6] ou encore une simple robe ample ne tombant qu'à mi-mollets. Aucune fantaisie ne compromet l'orthodoxie du hijab mais, cette tenue, du simple fait de sa couleur claire, est exempte de la noire et répulsive sévérité du tchador.

La présence des deux hommes, je m'en aperçois vite, n'a rien de fortuit : ils sont là pour veiller au bon déroulement de la rencontre, bon déroulement signifiant le développement par leurs consœurs d'un certain nombre d'idées-forces sur lesquelles doivent se centrer leurs interventions... et dont il serait sans doute bon qu'elles ne s'écartent pas.

La tâche de ma première interlocutrice est de me démontrer que, contrairement à l'opinion occidentale (que je ne sois pas occidentale ne les empêche pas de me percevoir comme parangon des idées occidentales), le hijab n'est pas un facteur d'enfermement pour la femme mais, au contraire, l'instrument de son ouverture sur la société. Samira, une jeune fille au visage de poupée, manie la parole avec assurance, nullement intimidée par la mise en marche de l'enregistreur ou par le fait de devoir s'exprimer devant plusieurs personnes. « Au début, explique-t-elle, la jeune fille éprouvait des réticences à l'égard du hijab car elle craignait qu'il n'offre d'elle l'image de quelqu'un de renfermé et de timoré. Or c'est le contraire qui se produit.

Avec son hijab, la musulmane *moultazima* se départit de sa peur ; elle est de ce fait beaucoup plus forte que celle qui ne le porte pas. Nous sommes toutes instruites, lance-t-elle avec fierté. Nous sommes entrées à l'université armées de notre conviction. Nos points de vue, nous les défendons maintenant avec vigueur, à la différence du passé. Naguère, la femme ne s'exprimait pas parce qu'elle était opprimée par la tradition. Opprimée, répète-t-elle avec insistance, par la tradition et non pas par l'islam. Le père obligeait la fille à demeurer à la maison sous prétexte de religion. Or l'islam n'a jamais voulu cela. C'est grâce à lui qu'elle a eu l'occasion de descendre dans la rue. Sayéda Khadija, la première épouse du Prophète, ne se rendait-elle pas au marché pour traiter ses affaires ? A cause du père, du frère, du mari, les femmes se défiaient de l'islam car elles le croyaient responsable de cette situation. Le jour où elles ont compris que, bien au contraire, il les libérait, elles se sont ouvertes à lui. »

L'un des deux hommes l'interrompt. L'intervention de Samira n'a pas l'air de le satisfaire. Sans doute, en bon représentant de la gent masculine, trouve-t-il qu'elle s'attarde un peu trop sur cette question d'oppression féminine même si c'est dans le but de valoriser l'islam en le distinguant de la tradition : « Il faut bien lui expliquer pourquoi et comment les femmes, grâce au hijab, ont acquis une grande force », lui dit-il avec un regard entendu.

Une deuxième intervenante prend alors la relève en commençant d'abord par réciter un verset coranique. Celle-là, c'est sûr, est une bonne élève ; le tchador et le ton monocorde en témoignent. « Il faut se souvenir qu'au Liban, en raison de l'histoire du pays, la culture islamique a longtemps été négligée. Avant 1970, il n'y avait pas de hijab. Ou très peu, quatre ou cinq par quartier. On s'habillait court et serré. Puis vint la révolution iranienne... Quand elle est arrivée jusqu'à nous, elle a joué un grand rôle dans la diffusion du hijab. L'Iran souhaite que l'islam véritable se répande à la place de cet islam dénaturé qui l'a remplacé dans nos sociétés. Cet Islam ''américain'', tel que nous l'appelons, qui consiste seulement à prier, à jeûner et à faire le pèlerinage comme si les devoirs d'un musulman s'arrêtaient là. Ce n'est pas un Islam extrémiste comme tente de le présenter la presse occidentale mais l'islam tel qu'il doit être. Les musulmans doivent combattre tous les ennemis de l'Islam, les USA, le communisme et les grandes puissances d'une manière générale. Le hijab constitue un des symboles de la révolution islamique en cours. Notre force découle par conséquent de la conscience de notre responsabilité dans cette lutte. L'imam Khomeyni lui-même a déclaré que, sans les femmes, la révolution iranienne n'aurait pas réussi. »

C'était donc cela la raison du rappel à l'ordre de Samira !

Logique. On ne peut être Hezbollah sans que toute circonstance ne soit d'abord une occasion de faire l'apologie de la révolution iranienne. Mais je n'ai nulle envie de laisser ce vigilant personnage orienter à sa guise la discussion. Je reviens à Samira dont la spontanéité m'a agréablement surprise pour lui demander de me conter son histoire. Avec elle, échapper au discours codé paraît possible. « Je porte le hijab, dit-elle, depuis huit ans. Jusqu'à l'âge de dix-sept ans, je menais la vie insouciante de n'importe quelle adolescente. Mes études secondaires, je les avais poursuivies dans une école privée [7]. Je faisais en outre du scoutisme. C'est ainsi que j'ai été amenée à voyager pour la première fois en France, avec une délégation de scouts libanais venue participer à un camp en compagnie d'Allemands, de Français et de Tunisiens. J'avais une certaine vision de l'Occident. Dans mon esprit, la France en particulier correspondait à quelque chose d'extraordinaire. Je rêvais d'être comme les Français... tout en ne les connaissant pas. Aussi étais-je très curieuse de les découvrir. De savoir comment ils pensaient, comment ils vivaient. En dix-neuf jours, j'ai appris beaucoup de choses... » Elle se tait un instant, hésitant sur la façon de relater son expérience. « J'ai fait la connaissance d'un garçon qui s'appelait Stéphane. Il était fils de médecin. Ses parents étaient riches. Pourtant, il se droguait. Un jour, je lui ai demandé comment il occupait son temps. Il m'a répondu : « Je peux rester des heures à regarder une fourmi aller et venir. » Alors que pour nous chaque minute est précieuse au regard de tout ce que nous devons faire, eux en sont arrivés au stade de ne rien avoir d'autre à faire que regarder vivre une fourmi ! »

La voix de Samira est chargée de mépris mais de rancune

également. Une rancune que cette histoire de fourmi, aussi symbolique soit-elle, justifie difficilement...

« Qu'est-ce qui t'a le plus choqué durant ce séjour ?

— La relation qui s'établit entre les individus. Ils ne font pas la différence entre l'être humain et l'animal. L'être humain a une valeur. Dieu l'a préféré à ses autres créatures. Alors pourquoi le ravalent-ils au rang d'animal ?

— Mais encore ?

— Ils considèrent la femme comme une femelle. Avant d'être une femme, je suis un être humain. Alors pourquoi me traiter comme un objet de consommation ? » Nous y sommes. « As-tu fait une expérience malheureuse ?

— Oui... Nous étions très amis, Stéphane et moi... Nous discutions beaucoup tous les deux... J'ai été traumatisée. Je ne me doutais pas que les Français réfléchissaient de la sorte. Je pensais qu'ils étaient d'un niveau intellectuel plus élevé que cela. »

L'incompréhension culturelle dans toute sa banalité. D'autant plus difficile à vivre que Samira a vécu, comme beaucoup de jeunes Libanaises, dans l'idéalisation de la société occidentale. Le rejet est à la mesure de la désillusion. « Mon évolution s'est accélérée par le fait qu'à mon retour de France j'ai entrepris des études commerciales dans un institut de jésuites à Beyrouth-Est. Je me suis alors aperçue que l'ambiance à Achrafieh [8] était la même que celle qui régnait en France. Au bout d'un mois, les événements politiques m'ont empêchée de continuer à me rendre à l'est mais, en comparant ce que j'avais vu en France et à Achrafieh avec ce que je savais de l'Islam, je me suis rendu compte que c'était ça la voie que je voulais. Et celle que Dieu voulait pour nous. Je ne demande à personne d'être extrémiste mais d'avoir des valeurs morales, des principes de comportement. Je me suis voilée en 1981. Mon entourage familial s'est opposé violemment à ma décision. Pendant un an, je suis restée en conflit avec ma mère à cause de cela. Mais, contrairement à ce que tous me prédisaient, je n'ai jamais regretté ma décision. J'ai trouvé la paix de l'esprit. Je suis entrée à l'Université américaine [9] et j'y ai étudié la communication, le théâtre et le cinéma. Tous mes professeurs étaient américains. Ils ne comprenaient pas ce qu'une mouhajjaba faisait à l'université.

Dans leur esprit une mouhajjaba se marie et reste à la maison. Comme beaucoup d'autres, ils sont dans l'erreur la plus totale. »

Samira a parlé longtemps, au grand déplaisir des deux hommes qui, régulièrement, lui enjoignent d'abréger. Ne voulant pas la mettre davantage dans l'embarras, j'écoute le témoignage d'une autre dont l'itinéraire est autrement plus classique. Ma nouvelle interlocutrice porte le hijab depuis l'âge de dix ans. Par pure tradition au départ : son père qui le lui impose ne prie même pas. Elle fréquente l'école islamique pendant cinq ans, adhère à une association culturelle islamique... Quand survient la révolution iranienne, elle a le réflexe naturel de rejoindre une association politique. C'est l'islam, dit-elle, qui donne un sens à la vie et pousse chacun de nous à assumer son rôle. Après la révolution iranienne, la présence des femmes s'est partout imposée : dans les facultés, les associations, les assemblées, à la mosquée... La femme a affirmé sa présence même sur la scène politique.

— De quelles manières cette présence se traduit-elle ?

— Lors des appels, par exemple, de l'imam Khomeiny pour manifester contre l'occupation d'El Kods (Jérusalem), la venue de Shultz dans la région, le bombardement de la Libye par les USA, etc, les femmes ont toujours été à la tête des marches de protestation. » Elle ne veut pas en dire plus. Ont-elles reçu des consignes dans ce sens ou est-ce la vérité ? Aucune des jeunes femmes présentes ne dit militer au sein du Hezbollah. Elles se définissent simplement comme des fidèles du cheikh Fadlallah [10]. Interrogé sur la présence féminine à l'intérieur du Hezbollah, l'un des deux hommes me confirme l'existence de cellules dans chaque quartier. Si, au niveau de la cellule, la responsabilité est assumée par une femme, l'ensemble des cellules féminines est chapeauté par un cheikh qui les représente au comité dirigeant du parti, le Majlis Choura (l'assemblée de la consultation).

« Pourquoi les militantes sont-elles représentées par un homme ? Quelque chose interdit-il à la femme de siéger au Majlis Choura ?

— Non, absolument pas. Il se trouve que, dans la conjoncture actuelle, il n'existe pas encore de personnalités féminines à même d'assumer cette charge. Mais rien ne dit que, dans l'avenir, il en sera toujours ainsi. »

Aux dires de mon interlocuteur, les femmes du Hezbollah ne sont pas cantonnées aux activités éducatives et sociales bien que celles-ci demeurent leur terrain de prédilection de même que la santé et surtout les médias ; elles participeraient également à l'action militaire. Une frontière étanche ne sépare pas les cellules féminines des cellules masculines, les deux sexes pouvant être amenés à travailler ensemble en fonction des circonstances.

« Vous tolérez donc que les hommes et les femmes se côtoient ?

— Oui. Tant que les règles islamiques sont respectées, la mixité ne pose pas de problème.

— Au regard de l'islam, intervient une jeune femme demeurée silencieuse jusque-là, l'homme et la femme doivent former une équipe inséparable.

— Estimez-vous que le rôle de l'un diffère de celui de l'autre ?

— L'homme a la responsabilité de la prise de décision. Quant à la femme, son rôle est de l'aider à la réaliser. » Devançant ma réaction, elle ajoute : « Nous n'avons aucun complexe dans ce sens dès lors que la répartition des tâches s'établit conformément à la Charia. Entre l'homme et la femme, nous ne parlons pas comme les Occidentaux d'égalité mais de complémentarité. » Sunnites ou chiites, cette affirmation ne varie pas. Il est important toutefois de signaler que, contrairement à l'image négative renvoyée par l'Iran des mollahs de la situation de la femme, celle-ci jouit dans le rite chiite de droits plus étendus que chez les sunnites [11]. Si, tenant compte de la réalité des rapports entre les sexes dans le Liban d'aujourd'hui, le Hezbollah ne s'oppose pas de manière radicale à la mixité, à la différence de la plupart des courants islamistes sunnites, son pragmatisme va encore plus loin ; prenant exemple sur le grand frère iranien, il légitime à nouveau une pratique tombée en désuétude depuis des lustres du fait de son rejet par les uns et de sa condamnation par les autres ; le mariage temporaire [12] ou mariage *moutaa (ziouaj el moutaa* : littéralement mariage de jouissance). Non reconnu par les sunnites qui le condamnent fermement, il est considéré par les chiites comme un mariage légal, au même titre que le mariage classique. Mais, en règle générale, les chiites traditionnels libanais s'en détournent avec répugnance, aucun père n'acceptant de donner sa fille en mariage pour un temps limité. En effet, comme son nom l'indique, le mariage temporaire permet à un homme et à une femme de contracter une union pendant une durée déterminée : un an, un mois ou deux jours, il ne tient qu'à eux d'en décider. Une manière en quelque sorte de légaliser, donc d'autoriser, les relations sexuelles temporaires, faisant ainsi dire aux sunnites que le *mariage moutaa* n'est qu'une *zina* pure et simple.

Aussi, à Beyrouth, les rumeurs vont-elles bon train sur la pratique attribuée aux militants du Hezbollah d'une prostitution déguisée sous couvert de *ziouaj el moutaa.* Prostitution ou pas, le Hezbollah apporte de cette manière une réponse pour le moins étonnante au problème toujours occulté de la sexualité dans une communauté islamique où les jeunes, faute de moyens, se marient de plus en plus tard.

Je ne peux donc manquer de questionner l'assistance sur ce *ziouaj el moutaa* par lequel le scandale arrive du côté, ô savoureuse surprise, des plus grands pourfendeurs de la débauche. Petits rires étouffés et gênés : le *ziouaj el moutaa* est le talon d'Achille du Hezbollah...

« Au nom de Dieu tout-puissant. » L'homme s'éclaircit la gorge. Il ne s'agit pas, sur ce sujet délicat, de s'exprimer avec maladresse : « J'espère, me dit-il, que vous transcrirez fidèlement ces paroles. Nous, musulmans chiites, croyons conformément aux textes du *ziouj el moutaa* rendu *halal* (permis) par le Prophète et qui est donc autorisé par la Charia. Les sunnites affirment que ce mariage a été interdit par un verset coranique. Or le verset auquel ils font référence précède celui qui l'autorise. Il ne peut donc le proscrire. Ils estiment par ailleurs que le Prophète n'a autorisé ce mariage que dans le contexte exceptionnel de la guerre. Nous pensons pour notre part que certaines situations sont parfois plus difficiles (dans ce domaine) que celle occasionnée par la guerre. Prenons par exemple le cas d'un étudiant qui fait ses études à l'étranger et qui ne peut pas se marier. Va-t-il commettre la *zina* ? Il encourt l'enfer. Va-t-il s'abstenir ? Les psychologues ont démontré que l'abstinence peut être préjudiciable à l'équilibre de l'individu. Or la solution à ce problème existe : c'est *ziouaj el moutaa*. Si l'on pose le problème de manière scientifique, peut-on dire qu'une personne qui n'est pas mariée n'a pas besoin de jouissance sexuelle ? Toutes les sociétés monogames vivent dans le péché. Or la Charia elle-même offre la possibilité à l'individu de ne pas tomber dans le péché... Bertrand Russell a affirmé que si le monde avait suivi le mariage selon le chiisme, il n'y aurait pas de problèmes entre les sexes. Mais nous, nous avons pris les idées de l'Occident ; on accepte le fait d'avoir une petite amie mais on rejette le mariage temporaire. »

Si je m'y attendais ? Un tel discours dans la bouche d'un islamiste a quelque chose d'irréel, de saugrenu. Voilà maintenant que les commandeurs du Bien et Pourfendeurs du Mal se soucient aussi des conséquences négatives de l'abstinence sexuelle sur l'individu. Pourvu que le chiisme ne déferle pas sur l'Afrique du Nord ! Rien que pour le *ziouaj el moutaa*, j'en connais beaucoup chez nous qui adhéreraient sur-le-champ au Hezbollah. Au prix que cela coûte de nos jours de se marier « pour toujours ».

« Mais attention, me prévient mon interlocuteur, le *ziouaj el moutaa* est soumis à des conditions. Les mêmes que celles qui régissent le mariage normal. La seule véritable différence entre les deux réside dans la délimitation de la durée. Ce mariage ne doit théoriquement s'appliquer qu'aux veuves et aux divorcées. Lorsqu'il s'agit d'une jeune fille vierge, le consentement du père est impérativement requis. La veuve et la divorcée n'en ont pas besoin. Elles peuvent conclure seules leur mariage. Si la femme n'exige pas de témoins, il suffit au couple de prononcer lui-même la formule sacrée et ils deviennent mari et femme. »

Extraordinaire !

« La différence par contre, lui dis-je, me paraît bien mince entre cette manière d'avoir des relations sexuelles et l'autre, celle qui s'établit en dehors de tout cadre légal.

— Elle est fondamentale, rétorque-t-il. Prenez le cas de la viande par exemple. Selon qu'on prononce ou pas le nom d'Allah au moment où l'on immole l'animal, cette viande sera considérée comme *halal* (permis) ou *haram* (défendu). C'est exactement la même chose. »

Rien à redire, la logique est irréprochable. Au loin, des rafales de mitraillette se font soudain entendre. Mon sourire disparaît alors que celui de mon interlocuteur s'élargit. « Écoutez, me dit-il, c'est le Hezbollah ».

La femme du cheikh

La flamme dansante du briquet projette son ombre jaune sur l'escalier, plongé tout comme la rue dans une totale obscurité. Les marches grossièrement taillées dans la pierre se dessinent une à une. Nous n'en avons heureusement qu'une dizaine à monter pour atteindre l'appartement à la porte duquel Walid, à défaut de sonnette, frappe énergiquement du plat de la main. Un bruit de pas puis de vêtements que l'on rajuste se font entendre. Avant qu'une voix ne s'élève, Walid s'empresse de parler. « J'ai amené la journaliste marocaine. Je m'en vais maintenant. Je repasserai la chercher dans une heure », explique-t-il à la personne qui est de l'autre côté de la porte et qui s'exprime enfin pour acquiescer. « Son mari l'a informée de ta visite, me dit l'ancien gauchiste converti à l'islamisme. Tu peux lui poser les questions que tu veux. A tout à l'heure », et il rebrousse chemin en me laissant seule face à une porte toujours close.

Quand elle s'ouvre, l'obscurité se fait encore plus dense ; sur le visage de la femme qui m'accueille tombe, impitoyable, le voile opaque des *mounaquabates*. Tenant sa promesse de me mettre en contact avec des islamistes, Walid a puisé dans le large éventail de ses connaissances un profil proche de la caricature : l'épouse recluse d'un cheikh sunnite, intégriste et polygame (je le soupçonne *a posteriori* d'avoir voulu me montrer, en tant que chiite, qu'au Liban l'extrémisme musulman n'est pas le propre de sa seule communauté).

Une fois la porte refermée sur nous, la femme se débarrasse promptement de son *niquab,* m'adresse un sourire éclatant et me dit son plaisir de me recevoir. En effet, ma visite a l'air de la rendre sincèrement heureuse.

Azza — c'est son nom — n'a pas encore enterré la trentaine. Pourtant, en l'écoutant parler et raconter sa vie, j'ai le sentiment de plonger des décennies en arrière, comme si une machine à remonter le temps m'avait arrachée à ce siècle pour me renvoyer à celui de mes grands-parents. Et encore ! Quand ma grand-mère nous égrenait ses souvenirs de jeune femme, il ne s'en dégageait pas une telle propension à la soumission.

Le lieu où nous nous trouvons est un camp palestinien dont le nom, en 1982, s'est chargé d'horreurs : le camp de Sabra. Sabra et Chatila, qui ne s'en souvient ? [13]. En regardant par la fenêtre grande ouverte sur le silence d'une nuit sans étoiles, un frisson me parcourt ; le massacre innommable d'enfants, de femmes et de vieillards désarmés, c'était là. Azza y était. Car Azza est palestinienne.

Mais Sabra n'est pas la seule tragédie dont sa vie ait été affectée. Comme elle le dit en continuant à sourire avec un détachement effarant, elle a connu tous les sièges. D'abord, adolescente, Tell-Zaatar, autre nom inscrit dans l'histoire du peuple palestinien en lettres de sang [14] ; un siège de plusieurs mois à la suite duquel elle va s'installer pendant un an avec ses parents à Damour [15]. Israël bombarde. Nouvelle émigration. Vers Beyrouth cette fois-ci. Et c'est Sabra et la guerre des camps.

Son père, raconte-t-elle, était très dur. A treize ans, il la retire de l'école. Il était hors de question qu'elle apprenne un métier, à part la couture, et qu'elle travaille à l'extérieur de la maison. Quand il meurt, elle a vingt-deux ans. Le jour même des funérailles paternelles, une femme la remarque. Elle la demande en mariage pour son fils, que Azza ne connaît pas. Ce sera son premier époux. Oh, pas pour très longtemps ! Juste quatre ans, le temps de lui faire deux enfants avant de mourir, tué par un éclat d'obus. La banale réalité libanaise. Ailleurs, on se plaint des hécatombes de la circulation routière. Ici, ce sont les bombes qui se chargent de l'équilibre « naturel » de la population.

Elle reste célibataire pendant quatre-cinq ans, vivant dans sa maison avec ses deux enfants et se faisant entretenir par ses frères. Jusqu'à la guerre des camps qui détruit sa maison. Comme les autres malheureux dans son cas, elle est contrainte de se réfugier avec ses deux enfants dans l'unique endroit qui reste accessible aux sans abris : la mosquée.

A cette époque, Azza porte certes un fichu sur la tête mais à la manière traditionnelle des femmes de son milieu. De même qu'elle prie, de temps à autre, par habitude, par devoir. Ce n'est pas une dévote confite, loin s'en faut. Une simple croyante qui en appelle à son Créateur chaque fois que le poids de la vie se fait trop lourd. Or celui-ci est devenu de plomb.

Que peut-on faire dans une mosquée quand on y demeure du matin jusqu'au soir sinon s'imbiber de religion ? Entre les heures de prière, elle assiste aux cours de théologie dispensés par le cheikh. Un cheikh qui, soit dit en passant, n'a rien du vieillard décrépi. A trente ans, la barbe n'a pas encore eu vraiment le temps de blanchir... ni la vue de baisser. Ente deux psalmodies, son regard s'arrête sur cette jeune femme dont les malheurs n'ont pas entamé la beauté. Comme il est bon et pieux et toujours soucieux de faire le bien, il se propose de l'abriter sous son aile. Trois femmes et sept enfants lui occasionnent déjà de grandes préoccupations, mais son âme sensible ne peut résister au désir de soulager la misère humaine quand il la rencontre sur son chemin. D'autant plus que les bienfaits dont Dieu l'a comblé lui permettent d'installer Azza et ses enfants dans un logis indépendant. Au même titre que les trois autres. « Je ne pensais pas me remarier, raconte l'intéressée, mais quand ma maison a été détruite, j'ai beaucoup souffert. J'ai accepté de l'épouser parce que c'est un homme de religion qui ne commet pas d'injustices. »

Un homme de religion « qui craint Dieu et qui est très pieux » ne peut donc être contrarié. Azza apprend grâce à lui que la femme qui prie cinq fois par jour et obéit à son mari est assurée d'aller au paradis. Après avoir vécu l'enfer sur terre, Azza compte bien goûter au bonheur dans l'au-delà ! Alors, quand il lui demande de porter le *niquab* « parce qu'il est *ahsan* (préférable) pour une femme de se couvrir le visage à l'instar des épouses du Prophète », elle accepte. Elle accepte également de ne plus jamais sortir de la maison s'il n'est pas avec elle. « Il m'est interdit, dit-elle, de sortir sans lui car, selon la religion, il est *ahsan* pour la femme de rester chez elle. » D'ailleurs, qu'a-t-elle besoin de sortir ? Il lui apporte tout à domicile et une fois par semaine, il l'accompagne chez ses parents. Elle ne va pas non plus à la mosquée ; il est *ahsan* pour une femme de prier à la maison.

Je lui demande si elle ne regrette pas de temps à autre sa vie précédente. « Oh non, me répond-elle, je suis très heureuse aujourd'hui. Mon premier époux n'était pas pieux. Il ne priait pas, et cela lui était indifférent que je sorte les cheveux découverts. Celui-là me protège des souffrances de l'enfer. Quand une femme est chez elle à obéir à Dieu et à son mari, qu'a-t-elle besoin des autres ? Ce qui importe, ce n'est pas la vie dans ce monde mais la vie dans l'au-delà. » Azza est si préoccupée par la préparation de ce grand voyage que chaque parcelle de son temps libre est consacrée à la prière et à la lecture du Coran. « Lire ne serait-ce qu'un verset est un acquis. Quand des femmes viennent me rendre visite, nous ne parlons pas des choses de la vie mais uniquement de religion pour pouvoir bénéficier de *l'ajar**. Tu comprends, m'explique-t-elle, il nous sera demandé plus tard de rendre compte de notre emploi du temps. »

En attendant, son mari, pour sa part, ne lui rend guère compte du sien. Elle ne sait jamais quand il vient. Il passe en moyenne avec elle une ou deux heures par jour et une ou deux nuits par semaine. Le reste du temps, elle demeure seule avec ses cinq enfants (les deux du premier mariage et trois du second). La polygamie est-elle difficile à vivre ? Oui, avoue-t-elle, surtout quand les obus tombent et qu'il faut calmer les pleurs de cinq enfants en bas âge en dépit de sa propre frayeur. « Mais puisque Dieu l'a voulu... »

Nora et Chahine, femmes du Liban Sud

Sans quitter sa guérite, le milicien à moitié assoupi sur sa Kalachnikov nous fait signe d'avancer. La voiture hoquette, crache son gazole sur celle qui la suit et repart en grinçant de plus belle. Ce n'était que le dix-septième arrêt en trois heures de temps. Dix-sept barrages sur une distance de soixante-dix kilomètres, cela laisse amplement le loisir d'apprécier la beauté du paysage, une fois qu'est acquise l'habitude d'avoir, quart d'heure après quart d'heure, les gros joujous qui font boum pointés sur soi.

Les nids de poules dont est truffée la chaussée, l'étroitesse de celle-ci, les vertigineux dépassements pied au plancher et la guerre en moins, le voyage de Beyrouth à Saïda serait une délicieuse promenade. La côte que longe la route est ciselée à la manière d'un bijou ancien. Mordant à crocs pointus dans une mer Méditerranée plus belle et plus sage que jamais, elle se radoucit par endroits en belles plages langoureuses qui invitent au farniente. Pour qui préfère le vert au bleu azur, il suffit de diriger le regard de l'autre côté de la chaussée ; nullement décontenancés par l'air marin, des arbustes vigoureux couvrent les flancs de la colline de feuillages touffus à l'ombre desquels quelques automobilistes font des haltes pour pique-niquer en toute quiétude.

Du fait de sa population à grande majorité chiite, le Sud-Liban est, après Beyrouth, le terrain d'action privilégié du mouvement islamiste chiite. L'invasion de 1982, puis le maintien jusqu'à maintenant de l'occupation israélienne sur une bande frontalière de plusieurs kilomètres ont constitué de puissants facteurs de mobilisation pour le Hezbollah, et le recours à une notion comme le jihad joue d'autant plus efficacement que l'ennemi n'est pas ici un fantôme abstrait mais une force d'oppression bien réelle.

Jamale est originaire de Charkiyé, un minuscule village chiite situé à une vingtaine de kilomètres de la frontière israélienne. J'eus la chance de rencontrer cette jeune assistante sociale à Beyrouth, son travail l'ayant amenée à y effectuer une visite éclair. « Viens passer le week-end avec moi chez mes parents à Charkiyé, me proposa-t-elle avant de regagner la province. Tu ne peux repartir sans avoir connu le Sud. » Une mimique fort expressive sur le visage, elle ajoute en riant : « Tu sais, le Hezbollah, nous on le connaît bien là-haut. Des filles qui ont pris le hijab, on pourra t'en présenter autant que tu voudras. »

Jamale n'avait pas besoin d'insister, elle prêchait une convaincue. Le week-end venu, je saute dans un taxi pour la rejoindre à Saïda, cette ville majoritairement sunnite noyée dans un environnement à prédominance chiite et située comme Beyrouth sur le littoral méditerranéen.

Saïda atteinte et les membres encore enkylosés par trois heures de trajet dans un véhicule qui pallie son absence de suspensions par le nombre des passagers, je remonte à nouveau en voiture ; Jamale, venue m'accueillir à la station de taxis met immédiatement le cap sur Charkiyé. « Rassure-toi, me dit-elle, voyant à mon visage que j'accuse une petite fatigue, nous n'allons pas tarder à nous arrêter chez ma sœur. »

Jamale n'habite Saïda que depuis un an. Jusque-là, elle travaillait à proximité de son village natal. Aussi a-t-elle été un témoin privilégié de l'hégémonie du Hezbollah sur la région où l'un de ses camps d'entraînement militaire a d'ailleurs été installé.

« C'est entre 1986 et 1987 que sa pression s'est fait la plus forte. Ses militants ont commencé à dicter leur loi. Les gens ne pouvaient plus célébrer leurs fêtes comme ils en avaient coutume parce que la musique était devenue chose interdite. Quant aux femmes, elles étaient invitées à porter le hijab. Les militants du Hezbollah se promenaient avec des haut-parleurs dans le village pour appeler les jeunes filles à se voiler et ils demandaient aux dévoilées de ne plus sortir au-delà de 18 heures. » Jamale appartient à une famille composée de neuf filles et de deux garçons. Aucune d'elles ne se soumit à ces injonctions. Et pour cause ! Armé de son fusil de chasse, le père de Jamale alla rendre visite au cheikh du village. « Mes filles ne se voileront pas, lui dit-il. Et le premier qui touche à un seul de leurs cheveux, je le descends. » Dans cette région où l'on a volontiers le tempérament ombrageux, où les coups de fusil sont très vite partis, tout le monde sait que ce genre de menaces n'est jamais proféré à la légère. Jamale et ses sœurs continuèrent donc à circuler tête nue sans jamais être inquiétées, mais l'ambiance au village était électrique. « Depuis un an, constate Jamale, la situation s'est modifiée. Ses luttes avec Amal ont fait perdre beaucoup de terrain au Hezbollah. A les voir ainsi s'entre-déchirer pour le pouvoir, les gens sont dégoûtés. Ils se détournent des deux camps. Beaucoup de celles qui ont porté le hijab en 1986 sous la pression sociale et non par conviction l'enlèvent à présent. »

Notre conversation doit être interrompue car la voiture vient de s'arrêter devant la maison de Raja, la sœur de Jamale. Deux petits gaillards déboulent sur nous en poussant des cris de joie à la vue de leur tante. Comme tous les week-ends, ils savent que Jamale est là pour les emmener chez leurs grands-parents. Et là-haut pour eux, c'est toujours la fête.

En attendant qu'ils se préparent, leur mère nous sert des

boissons fraîches, que nous apprécions d'autant plus qu'en cette fin du mois de mai, la chaleur de la mi-journée devient sérieusement estivale. Comme d'habitude, le fait de me présenter conduit inévitablement à évoquer mon enquête. « Pourquoi n'irait-elle pas discuter avec Nora ? » dit Raja en se tournant vers Jamale. Comme celle-ci n'a pas l'air d'identifier la personne, elle lui précise : « Voyons, ma voisine du deuxième étage, celle qui s'est voilée à contrecœur à la suite d'un rêve. »

La convivialité dans cette société est telle que, cinq minutes plus tard, Nora nous reçoit chez elle en tenue d'intérieur et sans cérémonie superflue. « En effet, reconnaît la jeune femme à l'indolence marquée, c'est à la suite d'un rêve ou plutôt d'un cauchemar que je me suis décidée à porter le hijab. Mon mari prenait part à des actions armées. Un jour, comme il tardait à revenir et que j'étais dévorée par l'inquiétude, je me suis promis que s'il me revenait sain et sauf, je mettrais le hijab. Mais quand il fut de retour, j'ai oublié mon engagement. J'étais alors enceinte de sept mois. Une nuit, pendant mon sommeil, j'eus la sensation très nette qu'un homme en habaya blanche m'étranglait en me disant : ''Tu n'as pas tenu ta promesse, tu dois mourir.'' Mon mari qui dormait à mes côtés s'est réveillé et il s'est aperçu que j'étais en train d'étouffer. ''Je ne peux pas porter le hijab'', me plaignai-je, il fait trop chaud. Il essaya de me convaincre de mettre au moins l'écharpe mais le rêve avait beau se répéter, je ne parvenais pas à m'y résoudre. Quand je m'en suis ouverte au cheikh, celui-ci m'expliqua que l'homme de mon cauchemar était en fait un esprit et que, si je ne lui obéissais pas, il pouvait fort bien s'en prendre à ma santé ou encore à mon mari ou à ma fille. J'ai tenu bon jusqu'au jour de mon accouchement. Celui-ci se passa très mal. J'étais dans une situation critique. L'enfant ne venait pas, à la grande inquiétude des médecins. L'esprit m'est à nouveau apparu. ''Es-tu convaincue du hijab ou pas encore ?'' a-t-il grondé. Je n'en pouvais plus : ''Délivre-moi, lui ai-je répondu et je ferai ce que tu voudras.'' Un mois plus tard, Nora se voile. Enfin, si l'on admet que l'écharpe qu'elle se mit sur la tête tout en ne changeant rien à sa manière de s'habiller est un hijab. Aux yeux de ses belles-sœurs, ce n'est pas le cas. « Elles me disent que mon hijab n'est pas normal. Elles voudraient que je me mette en tchador. Mais il n'est est pas question, bougonne Nora. Chacun se fait juger tout seul par Dieu. »

En fait « l'esprit » qui tarauda Nora jusqu'à la faire céder à ses exigences a une relation directe avec ces fameuses belles-sœurs. Il est même, pourrait-on affirmer, leur envoyé très spécial. « Dans ma famille, explique Nora, aucune fille ne porte de hijab. » Coquette, elle précise : « parce que ça vieillit, contrairement à ma belle-famille où elles sont toutes en tchador. Les sœurs de mon mari insistaient depuis longtemps auprès de lui pour qu'il me fasse porter le voile mais lui refusait de m'y contraindre. Il voulait d'abord que j'en sois convaincue. »

Et maintenant, l'est-elle davantage ? Oui, affirme-t-elle.

Sauf qu'elle ne lit jamais le Coran, n'assiste à aucun cours religieux et ne va pas à la mosquée, même durant le mois de ramadan. Et elle n'a jamais renoncé à se maquiller.

Par un heureux concours de circonstances, l'une des belles-sœurs citées fait son entrée au moment où nous nous apprêtons à prendre congé. *Néquab*, gants et chaussettes noires, c'est la parfaite *mounaqquaba*. Que Nora en soit arrivée à faire de pareils cauchemars n'a rien d'étonnant. J'en aurais eu en plein jour si j'avais dû côtoyer jour après jour un tel épouvantail à oiseaux. Qu'on me pardonne mon impardonnable ostracisme mais j'ai toujours un mal fou à imaginer que derrière ces momies vivantes se cache un être de chair et de sang. Et une femme de surcroît !

Son niquab ôté, la « momie » reprend heureusement allure humaine. Un regard intelligent dans un visage harmonieux, la belle-sœur n'a guère plus de vingt-cinq ans. A la différence de Nora, dont l'instruction n'a pas dépassé le stade de l'enseignement secondaire, Chahine a poursuivi ses études à l'université jusqu'à l'obtention de sa licence. En psychologie. Ambitieuse, elle escompte bien décrocher son doctorat. Mais pas immédiatement. Avec un enfant en bas âge, elle préfère se consacrer entièrement à lui pendant ses premières années. Son mari, qu'elle dit avoir épousé pour sa piété, est plombier.

C'est en entrant à l'université que Chahine succombe aux charmes de l'islamisme. A la fin de la première année de faculté, elle met le hijab. Puis progressivement arrive au niquab.

« Mais pourquoi cette tenue, pourquoi cet extrémisme ?

L'islam ne peut pas avoir voulu un tel comportement », ne puis-je m'empêcher de m'exclamer, ne parvenant jamais à me faire à l'idée qu'une femme cultivée puisse renier à ce point son individualité.

« Avoir choisi cette voie, me dit-elle, n'est pas une preuve d'extrémisme car on ne peut parler d'extrémisme quand il y a conviction. Or c'est par conviction que je me suis engagée dans la voie de l'islam. La définition de la tenue islamique varie selon les *mouqualidines*. Selon l'imam Khomeiny, il n'est pas obligatoire de se couvrir le visage et les mains. Il estime que c'est seulement recommandable. Par contre le grand-ayatollah Khovÿ (Iranien vivant en Irak et personnage le plus haut placé dans la hiérarchie chiite) considère que c'est obligatoire. Vous savez, quand quelqu'un passe un examen, il peut avoir sept comme dix, comme quatorze sur vingt.

— Et vous, d'après ce que je crois comprendre de vos paroles, vous souhaiteriez obtenir vingt sur vingt.

— En effet, reconnaît-elle en riant, c'est mon ambition. L'accès au Paradis se fait lui aussi en fonction de ces degrés-là. »

On l'aura compris, Chahine entend réussir son entrée au Paradis avec la mention très bien. Au fond, c'est vrai, pourquoi le système des grandes écoles ne fonctionnerait-il pas là-haut également ? La vie tout entière deviendrait une préparation au Grand Concours. « En répandant la parole de Dieu chaque fois que l'occasion s'en présente », Chahine s'applique à le réussir. Et apaise dans un même temps sa souffrance existentielle.

« Le déchirement psychique *(irtirab nafssi)* représente l'une des maladies les plus répandues de ce siècle. Dans les pays occidentaux, les gens ne se contentent plus d'avoir un médecin pour soigner leur corps ; il leur en faut un aussi pour s'occuper de leur esprit parce que la vie chez eux n'a plus de sens. Or l'être humain ne peut pas vivre sans donner un sens à sa vie. La personne qui suit la voie de Dieu voit son âme apaisée, rassérénée (*moutmaïna*). Auparavant, j'étais toujours animée par un sentiment de peur. Plus jamais à présent. »

Myriam, l'indomptable

Sous la chaleur qui fait trembloter l'air, la nature somnole, paisible et faussement silencieuse. La voiture quitte la route goudronnée pour s'engager dans un chemin de terre. « Regarde, la mosquée est là, à deux pas de la maison, me signale Jamale en désignant le modeste minaret qui pointe sa tête vers le ciel au milieu des champs. Comme les gens du Hezbollah en ont investi les dépendances, leur passe-temps favori consiste à épier nos faits et gestes. » Dédaignant les clôtures, la demeure familiale s'offre en effet au regard moins de cinquante mètres plus loin. La porte d'entrée est grande ouverte. Sur la terrasse, ombragée par une vigne luxuriante, un homme tire avec volupté sur sa pipe. Dans leur chasse aux vers de terre, quelques poules à l'esprit aventureux s'enhardissent jusqu'à courir sous sa chaise.

La guerre ? Vous avez parlé de guerre ?

Revigorées par une bonne douche froide qui nous débarrasse de la poussière et de la fatigue du voyage et après avoir fait honneur aux douceurs de la mère de Jamale, conté à ses sœurs les dernières nouvelles de la ville et recueilli celles de Charkiyé, nous repartons en vadrouille. Première étape : Myriam, la cousine germaine du côté paternel. Ensuite viendront celles du côté maternel, le hijab ayant ses entrées de part et d'autre de la famille.

Pour se rendre chez Myriam, point besoin de véhicule ; il suffit de couper à travers champs quitte à se faire au passage mordiller les jambes par les tiges blondes et sèches du blé prêt à être moissonné.

Myriam est en train d'allaiter son petit dernier quand nous surgissons devant elle, à l'improviste, comme d'habitude. Quelles que soient leurs aberrations et leurs faiblesses, nos sociétés ont cela de fondamental que le sens du rapport à l'autre ne s'y est pas flétri. « *Ala salama, ala salama !* », s'exclame-t-elle, en signe de bienvenue, à notre vue, exubérante et chaleureuse comme savent si bien l'être les Libanaises. Présent à ses côtés, son mari qui s'acharne sur les entrailles d'un malheureux poste de radio en fait de même.

Quand nous leur expliquons l'objet de notre visite, à savoir connaître les raisons qui ont poussé Myriam à se voiler, ils partent tous deux d'un bon rire franc.

« Depuis toujours, je souhaite qu'elle le porte. Mais, comme Madame n'en fait jamais qu'à sa tête, elle refusait d'en entendre parler. Elle a attendu que je parte en voyage pour, un beau jour, s'y décider. »

Frondeuse, Myriam lui coupe aussitôt la parole : « Lui, vous savez, ce n'est pas à cause du Bon Dieu qu'il voulait que je me voile mais simplement parce que son rêve est que personne à part lui ne puisse me voir. J'ai mis le hijab quand, moi, j'ai jugé bon de le mettre. Pas parce que lui ou quiconque me l'a imposé. »

Très tôt, Myriam se rebiffe contre l'autoritarisme, de sa mère en particulier, et l'exprime à travers une tendance prononcée pour la contradiction. « A neuf ans, j'adorais prier avec ma mère, pour l'imiter. Mais quand, à ma puberté, elle a voulu que je prie sérieusement, alors là, je n'en ai plus eu envie ; j'ai fait semblant. Pour le hijab, ça a été la même chose. Ma mère a toujours mis l'écharpe traditionnelle. Moi, je m'habillais ''normalement'' en pantalon, jupe ou robe. Quand la vague du hijab est apparue dans les années 76-77, elle a décrété que je devais le porter. J'ai dit : il n'en est pas question. Pour m'y contraindre, elle m'emmena chez le cheikh. C'était l'un des premiers du Hezbollah dans le village. Je me rappelle, ce jour-là, j'étais en jeans et en tee-shirt. ''Va te couvrir avant d'entrer chez le cheikh'', grondèrent ses assistants. J'ai fait la sourde oreille. Ni ma mère ni eux ne me faisaient peur. En entendant du brouhaha devant sa porte, le cheikh est sorti pour s'enquérir de ce qui se passait. « Elle veut m'obliger à me voiler, me suis-je plainte en lui désignant ma mère. Je prie, je jeûne, je ne fais rien de mal mais je ne veux pas de hijab. » C'était un homme intelligent ; il ordonna à ma mère de me laisser en paix.

A dix-huit ans, je me suis mariée. J'ai eu mon fils. Quelques années plus tard, Israël occupa la région. Des conférences ont commencé à être organisées. Ma mère, toujours elle, me poussa à aller les écouter. Pour une fois, je lui ai obéi et pendant dix jours d'affilée, je m'y suis rendue. Le cheikh nous parlait de ce que Dieu avait dit dans le Coran, des souffrances de l'enfer, du hijab... Ses paroles pénétrèrent peu à peu mon esprit. Mon mari s'était absenté pour une longue période. Quand il est revenu de son voyage, j'étais en hijab. Ça l'a beaucoup amusé. Il faut vous dire que jusque-là nous passions beaucoup de temps à nous chamailler sur certaines de mes tenues parce qu'il les jugeait indécentes.

— Nous, les Orientaux, intervient le mari, nous avons beau voyager, vivre à l'étranger, nous restons attachés à nos traditions et nous tenons à ce que nos femmes les respectent. »

Ces traditions, l'un comme l'autre s'y sont soumis tout d'abord en se prenant pour époux ; elle avait quatorze ans, lui vingt et un ans (au moment de leurs fiançailles) et ils étaient cousins germains. Il fréquentait, dit-il, « une fille de Beyrouth » mais quand il s'est agi de choses sérieuses, il est venu au village pour discuter, pas avec elle, non, « j'étais trop jeune, je n'aurais pas su quoi lui répondre », avec son père — son oncle à lui. Elle précise, soucieuse de sauvegarder son image de femme à qui on n'impose rien : « Il était mon aîné, il me donnait des cours, j'aurai pu refuser si je l'avais voulu. » Façon de reconnaître que le cousin ne lui déplaisait pas trop... Mais aujourd'hui, Myriam se rebiffe contre les mariages précoces.

« *Haram* (c'est péché) de marier une fille trop jeune. Oui, la mienne, je ne la marierai pas avant vingt ans. »

Quant au mariage *moutaa*, ils ont beau être chiites tous les deux, ils ne veulent pas en entendre parler. « Accepter qu'un homme vienne me dire : ''Je veux jouir de ta fille'' jamais ! s'exclame le mari. S'il la veut, qu'il l'épouse pour de bon ! L'imam Ali a permis le mariage *moutaa* en période de guerre. Or nous ne sommes pas en période de guerre. *(sic)* Personne ici ne tolère que sa fille fasse un mariage *moutaa*...

— Les gens du Hezbollah en défendent pourtant le principe.

— Eux le pratiquent, mais pas nous. Et quand ce mariage est pratiqué, c'est toujours en cachette. Résultat : lorsqu'un jeune fait un mariage *moutaa* avec une fille et que celle-ci tombe enceinte, il refuse de reconnaître l'enfant.

— Dans un cas pareil, qu'advient-il de la fille ?

— Un enfant n'est reconnu légalement qu'à partir du moment où le mariage est enregistré. Or le mariage *moutaa* se conclut entre l'homme et la femme en dehors de toute forme de publicité. Si une fille tombe enceinte, après un mariage *moutaa,* elle n'a aucun moyen de prouver que cet homme est son mari, et donc le père de son enfant. Dans un premier temps, les parents peuvent essayer d'amener l'homme à admettre qu'il s'est bien uni à elle légalement. S'ils n'y parviennent pas, il y a le risque de voir la fille tuée par l'un des hommes de la famille pour effacer le déshonneur. Le crime est maquillé en accident. Si les autorités n'avalisent pas la thèse de l'accident, le meurtrier est arrêté ; mais comme il s'agit d'un crime d'honneur, il y a de grandes chances pour qu'il soit libéré six ou douze mois plus tard. »

Six ou douze mois de prison, voilà ce que coûte la vie d'une femme que l'on assassine au nom de ce que l'on appelle l'honneur. Le crime d'honneur, cette notion que l'on croyait abolie des législations modernes depuis des lustres continue à être admise par le droit pénal libanais. Admise de tout temps. Admise alors que le Liban d'avant la guerre était cité comme le pays le plus « moderne » et le plus « démocratique » de la région.

Le refuge des villages

L'horizon s'est teinté d'or pâle quand nous prenons congé de Myriam et de son mari. Jamale, tenant avec le plus grand scrupule son engagement, m'entraîne vers la demeure d'une autre de ses parentes. Une sœur de sa mère. « La famille est si grande, dit-elle, que tous les styles de vie s'y rencontrent. Si les parents continuent à fonctionner sur un même registre, il n'en va pas de même pour les plus jeunes. Le contexte politique et social dans lequel nous vivons a conduit chacun de nous à s'engager dans une voie qui n'est pas nécessairement celle de l'autre. Mais cela ne nous empêche pas de continuer à entretenir des rapports très étroits les uns avec les autres. »

L'occasion d'en juger sur pièces m'est offerte aussitôt arrivées à destination. Dans le salon inondé par la lumière flamboyante du coucher de soleil, c'est le défilé des tantes, des sœurs et des cousines. L'une vient, l'autre repart, on fait le point sur les menues petites choses de la semaine dans une ambiance strictement féminine. Pendant que les mères discutent dans la grande salle, les plus jeunes se sont réfugiées dans une chambre à coucher pour échanger leurs confidences loin des oreilles indiscrètes. « Viens, me propose Jamale, allons les rejoindre. Elles appartiennent à cette génération des vingt - vingt-cinq ans qui, après 1982, était si désorientée qu'elle s'est jetée en bloc dans les bras du Hezbollah. »

Leurs voiles éparpillés aux quatre coins de la pièce, les « petites » cousines, qui sont au nombre de quatre, papotent, les unes affalées sur le grand lit, les autres assises sur son rebord. Deux d'entre elles vivent au village pendant toute l'année, les autres, installées dans la capitale, y viennent seulement en vacances pour revoir la famille. Toutes les quatre sont mouhajjabate mais à des degrés de conviction variables. En témoigne leur manière respective de s'habiller. Une vingtaine d'années, le regard ravivé par un trait de khôl et une touche de rouge sur les lèvres, Samia par exemple, déroge complètement aux règles de la « tenue islamique » en enserrant sa taille d'une ceinture alors que son corps doit théoriquement disparaître sous l'ampleur du vêtement. Quand je lui demande pourquoi elle porte un hijab, elle me répond par une boutade : « Pour ne pas montrer mes cheveux. » Éclat de rire général. L'hilarité passée, on m'informe qu'en fait Samia se voile plus pour complaire à son mari que par réelle conviction. « Dans un premier temps, m'avoue toutefois l'intéressée, j'ai mis le hijab pour faire comme elles (ses cousines). Nous venions de la même région et nous avions pris conscience qu'il n'y avait pas d'Islam à Beyrouth. Mais je n'ai pas tenu longtemps, parce que je n'étais pas profondément convaincue de sa nécessité ; je l'ai enlevé au bout d'un certain temps, d'autant plus facilement que mes parents ne m'y encourageaient pas. Ma mère m'a conseillé d'attendre de me marier. "Si ton mari tient à ce que tu le portes, m'a-t-elle dit, tu le remettras." C'est ce qui s'est passé. »

Si Samia, revenue au village pour épouser son cousin, masque son hésitation par une apparente soumission — accommodée à sa manière — à la volonté maritale, il n'en est pas de même pour Fayrouz. On me la présente comme celle qui, la première de tout le village, s'est voilée.

« C'était en 1975. J'avais onze ans. Des cheikhs, venus d'Irak, se sont installés au village. Ils nous donnaient des cours et ils nous parlaient de la vie et de l'au-delà. J'ai mis le hijab. Mes parents s'y sont violemment opposés. Ils me frappaient pour que je l'enlève mais cela n'y faisait rien. Aujourd'hui encore, si mon mari me demande la même chose, je répondrai non, à nouveau. Plutôt le divorce. »

« Moi, raconte la dernière, Fatima, je ne ratais aucune "party". J'adorais aller danser et j'avais un tas de copains. Et puis il y a eu l'occupation israélienne. Les conférences religieuses se sont multipliées. La crainte de la mort, de la souffrance, de l'au-delà s'est faite très forte chez les gens. J'ai moi aussi été gagnée par cette angoisse-là. J'avais le sentiment que je pouvais mourir à tout moment. J'écoutais des cassettes religieuses. J'ai mis le hijab et je n'ai plus eu du tout peur de la mort malgré les bombes et les balles. A Beyrouth, ils agressent beaucoup les filles. Tu marches en ayant peur tout le temps. Avec le hijab, ma peur s'est envolée. Du coup, je me suis sentie plus libre. »

A la différence de ses cousines, Fatima ne se contente pas de parfaire sa pratique religieuse en revêtant le hijab, elle adhère au Hezbollah. « J'espérais, dit-elle, mourir pour ma nation. Mourir en martyre pour que Dieu me pardonne tous mes péchés. » Son témoignage confirme l'existence d'une certaine pratique de la mixité au sein du Hezbollah. « Ici, durant l'occupation israélienne, garçons et filles travaillaient ensemble. Il en allait de même à Beyrouth. Quand nous faisions des suivis sociaux, les garçons nous accompagnaient. Chaque groupe a un responsable à sa tête. Selon la nature du travail, la responsabilité est féminine ou masculine. Les responsables se réunissent entre eux et leurs réunions sont mixtes. Je ne sentais pas de différence avec l'homme dans l'exercice du travail quotidien. La seule différence est que nous, les femmes, n'étions pas envoyées au front. Tout dépend en fait de la personnalité de la fille et de sa capacité à s'imposer. »

Mais le Hezbollah finit par décevoir Fatima, qui ne prise guère la logique partisane d'une manière générale. Par curiosité, elle adhère un certain temps à Amal, juste, explique-t-elle, pour connaître ses positions et comprendre pourquoi nous nous entretuons alors que nous sommes tous censés poursuivre les mêmes objectifs. « Je me suis aperçue que l'un comme l'autre ne recherchaient que leur propre intérêt. Ils se fichent de nous diviser, nous les chiites. Tout ce qui les intéresse, c'est leur suprématie. »

La nuit a étendu ses ombres sur Charkiyé. Sous le ciel étoilé, le concert des grillons bat son plein. La radio laisse tomber la nouvelle : l'imam Khomeiny est à l'agonie.

Il est temps de rentrer.

La Turquie

Ma mémoire joue à la capricieuse. De mon arrivée à Istamboul, elle s'obstine à ne me renvoyer qu'une image : celle d'un sourire un peu béat, un peu coincé qui ne sait trop ni pourquoi ni comment maintenir son inflexion. Dans le taxi qui nous conduit de l'aéroport au centre ville, nous sommes quatre passagers de nationalités différentes : un Turc, une Grecque, un Bulgare et une Marocaine. D'entrée de jeu, j'expérimente le langage des signes à défaut de celui des mots. Mon valeureux sourire s'applique à assumer la charge de l'unique communication possible. Il ignore encore que, tout le long de ce séjour, il ne connaîtra pas de répit. Excédé d'être en permanence sollicité, il lui arrive alors fréquemment de me fausser compagnie en me laissant à sa place le regard en suspens et le masque de Pierrot pour toute expression.

Sur Istanbul flotte une brume bleutée qui en voile finement les courbures et en accentue la séduction. Je la savais belle ; je ne me doutais pas qu'elle serait fascinante. Et que je succomberais à son charme dès le premier instant. Quand la révolution kémaliste triompha en 1923, cette bien-aimée des califes ottomans perdit son rang de capitale au profit d'Ankara. Mais aussi intense que fût le désir d'Ataturk [1] de précipiter dans l'oubli le souvenir même de l'ancien régime, il ne pouvait rien contre un passé dont la magnificence se lit, aujourd'hui encore, sur chaque mur, sur chaque arcade de la ville. Avec ses palais et ses mosquées, ses tombeaux et ses bibliothèques, ses medersas (écoles) et ses fontaines, Istanbul est repue d'art et d'histoire. Alors que ses mille minarets s'étirent vers le ciel, rêveuse, elle contemple du haut de sa colline le Bosphore dont les eaux lui caressent les pieds.

Après m'être assuré un toit pour la nuit, je m'élance sans plus attendre à travers des ruelles folles, entremêlées les unes aux autres comme les épis d'une chevelure en broussaille. Aimantée par l'odeur d'iode qui emplit l'air, je dirige mes pas vers le port en prenant bien soin au passage de noter les points de repère qui me permettront de retrouver mon chemin au retour. Ne connaissant pas un traître mot de turc, et les Turcs n'ayant qu'un goût limité pour les langues étangères, j'ai tout intérêt à ne pas me perdre ! Heureusement, mon sens de l'orientation demeure entier malgré l'état d'analphabétisme profond dans lequel je me trouve soudain projetée, incapable que je suis de déchiffrer le moindre panneau indicateur. J'atteins sans difficulté le pont de Galata qui relie la rive occidentale à la rive asiatique, Istamboul pratiquant avec art le grand écart entre continents. Cette très chère dame en effet ne se contente pas d'une identité. Elle se veut duelle, la tête à l'ouest et le cœur à l'est. Bâtie de part et d'autre de la baie de la Corne d'Or, elle se compose de deux parties dont chacune possède sa propre personnalité ; avec ses constructions neuves et ses élégantes vitrines à l'européenne, elle présente le fier visage de la modernité tandis que, dans les veines de sa sœur asiatique, populeuse et colorée, bat le pouls indiscipliné de l'Orient. Mais il est des constantes qui n'ont cure de l'habit. Attachés à mes pas, des regards lourds me suivent dans ma progression, nonobstant mon passage d'une partie à l'autre. Dieu, tous les hommes (avec un petit h) de la terre se seraient-ils donné rendez-vous en cet endroit précis ? Qu'ont-ils fait des femmes ? Où sont-elles ? Ma nuque me brûle. J'avance en tentant de me tenir de savants discours psycho-socio-analytiques mais j'ai beau faire, l'insupportable sensation de n'être plus qu'une proie ne me lâche guère. Dévoiler les femmes en Turquie fut une bien louable entreprise mais il eût fallu pour les libérer réellement voiler en contrepartie le regard des hommes ! Bien qu'ayant toujours évolué dans une société musulmane où l'islam est religion d'État, jamais je n'ai eu à subir une telle agression visuelle. Atteint jusqu'au plus profond de lui-même, mon être tout entier se rebiffe sous l'insulte ; privée de parole, sa colère cependant ne peut s'exhaler et gronde en silence comme une eau tumultueuse prisonnière de la digue. Échapper à l'incandescence de ces prunelles sombres, voilà mon unique préoccupation, et je m'engouffre dans l'un des nombreux petits restaurants flottants installés sur le niveau inférieur du pont. Bien que ce soient de véritables attrape-touristes où le poisson bleu du Bosphore est vendu trois fois son prix du marché, ma fureur cède rapidement la place à l'amusement devant le dialogue de sourds comique qui s'instaure entre le serveur et moi : « Morroco ? Ah Monaco ! » Pour la énième fois, malgré mes vives dénégations, mon interlocuteur s'obstine à confondre les deux pays. Caroline et Stéphanie de Monaco à n'en pas douter, sont ses idoles. En désespoir de cause, je lui cite le nom des villes les plus connues au Maroc. « Casablanca… Marrakech… Fès. » Une lueur de compréhension s'allume enfin dans son regard. « Fès ! Muslim ? »

J'acquiesce sans hésiter, toute fière pour une fois d'afficher une identité à laquelle j'ai habituellement beaucoup de mal à me référer. Prise entre la volonté de marquer mes distances par rapport à la foi et celle de ne renier en rien une civilisation dans laquelle ma culture puise ses racines, je ne parviens jamais à formuler une réponse claire à cette question. Mais là, face à ce serveur turc dont le sourire s'est soudain démesurément élargi, je me renvendique musulmane avec une aisance stupéfiante. D'une part, sans doute, pour quitter au regard de l'Autre mes oripeaux d'étrangère, l'espace d'un instant, mais aussi pour manifester de façon personnelle et silencieuse mon rejet de l'autoritarisme, fût-il exercé au nom d'une cause à laquelle j'adhère. La Turquie est devenue laïque par la volonté d'un homme. Mais contre le gré d'un peuple. Et cela, je ne peux y souscrire.

Sans plus d'innovation que de coutume, le même scénario se met en place. Dans un premier temps, feuilleter le carnet d'adresses. Grimace. A la rubrique Turquie, sa pauvreté réussit la gageure de battre les records précédents. Comme trois malheureux pois chiches surnageant dans une soupe de bagnard, quelques noms se perdent dans la blancheur narquoise de la page. Dans les autres pays, la présence sur place d'un ou d'une ami(e) était venue compenser l'insuffisance de contacts. L'inverse avait fonctionné également. Mais, dans le cas présent, je me trouve plus que jamais livrée à moi-même ; pas d'amis, presque pas de coordonnées de personnes à contacter, ignorance complète de la langue et du pays... que c'est bon, l'aventure ! Mais, soyons franche, cette aventure-là est une aventure soigneusement emballée sous cellophane et accompagnée de son mode d'emploi. Située aux portes de l'Europe à qui elle n'en finit plus de sussurer de vibrants mots d'amour, la Turquie est aujourd'hui largement ouverte aux médias. Après quelques épisodes de dictature militaire qui en ont momentanément terni l'image, son désir de s'agréger à la C.E.E. la contraint à se rappeler régulièrement au bon souvenir des Douze dans l'espoir de les guérir de la surdité chronique qui les frappe chaque fois qu'il s'agit d'examiner sa demande d'adhésion. Par contre, leur intérêt pour le pays s'éveille comme par enchantement dès que les valeurs occidentales défendues par les autorités et l'intelligentsia sont prises à partie par un courant socio-politique différent. Quand ce dernier parle d'identité musulmane et de retour à l'Islam en particulier. Par les temps qui courent, ce type de discours a pour effet d'enclencher sur-le-champ les sonnettes d'alarme. Il est appréhendé avec d'autant plus de suspicion qu'il est tenu dans un pays comme la Turquie dont la situation géographique est éminemment stratégique et dont l'un des voisins n'est autre que l'Iran.

Avant d'arriver sur place, j'avais appris par le biais de la presse française que les universités turques connaissaient des turbulences en raison de ce que les médias ont surnommé « la guerre des voiles » et dont les actrices sont des étudiantes islamistes revendiquant le droit de se couvrir la tête. Trois mois plus tôt en effet (en mars 1989), la Cour constitutionnelle turque avait déclaré illégal le port du hijab à l'intérieur de l'université, estimant qu'il contrevenait aux principes de l'État. A l'annonce de cette décision, manifestations et contre-manifestations se sont succédé. Alors que les milieux islamistes dénonçaient cette interdiction en la déclarant « contraire aux droits de l'homme », les milieux laïques applaudissaient, pour leur part, une décision qui marquait à nouveau le triomphe de la laïcité. Pour fonder la « Turquie moderne » qui lui tenait à cœur, Mustapha Kemal s'en était même pris à l'époque aux habitudes vestimentaires de ses concitoyens obligeant ainsi les hommes à porter le chapeau à la place du fez et les femmes à ôter leur voile. Il lui fallait coûte que coûte extirper toute trace d'obscurantisme religieux ; or, à ses yeux, fez et voile en constituaient des symboles. Qu'aurait-il dit aujourd'hui s'il avait vu cet autre symbole qu'est l'université, lieu par excellence du savoir moderne, investie par de jeunes étudiantes arborant le couvre-chef qu'il avait interdit à leurs aïeules ? Ses disciples le ressentent comme une intolérable et inadmissible provocation. Nilufer Gole, une sociologue turque, s'est intéressée de très près à ces jeunes filles dont le comportement et les aspirations désorientent tous ceux pour lesquels révolution kémaliste rime avec libération des femmes turques. On peut à la rigueur comprendre les motivations des hommes islamistes qui n'ont personnellement rien à perdre à un changement de système juridique. Mais les femmes ! La laïcité a représenté pour elles l'abolition de la polygamie et de la répudiation, l'égalité dans le divorce et dans l'héritage, bref tout ce que leurs sœurs (non-islamistes) dans les pays musulmans rêveraient de voir un jour supprimé de leur code du statut personnel.

Selon Nilufer Gole, le renouveau de l'Islam influence surtout les filles de la génération des années 60. Elles ont commencé à se couvrir la tête et le corps, dit-elle, dès le secondaire, pendant leur puberté. De manière générale, elles sont issues de milieu d'origine modeste et proviennent des petites villes d'Anatolie. Elevées dans des familles traditionnellement religieuses, elles se distinguent de leur entourage par une connaissance plus approfondie de l'Islam. Leur radicalisme les amène parfois à entrer en conflit avec leurs proches. Elles font partie, écrit Nilufer, de « l'islamisme radical », au sens défini par Bruno Étienne[2], qui est de « proposer une alternative à la civilisation occidentale par un retour aux sources islamiques ». Tenu pour un ordre divin, le voile devient également symbole du rejet du modèle culturel occidental et affirmation de leur identité islamique.

Parmi les rares numéros de téléphone en ma possession se trouve celui de Nilufer Gole qui m'a été communiqué depuis Paris par l'un de ses amis, chercheur au C.N.R.S. « Contacte-la dès ton arrivée, me conseilla-t-il. Elle te sera certainement d'une grande utilité. De plus, elle est parfaitement francophone. » Mon premier appel est donc pour elle. Du rendez-vous qu'elle me fixe j'attends beaucoup. J'espère qu'elle va m'aider à entrer en contact avec une ou deux étudiantes voilées. Mais, pour une raison que j'ignore, le courant entre nous deux ne passe pas. Nilufer m'affirme ne pas avoir conservé de relations avec ces jeunes filles-là. Devant mon insistance, elle accepte de me communiquer les coordonnées d'un journaliste, Ruscen Cakir, qui écrit souvent des articles sur les islamistes, et de deux féministes, Stella et Chérine. C'est déjà un point d'eau dans mon désert mais je n'en repars pas moins horriblement déçue. Et passablement déprimée. En fait, plus que des informations, j'espérais une communication, un dialogue, un échange, quelque chose qui rompe l'insupportable sentiment de solitude intellectuelle qui m'étreint. De solitude tout court.

Marxiste hier, islamiste aujourd'hui, anticapitaliste toujours !

Honte sur moi, même les formules de politesse les plus élémentaires comme « Bonjour », « Merci » ou « S'il vous plaît » me sont inconnues ici. Pénétrant dans le local qui correspond à l'adresse indiquée, je frappe à la première porte que j'aperçois. Elle s'entrouvre sur une pièce étroite dévorée par un bureau qui en occupe tout l'espace. Deux jeunes hommes sont là, perdus au milieu d'un amoncellement d'ouvrages. « Lutfullah Bender ? » L'un des deux, le plus frêle, se lève et vient à ma rencontre en me tendant la main. Son regard clair me sourit, tandis que d'une voix trébuchant légèrement sur les mots, il me souhaite la bienvenue en arabe classique. M'indiquant l'escalier étroit en colimaçon enfoui au fond du corridor, il m'invite à le suivre.

Dix jours se sont écoulés depuis mon arrivée à Istanbul. Dix jours à patauger dans l'attente du bon rendez-vous, de celui qui fera s'embrayer la machine. Dix jours à ronger mon frein en faisant des orgies de yoghurt. Dans un geste de superstition enfantine, je croise les doigts au fond de ma poche en priant très fort pour que le bout du fil daigne enfin aujourd'hui se laisser saisir. « Ali Bucaq est prévenu de votre visite. Je vais vous le présenter tout de suite » me dit Lutfullah pendant que nous montons les marches menant au premier étage. Acquiesçant d'un signe de la tête, je n'ose lui avouer que j'ignore qui est Ali Bucaq. Ni même quelle est l'exacte nature du lieu où nous nous trouvons. En fait, mon information se limite à un bref coup de fil, reçu la veille, de Rushen Cakir contacté quelques jours auparavant. Il m'apprenait qu'il m'avait trouvé quelqu'un — un islamiste — connaissant des étudiantes voilées ; Lutfullah avec lequel rendez-vous m'avait été pris pour ce matin. Comme il était particulièrement pressé, il ne me donna pas plus de précision. Juste une. Importante. Cette personne parlait l'arabe.

Au lieu de me tendre la main pour me saluer comme l'avait fait Lutfullah quelques minutes auparavant, Ali Bucaq, en bon islamiste, ramène la sienne sur sa poitrine en accompagnant son geste d'une légère inclinaison de la tête. Hum... serais-je en face d'un vrai « pur et dur » ? Agé d'une quarantaine d'années, il semble avare de paroles, mais cette réserve ne se ressent pas comme un refus du dialogue. « Vous pouvez lui poser les questions que vous désirez. Il est prêt à y répondre. Je vais vous servir d'interprète », me dit Lutfullah. Interviewer quelqu'un dont on ne sait rien alors qu'on est censé en savoir tout — à la manière dont il m'est présenté, je comprends que Ali Bucaq est connu sur la place publique — est un exercice de haute-voltige. La nécessité s'impose de recourir tout d'abord à des questions d'ordre général afin de circonscrire la personnalité de l'interlocuteur avant d'être à même de lui poser celles qui se rapportent vraiment à lui. Dans le cas présent, procéder de la sorte ne me dérange pas. Ayant enfin l'occasion d'approcher un représentant de la mouvance islamiste turque, je suis surtout curieuse de découvrir sa logique, sa perception des choses, sa manière d'analyser les faits. Je demande donc à Ali Bucaq de me parler de « l'affaire du turban »[3]. Au lieu de se limiter à traiter la question sur le plan idéologique, celui-ci entreprend de me brosser un rapide historique des facteurs politiques et sociaux qui ont donné naissance en Turquie à une nouvelle approche de l'islam, la revendication du port du « turban » par les étudiantes en étant l'une des manifestations sociales les plus médiatisées.

« Depuis 1923, commence-t-il, la politique poursuivie en Turquie vise à l'occidentalisation de la population et à l'intégration du pays à l'Europe. L'une des stratégies mises en place pour parvenir à cet objectif a été de favoriser l'exode rural. On pensait que les gens s'occidentaliseraient plus facilement en devenant citadins. Le même raisonnement a été tenu en ce qui concerne l'émigration. Dans les années 60, l'Europe avait un grand besoin de main-d'œuvre. Bien qu'à l'époque le taux de chômage ne dépassât pas 2 %, les autorités poussèrent les travailleurs à émigrer, convaincus qu'à leur retour, ils auraient assimilé les fondements de la culture européenne. Or les conséquences de cette émigration furent à l'opposé de celles escomptées : les travailleurs immigrés turcs sont revenus en rejetant tout ce qui a trait à l'Occident mais en revendiquant par contre haut et fort leur identité musulmane. On compte près de mille mosquées en Allemagne. Les femmes parties sans hijab sont revenues en le portant. D'un autre côté, l'exode rural a été tel que 60 % de la population vit maintenant en ville au lieu de 35 %, il y a trente ans, et 40 % à la campagne, au lieu de 60 %. Mais 70 % de nouveaux citadins s'entassent dans des bidonvilles à la périphérie des cités. Le taux de chomâge atteint 15 %, ce qui est énorme. Réduits à des conditions de vie déplorables, ces gens ont commencé à se poser toute une série de questions : qui sommes-nous, que sommes-nous venus faire ici, que devons-nous faire et qui devons-nous croire ? En Turquie, l'idéologie dominante est celle de la classe des capitalistes. Ceux-ci détiennent 80 % des revenus du pays alors qu'ils ne représentent que 20 % de la population. Les travailleurs s'opposent par conséquent à ce pouvoir de droite qui ne fait rien pour eux. Mais se tournent-ils pour autant vers la gauche ? Non. Depuis dix ans, les mouvements progressistes ont perdu la confiance des gens. De plus, la gauche recrute principalement ses adeptes parmi les intellectuels et ce, depuis le début, le niveau d'éducation et de conscience politique ne permettant pas à la population de saisir pleinement la signification des concepts de socialisme ou de communisme. Or les intellectuels n'ont jamais su communiquer avec le peuple. Alors que la droite savait comment s'adresser à lui, il y avait toujours un fossé entre lui et la gauche. La remise en question actuelle du socialisme dans les pays de l'Est achève de desservir la cause socialiste. Devant une pareille absence d'alternative que reste-t-il à cette population ? Rien, sinon l'islam dont elle ne s'est jamais détachée. »

Les coudes solidement arrimés à son bureau, Ali Bucaq parle posément, tourné vers Lutfullah qui traduit au fur et à mesure. Parfois les mots manquent à celui-ci. Parfois aussi, leur sens m'échappe, ma maîtrise de l'arabe classique n'étant pas des meilleures. Il n'est pas évident non plus pour mon interprète de comprendre mon dialecte. L'arabe est pour lui une langue étrangère qu'il n'a que peu l'occasion de pratiquer. Entrecoupée de fréquents éclaircissements, la discussion progresse lentement. Le vocabulaire auquel Ali Bucaq recourt pour s'exprimer retient mon attention ; capitalistes, peuple, droite, gauche... voilà des concepts bien peu théologiques.

« Cette même population, qui a émigré de la campagne à la ville, poursuit-il, a envoyé ses enfants dans les écoles et les universités. Ces enfants ont étudié les sciences occidentales. Ils ont découvert que cet Occident, présenté par l'État comme le modèle à imiter, n'avait rien d'idéal. Et que sa culture n'était pas extraordinaire au point de mériter une abdication aveugle du reste. Ils ont constaté également que les villes conçues sur le modèle occidental n'apportaient aucune stabilité à la vie de la communauté. Les gens y sont éparpillés, désunis. La prise de conscience de toutes ces réalités a conduit l'individu à effectuer un retour sur lui-même. On peut donc dire que ces gens ont découvert la religion une nouvelle fois. D'une nouvelle manière. L'augmentation du nombre des étudiantes voilées à l'université est la conséquence logique de cette évolution. »

En quelques mots, il survole ma question de départ. Manifestement, il estime avoir dit l'essentiel, les causes d'une situation lui paraissant plus importantes que la situation en elle-même. Et puis, en l'occurrence, il s'agit là de femmes... J'ai comme l'impression que c'est un sujet qui, de quelque façon, l'importune. J'insiste : « Depuis quand le port du turban à l'université soulève-t-il des polémiques en Turquie ?

— Les premières réactions datent de 1987 quand le YOK, le conseil de l'enseignement supérieur, a pris la décision de l'interdire dans les universités. Jusque-là, cette question était laissée à la libre appréciation des doyens qui tranchaient en la matière au niveau de leur établissement. La décision du YOK a soulevé de tels remous qu'un an plus tard, en décembre 1988, le parlement a voté une loi autorisant le port du turban. Ne se tenant pas pour battus, ses adversaires ont interpellé le Conseil constitutionnel. En mars dernier, celui-ci a rendu un avis déclarant la loi de 1988 anticonstitutionnelle et l'abrogeant. Le port du turban est donc à nouveau interdit dans les universités, mais les étudiantes n'ont pas renoncé à revendiquer leur droit de suivre les cours ainsi vêtues. Le 10 mars, elles étaient 4000 à manifester sur la place Beyazit. Le 11 avril, à l'incitation des autorités, les féministes et les femmes laïques de la bourgeoisie ont défilé à leur tour au nom de la défense du laïcisme. Nous avons voulu, dans le cadre d'un dossier consacré par notre revue à la femme, connaître le profil des participantes à ces deux manifestations. L'analyse d'un échantillon de chacune d'entre elles a montré que la moyenne d'âge se situait pour la première entre 20 et 35 ans et pour la seconde entre 35 et 74 ans. Quant à la catégorie sociale, les résultats obtenus confirmaient ce que nous savions déjà : bourgeoisie et haute bourgeoisie en ce qui concerne les femmes laïques, classe populaire et petite classe moyenne pour les femmes voilées. En Turquie, le mouvement islamiste se développe principalement dans la classe défavorisée.

— Quelles sont les principales revendications de ce mouvement ?

— D'abord et avant tout, la liberté d'expression. Nous avons toujours, suspendu au-dessus de nos têtes, l'article 163 [4] qui nous interdit de discuter des questions religieuses comme nous le souhaiterions.

— Le retour à la Charia fait-il partie des questions que vous souhaiteriez discuter "plus librement" ?

— A maints égards, le mouvement islamiste en Turquie diffère de celui des autres pays musulmans. La Turquie entretient beaucoup de relations avec l'Europe. Sa géographie la rend proche de l'Occident. Dans un premier temps, nous voulons aborder l'islam à un niveau essentiellement épistémologique. Aussi n'avons-nous pas, au stade actuel, de revendications politiques comme c'est le cas ailleurs. Le mouvement islamiste en Turquie se veut un mouvement culturel. Jusque dans les années 80, il était selon la conjoncture du moment influencé tantôt par l'Égypte, tantôt par le Pakistan, tantôt par l'Iran. Après 1980, il a commencé à se libérer de ces diverses influences pour tenter de définir sa propre voie.

— Et quel est son objectif à l'heure actuelle ?

— Élaborer un modèle pour lutter contre l'occidentalisation. »

J'ai encore une foule de questions à lui poser mais le temps, en raison de la nécessité permanente de traduire mes paroles et les siennes, s'est rapidement écoulé. Ali Bucaq ne peut m'en consacrer davantage. La question féminine n'a été qu'à peine effleurée lors de cet entretien. Comme les autres en vérité. Handicapée par le problème de langue, il m'était difficile de pousser vraiment la discussion sur les points essentiels. Intéressante cependant a été la réaction de mon interlocuteur quand il fut question, à un moment donné, de féminisme. Ouvrant une revue turque au hasard, il me montre des publicités jouant sur la séduction du corps féminin.

« Regardez, s'écrie-t-il, le féminisme considère la femme comme un objet de consommation. » L'argument est gros. Je réagis en lui précisant que les féministes sont les premières à dénoncer ce type de procédé. Je me doute d'ailleurs qu'il ne doit pas l'ignorer. « Le féminisme, me dit-il alors, tente d'éloigner la femme de son foyer. En Turquie, il est contre les traditions de la population. Et ceci sert encore une fois les intérêts du capitalisme. » D'un raccourci magique, nous voilà revenus à la notion de capitalisme. Celui-ci a sacrément bon dos ! *Exit* la femme. Pas la plus petite référence coranique dans ce discours construit autour d'une argumentation pour le moins surprenante chez un « islamiste ». Si je ne craignais de blasphémer, je dirais que tout au long de cet entretien l'ombre de Marx s'est fait bien plus sentir que celle du bon Dieu...

Après avoir pris congé de Ali Bucaq, Lutfullah m'invite à aller boire un café pour faire plus ample connaissance. Je le suis à travers le dédale des ruelles du quartier de la presse où est concentrée la majeure partie des sièges de journaux et de maisons d'édition. Établi sur la rive asiatique de la ville où il jouxte le grand Bazar et la Mosquée bleue, il ne désemplit pas. Partout règne une vive animation. Comprimés sur des trottoirs trop étroits, les piétons grignotent morceau de chaussée par morceau de chaussée, au grand dam des automobilistes qui protestent en vain contre cette invasion du macadam à l'heure où ils sont eux-mêmes contraints de réfréner leurs ardeurs pour éviter de fougueuses mais fâcheuses embrassades entre véhicules.

Au cours de l'entretien, j'avais fini par comprendre que Ali Bucaq était écrivain et qu'il dirigeait une revue littéraire, *Kitab Dergesi,* éditée par l'une des multiples maisons d'édition islamistes de Turquie. En effet sur 370 maisons d'édition, 120 sont spécialisées dans la littérature religieuse et vendent 25 % des titres imprimés dans le pays. Quant aux journaux diffusant la pensée fondamentaliste, ils atteignent des tirages de 250 000 exemplaires par jour. C'est dire combien celle-ci, malgré le fameux article 163 auquel mon interlocuteur avait fait référence, ne manque pas de supports de diffusion.

L'avenue Suleymanyé atteinte, Lutfullah bifurque soudain à droite et s'engage dans un passage qui donne accès à une petite cour, où serrées les unes contre les autres, des tables rondes en fer forgé et des chaises sont disposées autour d'une fontaine. Des crinières blondes et ébouriffées signalent la présence de quelques touristes reprenant leur souffle entre deux achats mais les consommateurs installés dans ce café en plein air paraissent être des étudiants pour la plupart. Comme Lutfullah. Avec sa dégaine de jeune homme sage, son visage imberbe et cette expression amusée qui danse constamment au fond de ses yeux, j'ai énormément de mal à imaginer que c'est un islamiste que j'ai là à mes côtés. Au-delà d'une certaine timidité, je ne ressens chez lui aucun malaise du fait d'être en présence d'une femme. Je l'interroge sur ce point. Oui, il considère le dialogue entre deux personnes de sexe différent comme parfaitement normal. Tout est question de comportement, de bonne compréhension des règles islamiques. La discussion est laborieuse non en raison d'une mauvaise volonté de sa part mais de la langue qui ne suit pas. Quand on bute sur les mots, le raisonnement se casse et l'idée s'enfuit. J'évoque l'Iran, l'égalité des hommes et des femmes, la liberté individuelle, il me répond méconnaissance et mauvaise interprétation de l'islam. Il admet cependant ne se reconnaître dans aucun des mouvements islamistes existant à travers le monde. Avant de prétendre transformer la société, il lui paraît impératif d'harmoniser d'abord son comportement personnel avec sa foi. Approfondir grâce à un effort de réflexion personnelle la connaissance de l'islam « paralysé par quinze siècles d'exégèse à l'appui de différents pouvoirs », telle est la voie qu'il lui semble le plus pertinent d'emprunter dans l'état actuel de la situation. « Nous devons réfléchir sur tellement de choses », confesse-t-il avec son petit sourire en coin.

Le but initial de notre rencontre étant de me mettre en contact avec des étudiantes voilées, il me promet de chercher parmi ses connaissances quelqu'un s'exprimant en arabe, en français ou en anglais pour être à même de communiquer avec moi, toute la difficulté résidant dans le fait que rares sont les étudiantes islamistes qui connaissent une langue étrangère. Rendez-vous est pris pour le lendemain. Avant de s'éloigner dans la direction opposée à la mienne, son paquet de livres sous le bras et le journal du jour à la main, Lutfullah me délivre — et je sens qu'il rit sous cape — une dernière petite information le concernant : quelques années auparavant, il militait au sein de la gauche. Tout comme Ali Bucaq.

Fatma, ou la douce intransigeance

D'un large mouvement de bras, il nous présente ses merveilles en nous invitant à venir les admirer de plus près. Nous pénétrons dans le corridor de l'immeuble mais au grand désappointement du commerçant, Lutfullah délaisse l'entrée du bazar pour me conduire vers l'escalier sombre et étroit y attenant. Au premier étage, une porte entrebâillée révèle une petite salle de restaurant. A l'étage suivant, une pancarte indique la pension. Nous montons encore quelques bonnes dizaines de marches avant que mon compagnon ne se décide à s'arrêter devant un appartement. Il sonne. Une voix féminine nous demande qui nous sommes. La réponse fournie, la porte s'entrouvre sur une jeune fille en hijab. Après avoir échangé quelques paroles en turc avec elle, Lutfullah se tourne vers moi et me dit : « Voilà Fatma. Elle se débrouille un peu en anglais. Vous devez pouvoir vous comprendre. Je vous laisse. Si vous avez à nouveau besoin de moi, vous connaissez mon numéro de téléphone. *Maa Salama*. (La paix soit avec toi !) Puis sur un dernier salut de la tête, il disparaît dans l'escalier.

« Entrez, dit alors la jeune fille en s'écartant pour me céder le passage. Mais s'il vous plaît, déchaussez-vous. » Craignant peut-être de m'offusquer par sa demande, elle ajoute comme pour s'excuser : « Nous faisons nos prières sur la moquette. » Dans la pièce du fond où elle m'introduit, l'ameublement se réduit au strict minimum : deux matelas fins en éponge alignés contre le mur à la manière orientale et une armoire-bibliothèque où sont disposés quelques ouvrages. Assises en tailleur, deux étudiantes sont là à discuter autour d'un verre de thé.

Nous en faisons autant. Fatima a l'air terriblement gentille. Malgré une maîtrise très approximative de l'anglais, elle s'arme de courage pour répondre le mieux qu'elle peut à mes questions. Venant d'Anatolie, son itinéraire correspond à l'itinéraire classique des étudiantes islamistes, tel que le décrit Nilufer Gole dans son étude.

« Ma famille est traditionnelle. Nous avons toujours prié et jeûné, mais ma mère ne portait pas le hijab. A l'école secondaire, il nous était interdit de nous couvrir la tête. C'est à ce moment-là, cependant, que j'ai commencé à lire des livres islamistes sous l'influence de mon frère aîné. Ses études à Istanbul lui ont permis de découvrir la religion sous un jour nouveau. Je voulais porter le hijab mais il me fallait dans un premier temps achever le lycée. Je l'ai mis en arrivant à l'université. Ni à l'université d'Istanbul ni à l'université du Bosphore où j'ai étudié successivement, on ne m'a obligée à l'enlever comme ce fut le cas pour d'autres étudiantes dans d'autres facultés, mais je crois que si j'avais dû faire face à une interdiction de ce genre, j'aurais quitté l'université.

— Quitte à ne pas achever votre scolarité ?

— Quitte à ne pas achever ma scolarité, me répond-elle avec la même tranquille détermination. Tout plutôt qu'ôter mon voile. »

J'insiste encore : « Pensez-vous qu'il soit plus important d'être voilée qu'instruite ?

— Rien n'est plus important qu'être soumis à Dieu. Mais cela ne signifie pas que j'aurais renoncé à l'instruction. Je me serais battue pour, à la fois, conserver mon voile et poursuivre mes études même si pour cela il m'avait fallu les interrompre pendant un an ou deux. L'ignorance n'est pas voulue par l'islam. La femme doit être instruite. Le premier commandement du Coran n'est-il pas : *Iqraa* (lis) ?

— Pour quelle raison le fait de porter le voile revêt-il autant d'importance à vos yeux ?

— Mais parce que c'est un commandement de Dieu ! D'un autre côté, suivre les règles islamiques est pour moi une question d'identité. Une manière de dire à l'intelligentsia qu'elle aura beau faire, on ne change pas les gens contre leur gré. Par notre voile, nous réaffirmons notre identité musulmane même si, dans la rue, on nous considère à cause de cela comme des ignorantes, des paysannes, des personnes inférieures. Mais cela ne signifie pas que seules sont musulmanes celles qui le portent. Il y a beaucoup de croyantes sincères parmi les dévoilées. C'est une question de choix personnel.

— En Turquie avec la loi laïque, vous bénéficiez des mêmes droits que l'homme dans bon nombre de domaines. Seriez-vous prête à y renoncer pour revenir à la Charia ? »

Hésitant un instant, Fatma contourne la question en me rétorquant que cette égalité existe certes au niveau des textes juridiques mais qu'il n'en est pas de même dans la vie quotidienne. Puis, devançant ce qu'elle pressent être ma prochaine question, elle déclare : « Nous devons comprendre correctement la Charia. Dieu n'est pas injuste. Les lois qu'il a édictées ne peuvent être que bonnes.

— Voudriez-vous, par exemple, que la polygamie soit à nouveau autorisée en Turquie ?

— En Islam, vous le savez bien, elle n'est possible que dans certaines conditions », commence-t-elle par me répondre, mais elle est interrompue par l'arrivée dans la pièce d'une jeune femme accompagnée d'une petite fille qui nous salue et va s'asseoir à côté des deux étudiantes. Voyant que notre discussion a l'air de les intriguer, je propose à Fatma de leur demander si elles veulent y participer. Curieuses, elles acceptent. Fatma, après leur avoir brièvement résumé la teneur des propos précédents, leur soumet ma dernière question. Elles partent aussitôt dans un long échange en turc auquel, bien entendu, je ne comprends rien. Au bout d'un nombre de minutes qui me paraît infini, Fatima se décide enfin à m'expliquer ce qui est dit. Avec un petit sourire en coin, elle me révèle que Yahtimin, la jeune femme qui vient de se joindre à nous, est justement confrontée en ce moment à cette question de polygamie.

« Mais, la polygamie est interdite chez vous !

— Légalement, oui, me répond-elle, mais, dans la pratique, elle continue à exister, tous les mariages religieux n'étant pas assortis du mariage civil, qui est le seul à être reconnu par la loi. »

Le mari de Yahtimine veut prendre une deuxième épouse. Yahtimine n'est pas contre le fait en lui-même car elle admet que c'est son droit de musulman mais elle refuse de divorcer.

« Divorcer ? » Je ne comprends plus rien à l'histoire.

« Il veut divorcer de Yahtimine pour pouvoir épouser la seconde femme civilement, poursuit Fatma, puis épouser à nouveau Yahtimine de manière uniquement religieuse. Comme cela signifie pour elle ne plus être considérée comme sa femme par la loi, elle refuse de se prêter à cette mascarade. Et tant qu'elle refuse, il ne pourra rien faire. S'il maintient sa demande, ce n'est qu'après un délai de dix ans que le tribunal lui accordera son divorce. Pour le moment, comme chacun campe sur ses positions, ils vivent séparés l'un de l'autre. »

L'outrecuidance de certains hommes dépasse l'entendement. Je suis sidérée. Je demande à Fatma ce qu'elle en pense et, mi-figue, mi-raisin, elle me répond que lorsqu'on ne rencontre pas la justice dans ce bas monde, on finit par la trouver dans l'au-delà. Puis, plus sérieusement, elle avoue ne pas partager le point de vue de Yahtimine sur les rapports hommes-femmes. Précisant que son refus se rapporte seulement à la procédure imaginée par son mari, celle-ci réaffirme sa totale acceptation du principe de la polygamie, « parce que l'homme est supérieur à la femme ». « Je veux, dit Yahtimine, que mon mari soit plus riche que moi, plus fort que moi. Je veux lui obéir parce que c'est plus simple ainsi. »

C'est, en effet, d'une limpidité déroutante. Je reviens à Fatma qui elle, par contre, a du mal à exprimer clairement son sentiment. « Pensez-vous aussi que la femme doit obéir à son mari ?

— Non, non... ! s'exclame-t-elle dans un véritable cri du cœur.

— Pourtant, en Islam, le devoir d'obéissance de la femme à l'égard de son mari est requis alors que l'inverse ne s'impose pas.

— Dans l'Islam originel, il n'en était pas ainsi. Comme pour la polygamie, pour la répudiation — l'homme ne pouvait pas s'amuser à divorcer sous n'importe quel prétexte — il est beaucoup de règles mal appliquées parce que mal comprises ou interprétées dans un sens très étroit. Prenons le cas du témoignage. Il est prescrit que le témoignage d'un homme vaut celui de deux femmes, et beaucoup en tirent dès lors la conclusion que la femme en Islam est inférieure à l'homme. C'est faux. La femme est l'égale de l'homme. Cette règle s'explique par le fait qu'au temps de Mahomet, les femmes ne comprenaient pas grand-chose au commerce. On ne pouvait donc pas les placer, dans ce domaine, sur un même pied que les hommes. A partir du moment où la femme est compétente, il n'y a aucune raison pour que son témoignage ne vaille pas celui d'un homme. C'est Hussein Hatimi, l'un de nos intellectuels, qui s'est livré à cette analyse. On discute beaucoup ces questions en Turquie actuellement.

— Vous croyez donc à l'égalité de l'homme et de la femme ?

— Absolument. Je ne suis pas suffisamment versée dans l'étude des lois islamiques pour en comprendre pleinement toute la signification mais je suis infiniment persuadée que Dieu n'a pas défavorisé les femmes au profit des hommes. Ce sont les hommes qui abusent de leurs droits et en tirent prétexte pour écraser les femmes.

— Si ce n'est de l'islam, d'où tirent-ils selon vous le pouvoir d'agir de la sorte ?

— De leur supériorité économique sur les femmes.

— La solution ?

— L'indépendance économique des femmes.

— Elles doivent donc travailler ?

— Oui.

— Mais le voile ne réduit-il pas vos possibilités de travail ?

— Si. Il est interdit de le porter dans les administrations publiques et, dans le privé, rares sont ceux qui acceptent des femmes avec le turban. C'est effectivement un gros problème. Pour ma part, j'ai fait des études en administration publique. Je ne peux travailler qu'avec l'État. Mais il est hors de question que j'enlève mon voile.

— Vous préférez alors la dépendance économique à l'égard de votre futur mari.

— Non, jamais. Je pourrais toujours faire des petits travaux à droite à gauche, comme donner des cours d'anglais aux enfants, faire des traductions... je veux être économiquement indépendante, surtout dans le mariage. Mais je n'enlèverai pas mon voile. Jamais ! »

Fatma n'entend faire aucune concession. Mais elle admet que, face à ce dilemme, nombreuses sont celles parmi les étudiantes voilées qui choisiront de se marier et de se faire entretenir par un mari, quitte à reproduire indéfiniment les mêmes rapports entre les sexes. Ainsi pensent d'ailleurs les deux jeunes filles qui participent à notre discussion. « L'argent gagné par le mari, affirment-elles, n'est pas seulement le sien ; c'est aussi celui du couple. » L'égalité ? Le dernier de leurs soucis pour l'heure...

En fait, tant pour Fatma que pour ses autres camarades, la question féminine ne se trouve pas au centre de leurs préoccupations. Invitée à donner son point de vue sur l'action des féministes en Turquie, Fatma avoue qu'elle la rejette par principe parce qu'elle est le fait de femmes bourgeoises de l'intelligentsia laïque dont la suffisance la révulse. « Leur programme, reconnaît-elle, est peut-être bon. C'est vrai que se pose en Turquie le problème des femmes battues, de l'inégalité des salaires et dans la vie en général. Je n'ai pas vraiment réfléchi à la manière dont on peut y remédier. N'ayant moi-même jamais eu à subir d'oppression masculine, je ne m'y intéresse guère. Je me sens plus concernée par les problèmes de la société en général, de l'injustice qui sévit à travers le monde et particulièrement dans les pays du tiers monde. » Dans son esprit, la solution, on l'aura comprise, s'appelle « l'Islam ». Mais « l'Islam idéal. »

« Comment pouvez-vous espérer en « la vraie société islamique » puisqu'en l'espace de quatorze siècles, celle-ci n'a jamais vu le jour ? N'est-ce pas là une utopie au même titre que les autres ?

— Non, il ne s'agit pas d'une utopie car cette société a existé au temps du Prophète et des quatre premiers califes[5]. Nous devons donc étudier la question au niveau historique. Un État véritablement islamique — et il n'en existe aujourd'hui aucun à travers le monde — signifierait l'égalité, la justice, la prospérité pour tous et pas uniquement pour les musulmans. Mais j'ignore comment on peut parvenir à l'édifier. C'est la raison pour laquelle nous avons besoin de penseurs, d'intellectuels pour étudier cette question. L'étudier, encore et toujours. En Turquie, nous devons analyser les politiques mises en œuvre par les mouvements islamistes dans les autres pays mais ne pas les copier, car nos conditions sociales et historiques sont différentes. Pour l'heure, nous n'avons pas de penseurs de la trempe de Hassan El Banna ou Sayed Qoth[6]. Ou du moins je ne les connais pas...

— Croyez-vous en la démocratie ?

— En tant que légitimité de la pluralité d'opinions et de la liberté individuelle, oui.

— S'il existait en Turquie une démocratie dans le plein sens du terme, si vous aviez la possibilié de vous exprimer en tant que musulmane comme vous le souhaitez, aspireriez-vous avec la même force à l'édification d'un État islamique ?

— Le système démocratique, aussi positif soit-il, est régi par des lois humaines. Or les lois humaines ne sont jamais parfaites.

— Mais l'être humain, par la force des choses, n'est pas parfait.

— Tant qu'il suit les lois humaines, en effet. Soumis aux lois divines, il a une chance d'atteindre la perfection. L'être humain peut devenir parfait ! »

Fatma parle-t-elle sérieusement ? Je ne saurais le dire. Sur ses lèvres flotte un sourire, un brin amusé de la perplexité dans laquelle me plongent ses propos. Revenant à la question que je lui ai posée en début d'entretien sur un changement des lois laïques par un retour à la Charia, elle ajoute : « Il ne peut être question de revenir aujourd'hui à la Charia. Les lois islamiques ne pourront être à nouveau appliquées que le jour où les gens auront été éduqués dans ce sens. Pas avant. Ce serait injuste pour les femmes car les hommes, s'ils ne sont pas imprégnés du sens profond de ces lois, chercheront encore à outrepasser leurs droits. Il faudrait également que la société dans son ensemble aspire à ce changement. Pas uniquement nous. »

Selma, Gulpéri et Assia, fondamentalistes et démocrates

« Voyez l'expression, l'air abattu avec lequel cette femme regarde l'objectif... Je n'aime pas du tout. Cette photo véhicule une image de soumission et d'oppression. L'image classique qu'on se fait de la musulmane. Or, c'est fière et dressant la tête bien droite qu'elle doit être présentée. » Ces paroles de Fatma me reviennent à l'esprit pendant que j'attends, debout devant l'entrée de la mosquée Suleymanyé où le rendez-vous a été fixé avec Figen et les journalistes de *Bizim Aile*, une revue féminine islamiste. La veille, au cours de notre entretien, j'avais demandé à la jeune étudiante ce qu'elle pensait de ce magazine en lui montrant le numéro que je venais d'acheter en kiosque. Le portrait d'une jeune femme en hijab, le regard un peu vague et le menton reposant au creux de la main en illustrait la couverture. Elle ne l'appréciait pas, me répondit-elle, « parce qu'il n'apporte rien de nouveau ». Le type de message dont ses articles se font l'écho est de la même nature que celui qui émane de cette photo : fondamentalement conservateur. Il se contente d'aborder des questions relatives à la famille et à la femme dans une optique traditionnelle et ne se préoccupe pas d'attirer l'attention du lecteur sur ce qui, dans la société et à travers le monde, reflète l'injustice et les inégalités sociales. Ce magazine est de tendance *nourjou*. « Et les nourjous, ajouta Fatima avec sa petite voix douce et son goût de la métaphore, ne sont pas contre les USA. »

Fatima, on l'aura compris, a le cœur dévoué certes à la cause de Dieu mais il bat plutôt à gauche. Du communisme, elle me dira d'ailleurs « qu'il a proposé des solutions... ». Ce point de vue diffère du tout au tout de celui des militants islamistes appartenant à la mouvance nourjoue, le courant fondamentaliste le plus influent en Turquie. Animés par un anticommunisme viscéral, les nourjous n'hésitent pas à appuyer la traditionnelle politique turque d'alliance avec les États-Unis et de fidélité à l'O.T.A.N. en la justifiant par l'existence d'un péril rouge. Créé au début du siècle par un cheikh d'origine kurde, Saïd Nurci, qui, sa vie durant, dénonça et combattit les atteintes kémalistes aux institutions islamiques, le mouvement nourjou a conservé jusqu'à la mort de son fondateur, en 1960, un profil d'organisation franchement intégriste. Au cours des trois dernières décennies, les idéologues nourjous ont revu leur discours initial à la lumière de l'évolution sociale, politique et économique de la Turquie et introduit des nuances substantielles dans leurs analyses. A l'antirépublicanisme et à l'anti-occidentalisme des origines ont succédé une reconnaissance des valeurs républicaines, dont la laïcité, une glorification de la science et un discours des plus ambigus à l'endroit de l'Occident. Louvoyant entre l'intégrisme et le réformise modernisant, ils ont adopté une stratégie qui s'est avérée payante eu égard à l'éclatante santé actuelle de l'organisation. Le nombre de leurs adeptes se compte par plusieurs centaines de milliers. Les nourjous possèdent des maisons d'édition, plusieurs périodiques dont un quotidien, des établissements d'enseignement, d'importants instituts et des centres de propagande à l'étranger qui propagent la pensée nourjoue au sein des communautés musulmanes immigrées, turques ou non turques. Au dire des observateurs, la réussite et la prospérité économique de ce mouvement ne sont pas étrangères au fait que le mouvement nourjou se présente comme le fer de lance de la lutte anticommuniste en Turquie. Ses liens avec les États-Unis et l'Arabie saoudite à travers, tout particulièrement, l'Union islamique mondiale (Rabitat ül Alem el Islami), créée par cette dernière et considérée comme une façade de l'impérialisme américain, ne sont un mystère pour personne.

Perdue dans mes pensées, je n'ai pas vu arriver Figuen en compagnie de trois jeunes femmes strictement vêtues de l'incontournable gabardine et du turban, cette même gabardine qui a tant saisi mon attention en Syrie et au Liban où elle s'est vraisemblablement exportée dans les années 20. Les trois jeunes femmes sont les journalistes de *Bizim Aile* dont j'ai sollicité la rencontre dès que j'ai été informée de l'existence de leur revue. Journaliste également, Figuen travaille pour sa part dans l'une des principales agences de presse turques. Faisant partie des rares personnes dont le nom et les coordonnées étaient consignées dès le départ dans mon carnet d'adresses, elle a accepté de me prêter son concours de temps à autre, sa connaissance de l'anglais nous permettant heureusement de nous comprendre. Aussi est-ce elle, cette fois-ci, qui s'est chargée de prendre contact en mon nom avec la rédaction de *Bizim Aile,* d'organiser ce rendez-vous et de venir ce matin m'y servir d'interprète.

La journée s'annonce, comme d'habitude, magnifique. Alignés en file indienne le long des trottoirs, des bus de tourisme étendent leur ombre sur la place, gros mastodontes immobiles et vidés de leur substance pendant que leurs occupants, appareils-photo en bandoulière et lunettes noires sur le bout du nez, investissent par grappes les monuments. Après une rapide présentation de chacune d'entre nous accompagnée d'un échange de sourires timides et crispés, nous allons nous attabler à la première terrasse de café que nous trouvons sur le chemin. Voulant faciliter la tâche à Figuen et ne pas lui prendre trop de son temps, je lui ai dressé à l'avance sur une feuille de papier la liste des questions à poser afin qu'elle puisse mener l'entretien d'une traite et m'en faire une traduction globale, une fois qu'il serait terminé. Grand mal m'en prit...

Au bout de cinq minutes, je n'en peux plus de ne pas comprendre ce qu'elles disent. Figuen me traduit le dernier propos. Je bous encore plus d'agacement. Nos interlocutrices se réfugient derrière des réponses stéréotypées, rabâchées et archi-rabâchées. Je les connais par cœur. Pas Figuen, peu habituée à dialoguer avec des islamistes. Pour parvenir à casser le ronron de ce discours bien huilé, il faut revenir inlassablement sur les mêmes questions avant d'espérer obtenir un fragment d'expression personnelle. Figuen me dit procéder de la sorte. Je n'ose lui demander d'insister davantage.

« Protéger sa famille », tel est l'objectif qui a motivé la création de *Bizim Aile* en 1987, explique Selma, qui la première prend la parole pour répondre à nos questions. « Les femmes musulmanes avaient besoin d'une revue qui les représente. » 1987, date de la première interdiction par le YOK (le Conseil de l'enseignement supérieur) du port du turban à l'intérieur de l'université. « La plupart des lettres de nos lectrices se rapportent au problème du voile. » *Bizim Aile* est donc la réponse nourjou au bras de fer engagé par les autorités avec les islamistes sur cette question épineuse ? Cela m'en a tout l'air. « Si ce pays est une démocratie, continue-t-elle, chacun devrait y être libre de porter ce qu'il veut. Et de croire ce qu'il veut. Cette interdiction est une atteinte à la démocratie, et cela nous désole d'autant plus. N'est-il pas malheureux également qu'à l'université où, théoriquement, le savoir devrait constituer la valeur fondamentale, l'apparence devienne l'unique critère de jugement ? Ils ne cherchent pas à savoir si nous sommes porteurs de connaissance ; la vue de nos habits leur suffit. »

Interrogée sur l'appartenance de la revue au courant nourjou, Selma ne fait aucune difficulté à la reconnaître. « Le nourjouisme, nous explique-t-elle, représente une vision contemporaine de l'Islam. Une approche qui tient compte de l'évolution historique et sociale tout en défendant les commandements de Dieu. » Quant à la place occupée par la femme à l'intérieur de ce mouvement, elle ne diffère en rien, selon elle, de celle reconnue à l'homme au sein de la société. « Les nourjous ne considèrent pas les individus en fonction de leur sexe mais en tant qu'êtres humains. Leur objectif est l'être humain. L'être humain en tant qu'être soumis à Dieu. Parce que tous deux sont tenus au même devoir de soumission devant Dieu, l'homme et la femme sont égaux. » Nous lui rappelons cependant que les règles islamiques ne manquent pas qui affirment le contraire. Inébranlable, elle rétorque : « Si je remplis un certain nombre de devoirs à l'égard de mon mari, ce n'est en fin de compte pas pour lui, pas pour lui obéir, mais parce que Dieu me l'a ordonné. Pour obéir à Dieu. » « Soumis à Dieu, égaux dans notre devoir de soumission », cette affirmation va courir comme un leitmotiv tout au long de la discussion.

« Une femme doit toujours avoir un ânon dans le ventre et un bâton dans le dos. » Non, pas de panique, cette sentence d'une vérité rare n'a pas été émise par nos interlocutrices mais assenée par un juge qui a recouru à ce qui est en fait un proverbe populaire turc pour renvoyer à son tendre époux une femme venue lui demander son divorce pour cause de « caresses » maritales trop appuyées. Provoquant une vive émotion chez les femmes, cette affaire servit de point de départ à l'organisation par les féministes d'une vaste campagne de dénonciation des violences conjugales. Un peu provocatrice, j'en fais mention, toujours par l'intermédiaire de Figuen, pour demander à Selma et à ses compagnes leur opinion sur ce proverbe. Demeurée silencieuse jusque-là, Gulpéri, vingt-deux ans, s'emporte : « Mais cela n'a rien à voir avec l'Islam ! » et d'égrener trois « si » à la mesure de son indignation : « *Si* nous sommes des êtres humains, nous devons nous respecter et nous ne pouvons pas accepter des proverbes comme celui-ci. *Si* les hommes et les femmes croient en Dieu, ils ne peuvent pas être aussi abjects. *Si* nous sommes égaux devant Dieu, des choses pareilles ne devraient pas exister... »

Pendant que Gulpéri reprend son souffle, étonnée par son propre emportement, Selma continue sur un ton plus posé : « ... Mais ces choses, il est vrai, existent car il y a des hommes qui pensent ainsi. Non parce qu'ils sont musulmans mais parce qu'ils n'ont pas été éduqués. L'oppression de la femme existe à travers le monde entier. Nos sociétés n'en ont pas le privilège. Certains individus estiment que leur force leur donne le droit d'opprimer plus faible qu'eux. Ce problème ne se pose pas uniquement entre les hommes et les femmes. Une femme peut tout aussi bien vouloir opprimer une autre femme, et un homme, un autre homme. En Turquie, l'oppression féminine existe surtout dans les régions rurales et elle est le fait de la tradition. Pas de la religion. » La solution ? Réponse éprouvée : la foi : « Les femmes peuvent résoudre leurs problèmes en les confiant les unes aux autres, en discutant, en lisant, mais la vraie solution se trouve dans la foi. Quand un homme et une femme croient profondément, il n'y a plus de problème. »

L'évocation de l'action menée par les féministes provoque le même rejet de classe chez elle que chez Fatma : « Ce sont des femmes intellectuelles, citadines et riches qui ne peuvent pas comprendre le problème des femmes parce qu'elles n'ont pas de problèmes. » Avec une interprétation toute personnelle du féminisme, Selma, toujours elle, explique qu'elles sont contre le fait que l'homme, parce qu'il est le plus fort, oblige la femme à lui obéir. Mais que, d'un autre côté, la situation inverse est tout aussi répréhensible à leurs yeux ; celle de la femme qui, parce qu'elle gagnerait plus d'argent que son mari, s'estimerait plus forte que lui et le contraindrait à lui obéir. Le féminisme conduirait en quelque sorte à l'oppression de l'homme par la femme. Intéressant. Voilà maintenant que les femmes héritent des fantasmes masculins. Après ce petit exercice de gymnastique cérébrale, retour à l'idée centrale : qu'a-t-on besoin du féminisme ou autre solution bancale quand on a l'islam, le meilleur des remèdes contre tous les maux ? Qu'il doit faire bon vivre armé de telles convictions ! J'échangerais bien de temps à autre mes fichues et constantes interrogations contre un peu de leurs certitudes !

Profondément convaincues de l'excellence des règles islamiques, Selma, Gulpéri et Assia n'en reconnaissent pas moins que la société turque n'est pas prête, au stade actuel, à un retour à la Charia. Cohérentes, du moins au plan du discours, elles se disent contre son imposition par la force. « Si, comme en Iran, c'est le gouvernement qui change et impose la loi, nous ne sommes pas d'accord. Il faut que la majorité des gens le souhaite. Aujourd'hui, je dénonce ceux qui veulent nous interdire de nous voiler. Je ne pourrais pas, demain, cautionner une loi qui forcerait des femmes qui ne le souhaitent pas à se voiler. Même au nom de l'islam. »

Demeurées seules après leur départ, une fois l'entretien terminé, Figuen me traduit ces derniers propos. Elle a l'air troublée. Jusque-là, fervente laïque, elle n'avait jamais eu de réel contact avec les femmes islamistes. Pour elle, celles-ci appartiennent à un autre univers dont elle ne comprend absolument pas le code. Et qui l'effraie. Lors de notre première rencontre, son avis sur le port du voile à l'université avait été péremptoire : l'interdire. Cette conviction me paraît sérieusement ébranlée quand, sa traduction achevée, elle ajoute comme pour elle-même : « Elles sont intelligentes. Et puis, elles avaient l'air de parler sincèrement. D'être sincèrement démocrates. »

Janin et Chérine, au miroir de l'Occident

Dans un même mouvement, les têtes se retournent au fur et à mesure qu'elle avance, insensible en apparence à l'émoi qu'elle suscite sur son passage. Coupée dans un velours mauve aux reflets ondulants, une jupe étroite suggère plus qu'elle ne dissimule les formes généreuses de la belle. Narguant les regards, sa poitrine rebondie se soulève avec morgue à chacun de ses pas. L'ombre de la peau brille sous la fine mousseline du chemisier, et je sens chavirer le cœur des hommes, tressauter leur corps, leurs pupilles dilatées traversées par un éclair de fureur devant ces charmes qui s'offrent et se refusent à la fois, abandonnant dans son sillage un aiguillon brûlant planté dans la chair.

Elle se fond dans la foule qui, en cette fin d'après-midi, se presse, nombreuse, devant les vitrines de l'Istiklal cadessi (l'avenue de l'Indépendance), et la passante disparaît rapidement de ma vue mais, pendant un long moment, son image flotte dans mon esprit. Elle m'accompagne dans ma remontée vers la place Taksim et se juxtapose à celle de ces visages rudes que je croise en chemin. Partagée entre des sentiments contradictoires, je ne sais où classer ce type d'« affirmation de soi » pour le moins... incitatif. Est-ce de la provocation ou est-ce du courage ? Dans ce pays où les relations entre les sexes demeurent profondément soumises au joug de la tradition, où 90 % des femmes restent vierges jusqu'au jour du mariage et où les péripatéticiennes ne connaissent pas de problèmes de chômage, il n'est pas peu de dire que bien des mâles souffrent d'élancements douloureux dans la partie du corps qui leur est la plus chère. Si, face à eux, la modernité revêt de tels visages, rien d'étonnant à ce qu'à son contact s'exaspèrent bien des frustrations.

« ... Le pouvoir des hommes sur les femmes est organisé, de l'amour à la violence, par toutes sortes de méthodes. Nous naissons avec le *mektoub** d'être mère et femme au foyer. Les enfants que nous devons élever seules appartiennent à leur père. On nous extorque notre travail, notre identité, notre histoire et notre futur. Notre sexualité est achetée dans la prostitution... Elle est achetée et emprisonnée dans le mariage. » Autre cadre, autre ton, autres femmes... Extraites d'une déclaration-manifeste du Mouvement de libération des femmes turques, ces quelques phrases aux résonances familières me projettent dans un univers conceptuel aux antipodes de celui de Fatma, Selma ou Yahtimine. Dèjà, le pont traversé, le décor a changé, l'Orient cédant le pas à l'Occident sur cette rive européenne qui, le front serti d'enseignes lumineuses, exhibe avec fierté ses pelouses soignées, ses magasins de prêt-à-porter et ses Wimpy.

Mais si tout ce qui vient de l'Ouest a bénéficié avec constance d'une grande bienveillance de la part de l'intelligentsia laïque, il est des idées qui attendront plus de dix ans avant de passer la frontière : celles du M.L.F.

Redécouvrant en 1981 les slogans féministes de 1968, Stella, Chérine et quelques autres ont entrepris de tirer de leur passivité leurs consœurs et de les éveiller à la révolte contre l'oppression masculine. De celles qui brandissent leur foi en Dieu à celles qui crient leur foi en la femme, le passage est brutal.

Le 12 septembre 1980, la Turquie, qui s'est enlisée depuis plusieurs années dans une grave crise économique, sociale et politique, s'éveille sous régime militaire. Le parlement fermé, les partis politiques bannis et leurs dirigeants interdits de toute activité politique, la vie associative suspendue de même que les droits de l'homme d'une manière générale, la junte qui a pris le pouvoir ne lésine pas sur les moyens pour rétablir l'ordre dans le pays et avance la chasse aux terrorismes comme son mot d'ordre principal. Épuisée par une guerre civile larvée qui faisait près de 35 morts par jour dans les batailles rangées opposant les factions d'extrême droite aux factions d'extrême gauche, la société avait accueilli avec un certain soulagement ce coup d'État. Mais, pendant plus de trois ans, le retour au calme se paiera au prix de sa liberté et de son musellement.

Dans ce contexte difficile, des femmes entreprennent de se réunir pour réfléchir sur leur sort. Stella Ovadia, psychanalyste et féministe des premières heures, retrace devant moi les différentes étapes qui ont marqué la lente genèse d'un mouvement. « En décembre 1981, nous avons commencé à nous réunir pour répondre à la proposition d'une coopérative d'écrivains de réaliser une édition féminine. Comme le droit de réunion était interdit, nous nous retrouvions dans des maisons. D'une certaine manière, c'est le coup d'État qui nous a permis de nous préoccuper de ces questions car le danger de mort n'existait plus. Jusque-là, notre vie était menacée en permanence. A chaque sortie dans la rue, l'on risquait de sauter sur une bombe. Avec le coup d'État, toute vie politique s'est éteinte. Les militants de tous bords devaient se cacher ou disparaître. Ceux qui comme nous n'étaient pas vraiment poursuivis pouvaient par contre se réunir sous prétexte de prendre le thé entre amis. Ce stratagème facilitait nos réunions mais limitait le nombre des participantes car les maisons ne pouvaient accueillir plus de vingt personnes. Le groupe initial, né en vérité avant le coup d'État sous l'impulsion d'une universitaire, Chérine Tekeley, est resté soudé. Nous avons progressé de plus en plus dans notre réflexion collective sur la femme.

En 1984, j'ai fondé avec des amies une maison d'édition féministe. La première... et la seule. Cela nous permettait d'avoir un ancrage institutionnel car, jusque-là, nous fonctionnions en dehors de toute structure. C'est ainsi que notre influence s'est développée. La création de la maison d'édition nous a ouvert l'accès à la foire du livre. Sur notre stand, cette année-là, nous avons installé des glaces sur lesquelles les femmes pouvaient écrire. C'était le symbole d'un retournement : le miroir ne témoignait plus de la beauté mais de la révolte féminine. Nos réunions se sont ainsi peu à peu élargies à de nouvelles venues. En 1985, le gouvernement a signé la Convention contre la discrimination sexuelle afin de pouvoir participer à la réunion de Nairobi. Nous en avons eu vent grâce au journal officiel. Cela fut le prétexte à l'organisation de nombreux débats auxquels furent conviées des femmes députés. Puis Chérine eut l'idée d'une pétition en faveur de l'application effective de la convention qui venait d'être signée. En quinze jours, nous eûmes 3000 signatures. Elle eut beaucoup d'impact car nous étions toujours sous l'état de siège, et toute expression restait interdite. La pétition d'intellectuels qui l'avait précédée — la première depuis le coup d'État — avait été suivie de procès et de condamnations.

En 1987, ce fut le lancement de la campagne de solidarité avec les femmes battues. Une marche a été organisée le jour de la fête des mères. On y a vendu des fleurs en demandant aux hommes "s'ils aimaient leur mère en battant leur femme". Nous avons voulu également éditer un livre sur les violences conjugales. Une grande fête a été organisée à cet effet ; une fête qui, à mon sens, marque l'apogée du mode par lequel nous avions choisi de nous exprimer. Des débats étaient prévus mais des micros étaient à la disposition de qui souhaitait entamer une discussion libre. Nous sommes ainsi parvenues à réaliser ce livre sur la base de témoignages de femmes. Enfin, en mars dernier, nous avons organisé une exposition symbolisant l'oppression des femmes. Il y avait par exemple tous les objets qu'il est interdit de montrer : la cire, les bigoudis, les tampons, etc. ainsi qu'une mariée sur laquelle pendaient des gants rouges de cuisine.

Entre-temps, après la maison d'édition s'est créée une revue féminine de tendance plutôt radicale. Seuls cinq numéros ont été publiés en cinq ans. Une autre, de tendance "lutte de classes", a vu le jour récemment. Elle paraît maintenant régulièrement. Quant au mouvement en lui-même, ce n'est qu'en décembre 88 que les quatre groupes féministes existants se sont réunis pour en rédiger le texte fondateur. »

Dans leurs revendications comme dans leur démarche, les féministes turques s'alignent point par point sur leurs consœurs occidentales. Nourries de la même culture, elles reproduisent — et revendiquent — le même discours. Pour dialoguer avec elles nul besoin d'interprète ; l'anglais ou le français constituent une seconde langue qu'elles maîtrisent parfaitement. Après qu'elle m'eut retracé l'historique de leur action et cité quelques-unes des dispositions juridiques autour desquelles est livrée bataille pour les abolir (le fait que l'homme soit le chef de famille, que l'enfant ne porte pas le nom de sa mère, que la femme ait besoin de l'autorisation de son mari pour voyager, travailler ou se faire avorter, etc.) j'ai demandé à Stella si des hommes participaient à leur action. Grosse surprise de mon interlocutrice : « Vous en connaissez, vous, des mouvements féministes où il y a des hommes ? » et d'ajouter : « Si les femmes ne changent pas, si les hommes ne changent pas, il n'y a aucune raison pour qu'ils changent ensemble. » Pure et dure, Stella prône sans barguigner la non-mixité, jette la famille aux orties et les bonshommes tyrans avec elle. Les femmes libres se suffisent à elles-mêmes !

A l'origine de la réflexion collective qui a présidé à la naissance de ce mouvement féministe, Chérine Tekeley est une figure autrement plus nuancée. Attablées dans le décor rétro de *Kona*, un salon de thé des années 30 au charme suranné avec ses longues banquettes en bois et ses miroirs courant le long des murs, nous nous sommes oubliées dans la discussion. D'elle, de l'éducation qu'elle a reçue, du cheminement de sa pensée, des impératifs du combat féministe en Turquie, des islamistes, de la démocratie... elle a parlé avec franchise et lucidité. Assumant ses choix, elle ne verse à aucun moment dans le radicalisme, son esprit restant ouvert au dialogue. A la différence de Stella qui se déclare « citoyenne du monde » et place la lutte des femmes dans une perspective universelle, Chérine est sensible à la réalité de la société turque. En l'écoutant parler, j'ai eu le sentiment que grâce à des personnes comme elles des passerelles avaient des chances de s'établir entre cette intelligentsia si radicalement occidentalisée, dont Stella et elle sont les parfaites représentantes, et le reste de la société.

Chérine naît et grandit dans le milieu laïc. Professeur de philosophie tout comme son père, sa mère est une kémaliste convaincue. A sa fille, elle tient à dispenser une éducation rigoureusement occidentale. Chérine me conte à ce propos un incident significatif qui est resté gravé dans sa mémoire :

« Ma mère se méfiait beaucoup de mes relations avec ma grand-mère, une femme très croyante et issue d'un milieu populaire. Un jour, revenant à l'improviste à la maison, elle l'a trouvée en train de m'apprendre les chansons traditionnelles de Roumélie. Ce fut une scène terrible. Ma mère interdit à ma grand-mère de m'enseigner ce genre de chansons. Il me fallait étudier uniquement la musique classique. Cette attitude est typique de la volonté de l'époque d'effacer tout ce qui était ottoman, turc et de se tourner complètement vers l'Occident. A quarante-cinq ans, je suis restée très marquée par cette éducation. J'aime la musique occidentale, la littérature, les idéologies... Le féminisme m'est venu aussi de l'Occident. Mais par des voies académiques... »

De cette génération des femmes kémalistes à laquelle appartenait sa mère, Chérine épingle le mutisme. « Partant du principe que Kemal leur avait tout donné[7], elles ont complètement perdu la mémoire. Tout commençait et se limitait à lui. Avant, la page était blanche. Elle l'est restée longtemps car, avec la réforme de l'alphabet, les historiens ne parvenaient plus à lire les anciens documents. Ce n'est que récemment par exemple que nous avons découvert l'existence d'un mouvement féministe turc avant la révolution kémaliste. Kemal l'a complètement détruit comme tous les autres mouvements sociaux de l'époque. »

Chérine reconnaît toutefois avoir hérité de sa mère un féminisme inconscient qui l'a prédisposée à devenir ce qu'elle est : « Très jeune, elle m'a inculqué l'idée que la femme est l'égale de l'homme. C'est sans doute pour cette raison que j'ai choisi pour ma thèse d'université de traiter le sujet de l'engagement politique des femmes. Mais à l'époque — nous étions en 1975 — je ne me posais pas comme féministe. L'hégémonie marxiste — un marxisme dogmatique — était alors totale sur l'université. J'avais fait une critique assez sévère du kémalisme, dans une approche marxisante. Pas féministe, car le féminisme sous-entendait bourgeoisie et division de la lutte des classes. A son égard, la censure était donc absolue. »

Mais le fait de s'être plongée dans un travail de recherche sur la femme mène Chérine sur le chemin de la prise de conscience féministe. Elle anime une association des assistantes de l'université, et découvre de même que ses amies marxistes qu'elles ont une peur terrible de prendre la parole en public. Des interrogations germent dans leur esprit. Puis le coup d'État survient. Elle quitte l'université, suite aux nouvelles mesures sur l'enseignement décidées par les militaires. Sa première offre de travail est la proposition, évoquée par Stella, de ce collectif d'écrivains de diriger une collection de femmes. Estimant qu'elle ne pouvait pas la réaliser seule, elle propose à ses anciennes amies de l'université d'y participer. Le processus est enclenché.

« Auparavant, nous n'avions pas le sentiment que la question de l'oppression des femmes nous concernait. Elle ne pouvait se poser que pour les "autres", les paysannes, les ouvrières... Nous, nous étions "émancipées". La prise de conscience de cette peur de prendre la parole a agi comme un révélateur sur nous. Brusquement, nous avons réalisé qu'elle signifiait notre oppression dans la vie privée et dans la vie professionnelle. Nous nous sommes aperçues également que ce que nous vivions aujourd'hui correspondait au vécu des féministes occidentales en 1968, et c'est d'un autre œil que nous avons recommencé à lire leurs écrits. »

Tout en admettant la nature occidentale de l'idéologie féministe, Chérine soutient que les notions féministes défendues et appliquées à l'époque, telle celle de « sororité » ont plus que jamais des raisons d'être dans un contexte comme la Turquie. « En Occident, la notion de sororité constituait une découverte car les femmes avaient perdu depuis longtemps l'habitude d'être ensemble, la mixité dans tous les domaines de la vie était la règle. Chez nous, au contraire, une grande division continue à exister entre les hommes et les femmes. Nous devons tirer parti de cette réalité sociologique pour développer des mécanismes de solidarité entre les femmes et leur permettre ainsi d'acquérir du pouvoir. La notion de solidarité existe en puissance mais elle n'est pas utilisée. Prenez par exemple la situation des femmes sur les côtes occidentales de la Turquie : là, ce sont uniquement elles qui travaillent et produisent sans rien gagner et tout en continuant à dépendre du mari. Elles sont donc non seulement opprimées mais exploitées. En ville, c'est la même chose ; elles travaillent au noir et leur travail n'est même pas recensé dans les statistiques. Sur la base de cette donnée sociologique, ne pourrait-on pas développer des coopératives de femmes ? Une anthropologue turque a démontré, dans une enquête menée dans plusieurs petites villes d'Anatolie, le rôle de tampon joué à l'intérieur de la famille par la femme. Les membres de la famille ne communiquent pas entre eux, et c'est la femme qui sert d'intermédiaire. Là aussi réside un potentiel de pouvoir non utilisé. Bien sûr, conclut-elle, tout n'est pas économique, mais si on ne commence pas par là, comment pourrait-on espérer changer vraiment la situation de la femme ? »

Quant au recours à la non-mixité, Chérine le justifie au stade actuel comme une nécessité : « Nous avons encore besoin de pratiquer une forme de ghetto. Les femmes vivent enfermées à la maison. Les traditions sont telles qu'elles ne peuvent pas aller directement de la famille aux réunions mixtes. Elles doivent passer par une étape intermédiaire où elles se retrouvent uniquement entre elles.

— Mais en recourant vous aussi au "ghetto", lui ai-je demandé, n'y a-t-il pas un risque de faire le jeu de ceux qui, comme les islamistes, défendent le principe de la non-mixité et veulent que perdure cette division entre l'univers des femmes et l'univers des hommes ? — En utilisant les structures traditionnelles, m'a-t-elle répondu, j'aspire à leur transformation, alors que les islamistes prônent leur maintien. Notre objectif est que la femme participe à la vie sociale et puisse contester le pouvoir du mari à la maison avec le pouvoir acquis à l'extérieur. » Chérine, toutefois, ne recherche pas l'abolition de la famille : « Je ne veux pas être hypocrite. Je suis mariée depuis vingt-trois ans et, malgré les difficultés rencontrées, je continue à tenir à mon couple. Je pense qu'il est possible de parvenir à une relation plus humaine, plus égalitaire. Stella et le groupe Cactus ne partagent pas mon opinion mais, moi, je tiens à vivre avec les hommes. Je déteste les ghettos. Je suis sûre que si on parvient à modifier ces structures hiérarchiques, les hommes qui, eux aussi, souffrent de cette situation, se sentiront plus libres, plus à l'aise. Mais, pour l'heure, ma préoccupation, ce sont les femmes ; elles doivent sortir de leur enfermement et établir un rapport de contestation avec l'homme, qui demeure l'oppresseur. »

Chérine est convaincue que le discours féministe finira par se faire entendre même s'il n'est aujourd'hui que celui d'une infime minorité : « Les femmes ne sont plus totalement satisfaites de leur rôle traditionnel. » La tendance au divorce augmente. Celle du refus d'enfants aussi, chose inconcevable, il n'y a pas longtemps. Les femmes ne veulent plus être des machines à procréer. « J'ai une amie, dit-elle, qui s'était mariée simplement parce qu'elle avait perdu sa virginité. Depuis, elle a non seulement divorcé mais décidé d'avoir un enfant naturel. Comme en Europe, plusieurs modèles d'existence commencent à s'offrir à elles. Je ne sais pas si, dans dix ans, le modèle de la femme mère et épouse sera toujours aussi valable. » Quant à la tentation féminine islamiste véhiculée par les étudiantes voilées, elle ne l'inquiète pas outre mesure. Pour elle — on retrouve là l'idée classique — l'islam perd du terrain avec l'exode rural. « Je le constate parmi les femmes de ménage que je côtoie. Une confusion s'installe dans leur esprit quand elles viennent de leur village à la ville. Devant l'injustice sociale, l'accumulation des inégalités, leur foi en Dieu diminue. Ce sont elles qui souffrent de l'inflation, pas nous. La notion de Dieu juste est contredite par cette situation. Ces femmes sont révoltées. Pas seulement contre le système social d'une manière générale mais contre leur oppression de femmes. »

Chérine, à la différence de beaucoup d'autres, considère avec sérénité l'islamisme en Turquie : « On estime à 7 % le nombre d'islamistes en Turquie. Je pense, pour ma part, que l'on peut atteindre 15 % sans que le pays en souffre. La Turquie moderne peut très bien les tolérer. » Démocrate, elle va même jusqu'à défendre le droit des étudiantes de porter le voile à l'université. « Je ne partage pas leur idéologie ni elles la mienne mais je reconnais que ces musulmanes sont réprimées même si, à mes yeux, l'islam est facteur d'oppression. C'est leur droit de pratiquer leur religion et de porter le voile. En le leur interdisant, ce sont les autorités étatiques et universitaires qui sont en faute. »

Pour Chérine, la démocratie représente la valeur suprême : à l'échelle de la famille, à l'échelle des institutions sociales et à l'échelle du système politique. Son choix, elle l'a fait. Elle le dit ; c'est l'Europe.

D'hermine revêtue, Janin...

Drapée dans la longue robe noire boutonnée par une patte d'hermine, Janin milite pour la cause des femmes de la façon la plus directe ; en les défendant. Dans son minuscule cabinet d'avocat, un immense bureau occupe l'espace, laissant juste assez de place pour deux fauteuils aux couleurs passées et une petite table basse disparaissant sous divers périodiques. Malgré les fenêtres fermées, les bruits de la rue s'infiltrent dans la pièce et imprègnent l'atmosphère de la vive animation qui règne dans le quartier.

Cheveux coupés à la garçonne et expression volontaire, Janin avance dans la vie avec détermination, solidement installée dans ses convictions et farouchement résolue à ne laisser quiconque porter ombrage à sa liberté. Ce qu'elle veut, elle le sait. Ce qu'elle ne veut pas, aussi. Et ce qu'elle ne veut surtout pas, c'est que des hommes en barbe noire et des femmes en turban projettent une ombre inquiétante sur l'avenir laïc de sa société. Loin d'afficher la sérénité de Chérine dans sa perception des islamistes et de leur poids politique actuel, elle considère au contraire que le religieux effectue en Turquie un retour en force à l'égard duquel la plus grande des vigilances est à manifester.

Sa découverte du phénomène islamiste remonte à 1976, peu de temps après son retour de Londres où, comme la plupart des enfants de la bourgeoisie turque, elle a été poursuivre ses études universitaires. « Commençant tout juste à exercer ma profession d'avocate, j'avais dû me rendre dans le sud du pays, sur la côte méditerranéenne, pour traiter une affaire. Je fus amenée à rendre visite à l'avocat de la partie adverse. Quand nous eûmes terminé notre discussion et que je voulus prendre congé de lui, je lui tendis naturellement la main pour le saluer. Il refusa, en s'excusant, de la serrer. J'ai été foudroyée par la surprise. Je ne peux pas vous exprimer ce que j'ai ressenti à ce moment-là. J'étais littéralement choquée. Je ne parvenais pas à comprendre. Je ne savais pas qu'il y avait de telles personnes, de tels avocats ou médecins ou ingénieurs en Turquie. »

Depuis, explique Janin, ce courant n'a fait que se développer, acquérant après le coup d'État de 1980, une importance encore plus grande en raison de la politique gouvernementale suivie à son égard. « Les militaires voient dans la religion l'antidote au communisme. Ils ont favorisé les islamistes pour se protéger des mouvements de gauche. »

Ce raisonnement classique a été tenu en fait par la plupart des gouvernements de droite qui se sont succédé en Turquie, l'islam demeurant un formidable instrument politique que chacun a essayé d'exploiter selon les circonstances. En effet, malgré les efforts considérables de Mustapha Kemal pour réduire l'islam à la dimension de simple croyance individuelle, celui-ci continuera à représenter une force majeure dans la société. Il ne faudra pas attendre longtemps après la mort d'Attaturk (1938) pour assister à une réislamisation progressive du pays. Parmi les mesures prises au lendemain de la révolution kémaliste pour laïciser la vie sociale, on compte la suppression des cours religieux de l'enseignement primaire et secondaire, la réduction draconienne du nombre des écoles coraniques, l'imposition du turc pour l'appel à la prière. Or, dès 1950, on diffuse à nouveau des émissions religieuses à la radio, on crée des écoles coraniques et des instituts de théologie et on réintroduit l'enseignement de l'islam dans les programmes scolaires. D'abord de manière facultative, puis, récemment, de manière obligatoire. Pour les kémalistes fervents comme Janin, cette dernière mesure constitue une atteinte intolérable à la laïcité : « Selon la Constitution, la Turquie est un État laïc. Son système d'enseignement est laïc. Ils n'ont aucun droit d'introduire de tels cours. »

Janin considère également que la présence de plus en plus importante d'islamistes au sein de professions comme la sienne, autrefois bastion de la pensée positive, est la conséquence directe de la nouvelle loi appliquée aux lycées religieux. « Dans les années 70, on a autorisé l'ouverture d'écoles particulières dispensant un enseignement islamique. Au départ, elles étaient conçues uniquement pour former des imams et pour accéder aux facultés de théologie. Maintenant, leurs diplômés sont libres de choisir la voie de leur choix et l'université leur est ouverte. » Depuis le début de la décennie 80, la progression de ces lycées est effectivement impressionnante : de 40, il y a huit ans, ils sont aujourd'hui 384 et regroupent 290 000 élèves, soit plus du tiers de la population scolaire.

Née dans une famille musulmane, Janin ne se considère pas pour autant comme musulmane, ayant de sérieux doutes quant à l'existence de Dieu. De l'Islam, de son propre aveu, elle ne connaît pas grand-chose, « juste ce que j'ai entendu ma mère en dire ou ce que j'ai retenu de certaines lectures ». Elle n'a jamais approché de près ou de loin ces étudiantes qui revendiquent le droit de porter le voile à l'université, mais cela ne l'empêche pas d'être catégorique sur leurs motivations : pour elle, ce n'est pas la foi qui les anime mais des desseins politiques susceptibles à long terme de menacer sa propre existence et contre lesquels il lui faut se défendre. « Vous voyez cette mosquée, me dit-elle en me demandant de jeter un coup d'œil par la fenêtre, l'an passé, il y avait un parc à sa place. Dans ce quartier qui est celui de la presse, donc de la circulation des idées, il existe un grand nombre de vieilles mosquées magnifiques. Ils ont pourtant tenu à en construire une nouvelle. Chaque vendredi, une foule considérable vient assister au prêche qui se transforme en véritable meeting. Je ne crois pas que ces musulmans soient de purs croyants comme je ne pense pas qu'on puisse parler des femmes islamistes en Turquie sans faire référence à une politique mondiale. Je suis sûre qu'il y a des modèles importés que l'on cherche à appliquer ici. Les Iraniens essaient d'exporter leur révolution car l'exemple de la Turquie laïque, bien que sa population soit musulmane, est un exemple dangereux pour eux. Nilufer Gole estime qu'il n'est pas démocratique d'interdire à ces jeunes filles de se voiler. Bien sûr, si l'on considère la question uniquement sous cet angle, on devrait laisser chacun porter ce qu'il veut. Dans ces conditions, une fille qui aurait envie de se promener en bikini dans la rue serait également libre de le faire. Ce n'est pas ça, la vraie démocratie. D'un autre côté, l'islam est une religion dont la frontière avec la politique n'est pas étanche. Si demain ces gens arrivent au pouvoir, ils vont nous imposer leur manière de voir, ce qui constitue un grand danger pour moi, pour mon être. Je ne veux pas leur laisser la possibilité d'acquérir du pouvoir. Aujourd'hui, ils réclament la démocratie, demain, ils la supprimeront. »

Un peu agacée par ce discours où ne perce aucun effort de compréhension à l'endroit de l'autre et où tout tourne autour d'une hantise viscérale qui se focalise sur un certain nombre de données au détriment d'autres nuances, je la questionne sur la manière dont Mustapha Kemal a procédé pour instaurer la laïcité en Turquie. « À votre avis, quels sentiments la population dans son immense majorité a-t-elle dû ressentir quand il lui fallut se soumettre aux nouvelles lois ?

— Je ne sais pas, certains ont dû en souffrir, d'autres non. On peut être contre la laïcité au départ mais grâce à elle on accède à la démocratie. Dans un État laïc, aucune partie n'a le droit d'imposer sa loi à l'autre. Chacune essaie de convaincre l'autre qu'elle a raison. »

Comment dit-on « réponse de Normand » dans la langue de Soliman ? Faire le bien du peuple malgré lui. En soixante-dix ans, cette idée si chère à la pensée kémaliste n'a pas pris une ride...

Afra et la Suissesse

Je pensais ne rencontrer qu'une personne. Voilà qu'elles sont deux à m'ouvrir la porte, une expression mitigée dessinée sur leur visage nu et la silhouette perdue dans d'austères ampleurs. Afra la Turque me présente son amie, Sylvie la Suissesse. Toutes deux n'ont guère plus de vingt-cinq ans. Mariée à un étudiant turc, Sylvie fait la connaissance depuis quelques mois à peine avec le pays de son mari où elle va désormais vivre. Quant à la religion de celui-ci, elle l'a fait sienne avec une passion dont je vais très vite ressentir les débordements.

Les présentations faites, nous passons dans le salon après m'être déchaussée, comme il se doit. Merveille des merveilles, Afra comprend le français ; ses parents, d'origine tunisienne, ont tenu à ce qu'elle apprenne cette langue pour pouvoir communiquer avec ses lointains cousins maghrébins. Garce de vie, son ironie ne connaît pas de limite ! Le grand-père d'Afra, homme profondément religieux, décida de quitter à jamais son pays, la Tunisie, le jour où celle-ci devint protectorat français ; pour lui, l'exil valait mieux que de laisser ses enfants grandir au contact des « infidèles ». Il choisit la Turquie comme nouvelle patrie puisqu'au début du siècle elle représentait la terre même de l'islam. Las ! Plus pour bien longtemps. Vingt ans plus tard, c'en est fini du Croissant victorieux. Aujourd'hui, sa petite-fille, à défaut de pouvoir étudier la langue du Coran — « Dans nos lycées, explique-t-elle, il n'y avait pas de cours d'arabe » — a appris celle de ces Français dont, jadis, il avait fui le contact. Un sacré diable farceur se cache là où on ne l'imagine guère.

Afra passe son entière scolarité chez les Sœurs (toujours en raison de la nécessité d'apprendre le français) mais, le soir, elle ne s'endort qu'après avoir écouté un verset coranique rituellement lu par ses parents en arabe. Sa puberté atteinte, on lui enseigne que le hijab est une obligation pour la femme. A défaut de le porter à l'école où il est interdit, elle le mettra, par principe, à la maison. Une fois ses études universitaires de philologie française terminées, elle ne s'en séparera plus.

Peu expansive, Afra n'a guère envie de discourir devant la laïque que je suis sur les pourquoi et les comment d'une foi qu'elle a toujours eue et du comportement qui en découle. Répondant du bout des lèvres à mes questions, elle m'exprime clairement son agacement à se voir, elle et ses semblables, l'objet d'une curiosité à ses yeux des plus importunes. Son message est sans équivoque : « On ne vient pas vous demander pourquoi vous portez tel ou tel habit, alors fichez-nous la paix, vous aussi, avec vos questions. » Pourquoi a-t-elle accepté de me recevoir ? Tout simplement parce que je suis marocaine, donc sans doute musulmane et qu'elle ignorait quel était « mon camp ». Mais elle reste malgré tout polie. Le premier mouvement d'humeur passé, elle paraît sensible aux explications que je lui fournis au sujet de mes motivations et se déride un peu. Si nous avions été seules, elle et moi, je crois que sa méfiance aurait fini par tomber tout à fait. Seulement, voilà, nous n'étions pas seules...

J'enrobe mes questions du mieux que je peux et je lui demande comment, « d'une manière générale », se présente la situation de la femme en Turquie. Si elle est encore l'objet d'une quelconque oppression... Aussitôt, Sylvie qui n'en pouvait plus de se taire, bondit : « La femme n'est pas opprimée en Islam. Elle ne l'a jamais été. » Désarçonnée par la violence de cette sortie inattendue, je lui précise que, dans ma question, l'Islam n'avait pas été mis en cause. Mais cela ne la calme pas pour autant. Elle bougonne : « Oui, mais vous voulez toujours tout diviser, tout fractionner. » Je préfère ignorer sa réplique et je reviens à Afra que ce bref échange a eu pour effet de mettre à nouveau sur la défensive : « Je ne sais pas, me dit-elle, évasive... il y a différents cas ».. puis m'envoie sur les roses avec un « Je ne m'intéresse pas à ces questions » catégorique.

Surtout ne pas s'énerver. Un petit gâteau, un petit compliment à propos du bon petit gâteau, une petite gorgée de thé... et retour au front.

« Ce dicton, par exemple, qui affirme que la femme doit toujours avoir un bâton sur le dos et un ânon dans le ventre, il révèle bien l'existence d'une certaine mentalité, vous ne trouvez pas ? » demandé-je de ma voix la plus suave...

« Je ne le connaissais pas, me réplique-t-elle. Cette mentalité n'existe pas dans notre famille. Nous n'avons pas besoin d'être féministes. »

Parler d'oppression féminine et hop, le bouton « féminisme » se met à clignoter. A défaut de faire beaucoup d'adeptes, le féminisme peut se targuer d'avoir, ici aussi, son image solidement ancrée dans les esprits.

« Puisque vous faites référence au féminisme, dites-moi ce que vous pensez de ses analyses ?

— En tant que femmes musulmanes, nous n'avons pas de problèmes. Nous n'avons pas besoin de féminisme, martèle-t-elle sans répondre, pour ne pas changer.

— Vous avez bien de la chance car, dans mon pays, les tribunaux regorgent de femmes qui n'en finissent plus d'avoir des problèmes avec les hommes et l'abus qu'ils font de leurs droits islamiques ! » Devant une mauvaise foi aussi évidente, je ne peux m'empêcher de m'emporter. Que ne faut-il pas entendre ! « Vous le savez bien pourtant que même la loi de Dieu peut être l'objet de grands abus !

— Mon français n'est pas très bon, mais ce que je peux vous dire, c'est que si on a peur de Dieu... Afra se reprend... si on aime Dieu... Pas peur... je ne veux pas que mon enfant craigne Dieu mais qu'il l'aime... il n'y a pas de problème. »

Sûr ! La femme sans profession, qui se voit du jour au lendemain répudiée par son mari avec ses quatre gosses et pas un sou en poche, va apaiser son humiliation et la faim de ses mômes simplement en tournant ses yeux éplorés vers le ciel !

Voyant qu'il ne sert strictement à rien de poursuivre la discussion sur ce point, je change de sujet en questionnant Sylvie sur les raisons de sa conversion à l'islam. A l'origine, une renconte, un homme et le besoin éperdu de cette jeune fille, dont l'enfance a été ballottée de pays en pays et de parent en parent, de se rattacher à quelque chose de stable. « J'étais athée, me dit-elle avec une pointe d'ironie amère.

— Par choix ou par absence d'éducation religieuse ?

— Personne ne s'est jamais soucié de m'expliquer quoi que ce soit. Au moment de la puberté, quand j'ai commencé à prendre conscience de la réalité de la vie, je suis devenue un petit peu protestante, mais ça m'est vite passé. Le christianisme ne m'a jamais satisfaite parce qu'il n'a jamais apporté de réponses à mes questions.

— Quelles questions ?

— D'où on vient, qu'est-ce qu'on fait, où on va. Les questions simples que tous les gamins se posent. Aucun chrétien n'a pu y répondre. Quand j'ai lu le Coran, j'ai compris ; il y a Allah et puis tout d'un coup, pouf, pouf, pouf, toutes les choses rentrent dans l'ordre comme les pièces d'un puzzle. Tout est juste, tout est parfait.

— Mais les chrétiens parlent aussi de Dieu...

— Oui mais la Trinité, c'est quoi ? Cette notion de Trinité dans le christianisme est complètement absurde. Elle vous fausse vos idées. Vous ne comprenez plus rien à rien. Il y a Dieu mais il y a aussi un fils de Dieu. S'il est fils de Dieu, il est alors Dieu lui-même.. Pourquoi s'est-il alors laissé tuer ? Ce n'est pas possible de tuer Dieu ! Avec la laïcité en plus, les gens en Occident ont fini par ne plus croire en rien. Ils n'ont plus de valeurs. Plus que de fausses valeurs ! »

Sylvie se lance alors dans un violente diatribe contre l'Occident et sa dérive morale, assène que les hommes ne peuvent trouver une véritable solution à leurs maux qu'à travers l'Islam, d'où la nécessité de l'instauration de gouvernement islamique régi par des règles islamiques, qui... etc.

Je l'interromps dans son envol apologétique et lui demande à brûle-pourpoint ce qu'elle pense de la notion de liberté. Prise de court, elle me regarde interloquée, ne comprenant pas immédiatement où je veux en venir...

« Oui, la liberté individuelle. La liberté de croire ou de ne pas croire. La liberté de changer de religion, si on le veut. Moi, par exemple, en tant que musulmane vivant dans une société musulmane, je ne peux pas renier l'Islam.

— Qu'est-ce que c'est encore que cette histoire ? Je n'ai jamais entendu parler de ça.

— C'est pourtant un fait avéré. L'apostat est condamné à mort par la quasi-majorité des *madhabs.** Vous, qui êtes née non-musulmane, vous avez pu devenir musulmane et l'afficher dans votre propre société parce qu'elle est laïque. Si, demain, je décide de devenir bouddhiste, il me faudra, pour ma part, m'exiler de la mienne.

— Vous avez la meilleure religion du monde, pourquoi aller chercher quelque chose d'autre ? me réplique-t-elle.

— Mais, enfin, la question n'est pas là ! » La moutarde commence sérieusement à me monter au nez. « C'est de liberté que je vous parle. Autre exemple : dans un pays régi par la loi musulmane, un homme et une femme non mariés peuvent se faire interpeller par des policiers hargneux simplement parce qu'ils sont en train d'admirer ensemble un coucher de soleil. *Zina* (adultère), décrétera le flic en quête de quelqu'un sur qui déverser la bile qu'il a emmagasinée durant la journée. Ces excès sont possibles dans nos sociétés à cause de la notion de zina contenue dans le droit islamique. »

Afra qui se tient coite depuis un moment, intervient en reconnaissant avec son français hésitant que « Ça, ce n'était pas gentil » et que « Chacun devrait être libre de faire ce qu'il veut », mais déjà Sylvie revient à la charge : « Le fait que vous soyez en train de discuter dans une voiture avec un garçon peut, peut-être, déranger les autres. » Je vais finir par croire que rien n'est pire qu'une convertie.

« Si on suit votre logique, lui réponds-je alors, excédée, le fait de porter le hijab également... »

Silence. Un ange passe. Puis elle déclare : « On ne peut pas discuter. Vous avez un point de vue très... ''particulier''. »

Et puis, dans un soupir : « A partir du moment où vous pensez ''comme ça'', vous n'avez pas à discuter de questions telles que la polygamie ou la répudiation. Ce ne sont pas vos problèmes mais les nôtres. »

Là, j'explose. « En tant que marocaine, je vis sous ces lois, et il est par conséquent de mon droit le plus absolu d'en discuter. Nombreuses d'ailleurs sont les musulmanes comme moi qui souhaiteraient voir des modifications apportées à ces règles.

— La question de la polygamie ne se pose pas uniquement en Islam. Dans les autres sociétés, les hommes ont des maîtresses, ce qui revient au même. Quant à la répudiation, on trouve souvent des problèmes économiques à la base. L'homme qui divorce en a peut-être assez de sa première épouse. Il souhaiterait en prendre une seconde, mais ses moyens ne le lui permettent pas. Alors, au lieu de la garder, il divorce. »

La discussion prend décidément un tour de plus en plus surréaliste.

« Et il n'y a là rien qui vous choque ?

— Mais non, pourquoi ?

— Ça ne vous dérangerait donc pas que votre mari se comporte de la sorte avec vous. Qu'il vous répudie quand ''il en aura assez de vous'' ! Qu'il ramène une nouvelle femme à la maison ! » J'insiste, ne parvenant pas à comprendre comment de tels propos peuvent sortir de la bouche de quelqu'un né sur les bords du lac Léman.

« Prenez l'exemple de notre Prophète *Salallah alay wa salam* [8] (elle bute sur la prononciation, se reprend et parvient jusqu'au bout de sa tirade, fière comme un enfant qui a bien appris sa récitation) il en avait neuf ou dix, je crois. Eh bien, il avait établi un roulement pour leur rendre visite. Toutes avaient droit à une nuit. Aucune n'était délaissée. Vous trouvez que ce n'est pas juste ? Je préfère que mon mari ait trois épouses plutôt qu'il n'aille voir les prostituées. Ou qu'il ait une maîtresse et qu'il ne rentre pas de la nuit. Je serais beaucoup moins inquiète en le sachant dans la chambre d'à côté. Je ne vois pas ce que vous pouvez y trouver à redire ?

— Moi ?... Non, rien en effet. »

Je reste sans voix.

Bethul et sa mère

La gabardine remplit son office si particulier d'uniforme qu'on lui assigne ici, et il emprisonne donc le corps de Bethul dans la gangue de ses plis. Mais au-delà du genou, la jeunesse reprend ses droits : pieds chaussés de mocassins indiens perlés de couleurs, jambes révélant le port d'un jean collant et petit sac coquin sur l'épaule, Bethul, en dépit du « turban » qui lui couvre la tête, pare avec décontraction et coquetterie ses vingt ans. Sa mère, qui l'accompagne, porte la tenue islamiste avec plus de sagesse, mais son visage lisse comme une pomme verte s'illumine sans réserve à notre approche. Heureusement ! Je ne me sens guère le courage de repartir à nouveau à l'assaut de monts glacés, fussent-ils helvético-islamistes, la rencontre avec Sylvie et Afra ayant eu raison de mes dernières forces.

Un discours extrême comme celui de Sylvie qui, sous prétexte de foi, justifie les moins défendables des prescriptions coraniques en des termes auxquels un homme lui-même, aussi machiste soit-il, n'oserait pas recourir conforte tous les aprioris que l'on nourrit à l'encontre des islamistes. En revanche, il en est un autre, tenu par d'autres femmes islamistes, dont le contenu ne manque pas de surprendre : en effet, celles qu'un journaliste a nommées « les féministes voilées » n'hésitent pas à défendre ardemment le féminisme et sa révolte contre l'oppression des femmes et à dénoncer « l'oppression patriarcale, y compris dans la société musulmane ». Aussi paradoxal que cela puisse paraître, c'est à travers les colonnes d'un journal islamiste, *Zaman* (''le Temps''), que ces prises de positions se sont exprimées publiquement dans le cadre d'un débat provoqué par un article écrit par un homme et intitulé « La mémoire courte des féministes ». Nilufer Gole y fait référence dans son enquête sur les islamistes turcs pour souligner « l'apparition d'une identité des femmes musulmanes qui ne se définit pas obligatoirement par son devoir maternel mais par un désir de se réaliser dans la vie sociale ». Ces femmes, écrit-elle, « se dressent contre le ''pseudo-protectionnisme'' de l'islam considéré comme un besoin de l'homme et non des femmes. Elles situent l'oppression féminine, non plus au plan des valeurs occidentales, ni au plan des valeurs de l'islam défiguré par les traditions, mais au plan de l'homme musulman. En enjambant les traditions musulmanes, elles se ressourcent aux préceptes islamiques pour mieux investir l'espace social. »

J'ai essayé de retrouver la trace de ces « féministes voilées » qui ont participé au débat du quotidien *Zaman*, mais sans succès. Deux ans s'étaient écoulés depuis celui-ci, et nul ne put me fournir des renseignements à leur propos. Par contre, Guldal, une journaliste de *Hurriet* (Liberté), me parla d'une jeune islamiste qu'elle avait interviewée et dont la liberté de propos retint particulièrement son attention. C'était Bethul. Contactée par Guldal, celle-ci a accepté sans difficulté de livrer à nouveau ses points de vue et nous nous sommes retrouvées autour des douceurs de *Kona*, le salon de thé devenu mon lieu privilégié de rendez-vous, en compagnie de sa mère et de Guldal, qui nous sert d'interprète. A défaut d'en comprendre le sens, j'enregistre la fougue avec laquelle les mots explosent dans sa bouche, son teint qui s'anime et les mouvements vifs de ses mains ponctuant ses paroles pendant qu'elle dialogue avec Guldal. Souvent espiègle, parfois coléreuse, une flamme danse en permanence dans son regard.

Bethul ne conçoit aucun doute sur la question : pour elle, hommes et femmes sont égaux, et c'est ainsi qu'il doit en être.

Si certaines règles coraniques laissent supposer le contraire, c'est simplement parce qu'elles sont mal interprétées ou mal appliquées. On ne devrait par exemple recourir à la polygamie que dans le cas exceptionnel où un couple serait dans l'impossibilité d'avoir des enfants. Et encore, cela n'est-il pas souhaitable, elle-même rejetant radicalement l'idée de vivre avec un polygame. « Les hommes interprètent la loi, dit-elle, dans le sens qui leur convient. » Consciente qu'existe dans la société traditionnelle une oppression de la femme, elle estime que celle-ci « doit se rebeller contre l'homme. Elle ne doit pas avoir honte d'elle-même, de son corps. Elle doit le montrer à l'homme ». Zuleika, sa mère, appuie son point de vue en affirmant « qu'avant de se marier, l'homme comme la femme peuvent tous deux être de bons musulmans. Mais une fois mariés, l'homme essaie de changer l'Islam pour satisfaire son ego. »

La femme doit-elle obéissance à l'homme ? « Non, non », s'exclame Bethul. « Oui », réplique Zuleika, pendant que sa fille fait de grandes mimiques de dénégation dans son dos. « L'obéissance d'une femme musulmane à l'égard de son mari n'est pas de l'esclavage. » S'apercevant du manège de Bethul, elle lance à son adresse : « Elle est encore jeune », mais nuance son propos en reconnaissant que la femme ne doit obéissance à son mari que si les ordres de celui-ci sont des ordres « islamiques » et s'il se comporte en « bon musulman ».

Du féminisme pourtant, Bethul n'a qu'une image négative. « Je n'ai, dit-elle, rencontré que des féministes radicales qui croient à la supériorité de la femme, ce qui conduit au lesbianisme. Je n'ai rien de commun avec cela, non plus. Moi, ce que je recherche, c'est l'égalité et le partage. » Comme Fatma et les journalistes de *Bizim Aile,* elle pense qu'il est préférable de maintenir la loi laïque au stade actuel, « bien que la Charia soit meilleure ». « La Turquie n'est pas en mesure d'en faire bon usage car ce sont toujours les hommes qui dominent la société. » Mais sur la question du voile, elle est intransigeante ; nulle contrainte ne le lui fera enlever. Elle veut étudier, travailler (le travail est fondamental à ses yeux car elle veut son indépendance économique) et porter le turban. Elle ne conçoit pas qu'on puisse lui imposer de choisir entre les trois. « Ce sont mes droits, et ces droits relèvent des droits de l'homme. M'enlever mon voile, c'est m'ôter mon identité. Je suis un être humain et j'ai mes croyances. Que signifie être un homme si on vous prive de vos croyances ? »

Bethul n'appartient à aucun des mouvements religieux de Turquie. Elle les considère avec une grande suspicion, allant même jusqu'à les qualifier de « terrifiants ». « Chacun d'entre eux veut édicter ses propres lois et les imposer au nom de l'islam. Or Dieu est un et unique. »

Dans la fougue de ses vingt ans, Bethul revendique tous ses droits haut et fort. Glorifier les notions de liberté et d'égalité tout en portant le turban ne lui paraît nullement contradictoire. Bien au contraire. De l'Islam, dont sa connaissance reste très superficielle, elle décrit les lois à travers son propre prisme, rejetant d'emblée ceux qui voudraient lui en imposer une lecture oppressive ou susceptible de restreindre sa liberté de femme. Ne va-t-elle pas jusqu'à contester l'idée que l'Islam a défini comme premier devoir à la femme celui d'être mère, un postulat pourtant difficilement contournable ? Sauf pour Bethul qui n'entend pas se laisser enfermer dans ce rôle.

« Avoir une éthique et être une bonne personne, voilà ce que l'Islam exige et voilà comme je le comprends. L'Islam te donne le droit de ne pas allaiter ton enfant et d'exiger de ton mari qu'il paie une nourrice pour le nourrir à ta place. Si le devoir de la femme était avant tout d'être mère, il y aurait là une contradiction majeure. Avant d'être des hommes ou des femmes, nous sommes des êtres humains. »

Pour les islamistes, il est temps de s'inquiéter ; le féminisme a bel et bien infiltré leurs rangs.

L'Algérie

Le tampon tombe avec un petit bruit sec sur le passeport rapidement feuilleté par l'officier de police. De derrière sa vitre, l'homme m'adresse un large sourire : « *Mrahbabik fi bladek taniya* » « Bienvenue dans ta seconde patrie », me lance-t-il avec un large sourire. Agréablement surprise par ces paroles de bienvenue auxquelles je ne m'attendais guère, je me dirige vers la sortie, le cœur du coup plus léger, heureuse de constater qu'il existe peut-être ici une réelle sympathie à notre égard, nous les voisins marocains, malgré les orages qui ont assombri le ciel de nos relations pendant les quinze dernières années [1].

Parvenue dans le hall d'entrée de l'aéroport, je ne peux cependant m'empêcher de sursauter en découvrant la physionomie de la foule qui attend les voyageurs à la sortie de la zone douanière. Appuyées contre la barrière de séparation, trois femmes en hijab se détachent au premier plan. Tout autour d'elles, des hommes, rien que des hommes, des hommes au visage sévère, au regard sombre, des hommes parmi lesquels quelques barbes hirsutes se hérissent. Des femmes habillées à l'occidentale, bien qu'en nombre restreint, sont là également mais, frappée par la prédominance masculine, je ne les remarque pas immédiatement. Ces voiles, ces *kamiss* (longue robe blanche masculine), cette tension dans les expressions, font qu'après une heure et demie de vol, j'ai déjà le sentiment d'avoir changé d'univers tant l'ambiance qui prévaut ici diffère de celle de Casablanca. Sautant dans un des taxis, je me fais conduire au centre ville. Le chauffeur en a gros sur le cœur : dès que le cours de la discussion lui en offre l'occasion, il donne libre cours à la colère qui l'anime à l'égard des dirigeants de son pays. « Le peuple algérien, dit-il, est un peuple patient, capable d'endurer en silence beaucoup de souffrances. Mais le jour où la limite du supportable est atteinte, plus rien ne peut le retenir. Ce jour est en train d'arriver. Ça va exploser, bientôt, très bientôt. Et je vous garantis que ce sera alors pire que le 5 octobre. »

Le 5 octobre 1988 est une date que les Algériens sont prêts à inscrire dans leur Histoire algérienne comme celle de leur seconde révolution. Prenant exemple sur les enfants palestiniens de l'Intifada, les gavroches algériens sont descendus dans les rues pour hurler leur colère et leur désespoir devant un avenir bouché — le leur — et un couffin vide — celui de la famille —, d'autant plus révoltés par leur indigence que l'insolente opulence de quelques-uns leur inflige une insulte chaque jour plus féroce. Dans leur esprit, l'ennemi est clairement défini : c'est l'État. L'État, qu'ils rendent responsable de tous les maux dans lesquels ils se débattent sans espoir. Pendant cette journée dramatique du 5 octobre, ils en ont méthodiquement saccagé les symboles : la préfecture, les ministères, le siège du parti, les magasins d'État, la compagnie aérienne nationale... Respectant les petits commerces privés, ils foncent droit sur Riad El Fath [2] et ses trois étages de boutiques luxueuses, de restaurants huppés, de discothèques où une bouteille de scotch vaut l'équivalent du salaire mensuel d'un smicard. La répression est sanglante ; environ cinq cents morts. Au lendemain de cette journée d'explosion populaire, le pays s'éveille complètement hagard. Les blindés quittent dans la nuit les rues de la capitale mais l'irrémédiable a été commis : l'armée, cette armée encensée depuis vingt-cinq ans comme instrument de libération, a tiré sur ses propres enfants, ceux-là mêmes qu'elle s'était engagée à défendre. Entre le F.L.N. et la population, plus rien, jamais, ne sera comme avant.

Aux yeux des observateurs avertis, cette tragédie était hélas hautement prévisible : la chute vertigineuse des prix du pétrole, la poussée démographique, le remboursement de la dette extérieure, tous ces facteurs conjugués ont achevé de mettre à nu la faillite du système économique instauré en 1965 par le colonel Houari Boumediene.

Quand, dans les années 82-83, les prix du pétrole chutent brutalement, le décalage entre la réalité économique du pays et le discours politique éclate au grand jour ; le développement tant vanté se révèle un développement sans croissance. L'État, dont le budget se réduit considérablement, n'a plus les moyens de conserver à la population le niveau social qui était devenu le sien. La fin de l'illusion du développement amène avec elle celle du consensus social. Alors que les grandes sociétés nationales dont il avait voulu faire la colonne vertébrale de son économie ont tendance à lui soutirer plus d'argent qu'à lui en apporter, l'État algérien est confronté aux problèmes engendrés par les secteurs négligés au profit de l'industrie, tels que l'agriculture ou l'habitat, les pénuries alimentaires et la crise du logement en particulier constituant des sources majeures de mécontentement.

Pour parer à cette situation, le président Chadli Bendjedid tente des ouvertures timides dans le sens d'une économie de marché mais sans toucher ni aux structures lourdes ni à la bureaucratie qui paralyse l'activité. Le résultat se traduit par une accentuation du déficit global et l'apparition d'une nouvelle classe de nantis, achevant de porter à leur paroxysme les frustrations de la population dont le niveau de vie ne cesse de se dégrader. Le chômage touche 22 % de la population. Les jeunes sont les premiers concernés ; un sur deux est sans emploi, et seul un bachelier sur sept peut espérer accéder à l'université. Cette situation économique désastreuse n'est compensée par aucune libéralisation politique. Le F.L.N. au contraire renforce davantage son monolithisme. Le 5 octobre, il suffira d'une pénurie de semoule pour que le feu prenne aux poudres.

Un tournant décisif intervient alors dans la vie politique du pays. Une fois la violence tombée, des appels à la démocratisation du système se font entendre de toutes parts. Prenant acte de cette aspiration profonde, le président promet l'instauration d'un État de droit. Le 23 février 1989, le texte d'une nouvelle constitution est soumis à l'approbation populaire. C'est une rupture totale avec le passé : l'Algérie dit adieu au socialisme auquel toute référence disparaît. L'armée, jusque-là omniprésente, se voit renvoyée dans ses casernes. Les libertés et les droits de l'homme sont reconnus, mais c'est dans l'article 40 que réside le changement fondamental ; par la reconnaissance du droit de créer des associations politiques, le multipartisme est implicitement légalisé. En quelques semaines, plus d'une dizaine de partis demandent leur légalisation tandis que, sur le plan économique, le président s'engage à approfondir et à activer les réformes déjà élaborées.

Dix-huit mois après le choc d'octobre, l'Algérie n'est plus ni tout à fait la même ni tout à fait une autre. Les Algériens ne craignent plus d'exprimer bien haut leurs pensées et de critiquer ouvertement le pouvoir. La presse de son côté a remisé la langue de bois et se découvre avec délice une étonnante pugnacité. A la veille des premières élections libres que va connaître le pays, la tension sociale demeure cependant forte. Si sur le plan des libertés politiques, le changement est réel, dans la vie quotidienne, la population se heurte aux mêmes difficultés ; les prix à la consommation continuent de flamber, les salaires restent bloqués et le taux de chômage est toujours aussi élevé.

Obligé de faire face à la situation économique par le maintien de l'austérité, le gouvernement du F.L.N. ne dispose que d'une marge de manœuvre réduite ; il est non seulement confronté à une crise de confiance profonde de la part de la population, mais il lui faut encore lutter au sein de son propre parti contre les tenants de l'ancienne ligne qui tentent par tous les moyens de bloquer le processus des réformes.

Pendant ce temps, les islamistes dont l'aile radicale a formé un parti, le Front islamique du salut (F.I.S.) cultivent leur influence auprès d'une frange importante de la population que l'absence d'alternative rend sensible aux discours des extrêmes. Disposant par le biais des mosquées de tribunes privilégiées pour diffuser leur message, les islamistes, dont le mouvement étend depuis longtemps ses ramifications au sein de la société, ont réussi à gagner de vitesse les démocrates dans la course à l'adhésion populaire. Ces derniers sont non seulement pauvres en moyens matériels mais ils n'ont pu commencer à s'organiser et à se structurer qu'au lendemain de la libéralisation politique. De plus, ils sont disséminés à travers plusieurs formations. Autant d'éléments qui ont permis au F.I.S. de se hisser au rang de seule force politique susceptible de menacer la toute-puissance du F.L.N.

Le fragile processus de démocratisation en cours saura-t-il

résister aux coups de boutoir de ses nombreux adversaires ? L'Algérie s'interroge. Elle espère, désespère, se contredit dans ses réponses mais vit et vibre avec violence et passion. Les partisans de la démocratie tiennent là, sans aucun doute, leur meilleur atout.

Rabéa et les siens

Pour mon séjour à Alger, j'ai d'emblée la chance d'être accueillie par une famille du cru. Une chance d'autant plus grande que la famille qui m'offre son hospitalité m'ouvre dans un même temps et sa porte et son cœur. Rabéa et les siens, avec lesquels ce contact est le premier, sont si soucieux de me mettre à l'aise que le sentiment de les connaître depuis toujours m'envahit avant que le soleil ne se couche sur ma première journée algéroise. Mes hôtes, pourtant, n'ont pas vraiment le cœur à se perdre en amabilités en ce moment précis ; comme beaucoup d'autres Algériens, leur inquiétude devant la dégradation continue de la situation sociale et la montée en puissance des islamistes est vive, très vive : « Nous venons, raconte Rabéa, de vivre un mois de ramadan extrêmement éprouvant. Jamais les prix n'ont autant augmenté. Les gens étaient à bout de nerfs. Tout le monde est très agressif. Les filles (elle en a deux) n'osaient plus sortir à cause de ces agressions d'islamistes dont on parle sans cesse. » Agées de vingt et vingt-deux ans, Yasmine et Nawal sont deux jeunes filles qui déborderaient de vitalité si elles n'étaient paralysées par la peur. Une peur qui, à l'exception des sorties impossibles à éviter comme celles imposées par la nécessité d'aller aux cours, les confine littéralement à l'intérieur de la maison. « Il faut en permanence surveiller la manière dont on s'habille, dont on marche, dont on se comporte. Plus ça va et plus la situation empire, explique la plus jeune, Nawal, à qui une chevelure en toison de caniche confère un air de petite sauvageonne. Avec tous les ''frérots'' [3] qui traînent dans la rue, quelle envie de sortir pourrait-on avoir ? Je n'arrive même plus à les regarder, avoue-t-elle, tellement ils me terrorisent. Quand je rentre dans l'immeuble, j'ai beau me raisonner, je ne peux pas m'empêcher de me retourner à deux fois pour vérifier que personne ne me suit. Parfois même, je me mets à courir pour atteindre l'appartement. »

Branchées du matin jusqu'au soir sur les chaînes télévisées françaises que les antennes paraboliques permettent depuis un certain temps de capter, Nawal et Yasmine communiquent de moins en moins avec leur propre réalité. Désarmées et désemparées, elles se recroquevillent sur elles-mêmes, l'esprit agité par des scénarios catastrophes que les commentaires des médias français nourrissent à profusion. Et si les islamistes accèdent au pouvoir, qu'adviendra-t-il ? Hantées par cette perspective, elles ne parviennent plus, comme leur âge devrait les y pousser, à échafauder des plans d'avenir. Elles ne parviennent plus en fait à réfléchir au-delà du 12 juin 1990, la date-test. Rarement de simples municipales auront été aussi déterminantes. A partir de ce jour-là seulement, Nawal et Yasmine sauront, se disent-elles, sous quelles couleurs rêver leur avenir.

Ali Belhadj, la parole de feu...

Alger savoure le plaisir de la grasse matinée. Hormis quelques voitures dont le passage perturbe de temps à autre le pépiement des oiseaux, un calme serein émane de la rue. La valise grande ouverte sur le lit, je la contemple sans bouger, comme si, à la regarder aussi fixement, une idée lumineuse allait jaillir de mon esprit paralysé par l'hésitation. Que vais-je mettre ? Bonne question mais quelque peu tardive. A-t-on franchement idée quand on compte aller dans le fief des islamistes écouter le prêche du plus radical d'entre eux de ne ramener avec soi qu'une djellaba qui chante en mauve tendre et s'arrête à mi-mollet ? [4] Entre elle et le jean, ai-je cependant le choix ? Non, pas vraiment. Alors, autant éviter de se distinguer davantage par un retard.

Avec son voile fin délicatement posé sur ses cheveux à la manière pakistanaise, Rabéa ressemble à Benazir Bhutto. Amusées de la voir ainsi vêtue, ses deux filles le lui font remarquer en la taquinant. Elle rit de cette comparaison, mais ses efforts pour faire bonne figure échouent à dissimuler son appréhension. Elle, à qui la simple évocation des islamistes donne froid dans le dos, voilà qu'elle va aller leur rendre visite à domicile. Si ce n'était sa conception exigeante de l'hospitalité, elle se serait avec plaisir dispensée de cette entreprise-là.

Arrivée la veille, je tiens à mettre à profit le fait que cette première matinée passée à Alger soit celle d'un vendredi, le jour de la prière collective pour assister au prêche hebdomadaire de Ali Belhadj, le plus radical des responsables politiques du Front islamique du salut.

L'apprenant, Rabéa refuse de me laisser me rendre seule dans ce qu'elle considère comme le lieu de tous les dangers. Aussi décide-t-elle de m'y accompagner en me proposant de demander également à l'une de ses cousines de se joindre à nous. « Ce serait une bonne chose, me dit-elle, d'avoir Malkiya parmi nous. Comme elle porte le hijab et va tous les vendredis prier à la mosquée, elle sait ce qu'il faut faire. Elle saura nous guider. »

Elle a beau faire la brave, Rabéa n'est pas très rassurée. Je ne le suis en vérité guère plus qu'elle. Nous passons chercher Malkiya à son domicile. Hijab blanc sur ample robe noire, celle-ci est « mouhajjaba » jusqu'aux chevilles, mais son français a la même pureté que celui de sa cousine. Avec en plus une petite pointe d'accent parisien...

Il nous reste encore un petit détail à régler. Un petit détail de taille ; savoir dans quelle mosquée Ali Belhadj prêche cette semaine. « Commençons de toutes les manières par la sienne, celle de Bal-el-Oued, propose Malkiya. S'il n'y est pas, il se trouvera toujours quelqu'un là-bas pour nous renseigner. »

Quittant les hauteurs d'Alger, nous longeons la mer pour atteindre cet ancien quartier pied-noir resté, depuis l'indépendance, l'un des plus populeux de la capitale. Au fur et à mesure que nous nous en rapprochons, l'ambiance se transforme. Dans une rue aux allures de chasse gardée masculine, les femmes dévoilées se font de plus en plus rares. De temps à autre, une morsure de jupe sur le genou ou une robe colorée, rarement un pantalon rompent la monotonie de ces longueurs qui balaient le sol... Une monotonie dans la diversité, quand même. Tous les deux mètres on voyage au gré des tenues : Le Caire, Téhéran, Kaboul et puis, heureusement, un petit peu de campagne algérienne de temps à autre. A côté des linceuls noirs dans lesquels des adolescentes au regard rentré déambulent, des aïeules portent coquettement le *haïk*, voile neigeux, complété par le *ajr*, sorte de « bavette » dentelée cachant le visage sauf les yeux.

Bab el Oued atteint, Malkiya rajuste son hijab et nous recommande de ramener sur nos cheveux le foulard négligemment laissé sur les épaules en attendant d'arriver à la mosquée. Bien que nous circulions en voiture, nous ne nous sentons guère rassurées. Dans ces ruelles étroites où une foule compacte déborde des trottoirs, les femmes vêtues à l'occidentale ont disparu... Adossés contre un mur ou regroupés à l'angle d'une rue, des groupes de jeunes sont là, immobiles et perdus dans des songes intérieurs. Les tenues « islamiques » prédominent ; gandoura, kamiss blanc ou encore djellaba brune assortie d'un paletot et d'un bonnet afghan. Depuis que certains islamistes algériens — plusieurs centaines, dont une cinquantaine seraient morts dans les combats — sont partis accomplir le « devoir sacré » du djihad en Afghanistan, la tenue des moudjahid afghans est venue enrichir la panoplie. Pour la première fois depuis le début de ce périple, un sentiment d'angoisse m'envahit. L'Algérie est si proche... Nos rivages, épargnés jusque-là, ne risquent-ils pas bientôt eux aussi d'être emportés par la tourmente islamiste. Bab-el-Oued est si peu différent de Bab Marrakech (quartier populaire casablancais) !

Si « ça » éclate ici, personne n'en sortira vivant, frissonne Rabéa devant la densité impressionnante de la population. Lors des émeutes d'octobre, Bab-el-Oued a été l'un des premiers quartiers à s'enflammer. Celui également dont le bilan en victimes fut le plus lourd. Sous le magistère de Ali Belhadj qui officie à la mosquée principale, il est devenu le fief des islamistes. Les émules de l'imam y font ouvertement la loi. Récemment, par exemple, une femme médecin s'est vu intimer l'ordre de ne plus soigner que des malades de son sexe. Après une brève tentative de résistance, elle a fini par s'exécuter sous les menaces de plus en plus répétées d'un petit groupe d'extrémistes.

En chemin, nous nous renseignons auprès de l'un des jeunes stationnés sur les trottoirs pour savoir si Ali Belhadj est à la mosquée Sunna. « Non, nous répond-il en coulant sur nous un regard étonné, ce vendredi, il sera à celle de Kouba, le *masjid* (mosquée) Ibn Badis. » Il ne nous reste plus qu'à mettre le cap sur Kouba, soulagées de nous éloigner d'un lieu où, malgré la proximité de la mer, l'air s'est très vite fait étouffant.

A Alger, c'est simple, lorsqu'on ne descend pas, on monte. La mer d'un côté, la colline de l'autre, on ne s'éternise jamais dans un même décor ni à un même niveau. Blottie dans des nids de verdure ou le corps projeté vers la Méditerranée, la ville blanche, qui vire de plus en plus au gris, s'enroule et vous enroule dans ses lacets à la manière d'un boa paresseux. Arrivées au faîte de la colline, au dernier virage, l'artère centrale de Kouba dans laquelle nous nous sommes engagées se rétrécit brusquement sous le flot des voitures. Plus besoin de demander notre chemin. Au profil des conducteurs et de leurs passagers, il est clair que nous sommes sur la bonne voie. Prenant exemple sur le véhicule qui nous précède, nous stationnons dans une des rues voisines de la mosquée pour ensuite emboîter le pas aux fidèles qui affluent en masse. A peine avons-nous parcouru quelques mètres que, barbiche, kamiss et badge en avant, un responsable du service d'ordre — lors de leurs diverses manifestations, les islamistes se sont toujours distingués par un sens parfait de l'organisation — nous demande de rebrousser chemin et d'emprunter une rue parallèle. « C'est par là que les femmes doivent passer », nous explique-t-il.

Les islamistes algériens ne font pas les choses à moitié. Puisque séparation des sexes il y a, pourquoi attendre d'être à la mosquée pour l'établir ? Si le F.I.S. accède au pouvoir, voilà qui promet du plaisir aux Algériennes. Elles auront non seulement leurs écoles, leurs universités mais peut-être aussi leurs rues et leurs boulevards. Qui sait ? Leurs quartiers. Des quartiers réservés à l'abri de la concupiscence des mâles. Quelle femme respectable pourrait rêver meilleur sort !

Les abords de la mosquée sont noirs de monde. Sans tenter d'avancer davantage, les nouveaux arrivants déroulent leur tapis de prière, l'étendent où ils le peuvent sur le macadam, font quelques génuflexions et prennent place. Les femmes, pour leur part, sont dirigées vers un étroit couloir. Formé d'un côté par le mur d'un bâtiment et de l'autre par des panneaux en toile tendus pour nous soustraire à la vue des hommes, il conduit vers l'espace de prière qui nous est réservé. L'espace exigu d'une arrière-cour avec vue panoramique sur terrain vague. « Sommes-nous des pestiférées pour devoir ainsi être parquées ? », ne puis-je m'empêcher de murmurer à Malkiya dont l'hijab orthodoxe nous assure un semblant de crédibilité. Sur ma droite se tiennent deux jeunes filles. L'expression vive malgré le tchador lugubre, elles me gratifient de plusieurs sourires amicaux comme pour me signifier que malgré ma tenue peu « réglementaire », elles m'acceptent parmi elles. Par contre, à peine installée je sens un regard féminin peser sur ma gauche. Pendant la prière, il glissera sur moi, animé d'une charge évidente d'animosité, se détournant quand, par défi, je le soutiens pour revenir un moment plus tard épier le moindre de mes mouvements.

Portée par de puissants haut-parleurs, une voix sans visage emplit l'air. Traînante et rauque, elle s'étire lentement, s'enfle avec un bruit de rape qui écorche le tympan mais accroche l'attention, les inflexions savamment étudiées pour distiller la juste dose de menace que les propos requièrent. Quand je pense à questionner ma voisine de droite sur le nom de cet orateur si expert dans l'art de jouer des cordes vocales, l'intervention de ce dernier s'achève. A ma grande déception, car je viens d'apprendre que ce n'était autre que le porte-parole du Front islamique du salut le cheikh Abassi Madani. La récitation d'un verset coranique ouvre l'intervention suivante. Violent et passionné, le ton est donné d'entrée de jeu. Ali Belhadj ne s'embarrasse ni de modulations emphatiques ni de circonlocutions recherchées. Il attaque et dénonce sans détour ceux qui s'opposent au combat des militants de la cause vraie, de la cause juste, de la cause de Dieu. Tout au long de son prêche, qui durera une heure pleine, une même idée est inlassablement martelée : la nécessité de faire preuve de courage et de persévérance pour parvenir au but ultime, l'édification de la « nation de Dieu ». « Le chemin qui mène à Allah, explique-t-il, est dur et escarpé. Il faut s'y préparer à être résolu à tout endurer. » Avec de longues références aux luttes du Prophète et de ses disciples, aux agressions et aux insultes que l'Envoyé de Dieu a dû subir de la part des ennemis de l'Islam sans jamais faiblir, il établit un parallèle entre celles-ci et la situation que « nous, qui voulons construire la nation de Dieu » connaissons aujourd'hui. « On nous agresse, on critique nos paroles, nos actions mais nous devons recevoir ces agressions comme jadis le Prophète a reçu les agressions de ses ennemis. Rien ne doit arrêter la volonté de celui qui est décidé. » Il rappelle qu'en son temps le Prophète avait déjà prévenu les musulmans des bouleversements que les siècles à venir allaient connaître et les avait mis en garde contre les risques de *bidaa**. Et de citer ce hadith fort prisé des islamistes qui en font un abondant usage pour condamner tout ce qu'ils réprouvent : « Toute innovation en religion est erreur, et toute erreur est dévoiement, et tout dévoiement conduit en enfer. »

« Ceux qui ont suivi en premier lieu le Prophète ne sont pas des gens de la catégorie fortunée. Non, clame-t-il avec force à la foule qui boit ses paroles avec avidité, ce sont les démunis car il leur a donné l'espoir et la volonté de surmonter leurs difficultés, le courage de combattre ceux qui, les spoliant de leurs droits, les asservissent et étouffent leurs libertés. »

Naviguant entre le passé et le présent, il explique que, aujourd'hui, les ennemis de l'Islam — l'allusion aux autorités algériennes est sans ambiguïté — après avoir dans un premier temps menacé et emprisonné les partisans de la prédication — il évoque au passage son propre emprisonnement — développent à présent une autre stratégie, plus sournoise car visant à créer la dissension dans les rangs des fidèles. « Sinon comment expliquer cette interdiction du hijab et de la barbe », dit-il en rappelant les démêlés survenus tout récemment entre les islamistes et l'armée. Un hôpital militaire situé dans une banlieue algéroise (Aïn-Naadja) ayant décidé d'interdire à son personnel le port de la barbe et du hijab, le F.I.S. a aussitôt crié au scandale en qualifiant cette décision de « contraire aux valeurs du peuple algérien, d'anticonstitutionnelle et d'illégale ».

Quelques jours plus tard, l'A.N.P. (l'Armée nationale populaire) publia un communiqué confirmant cette décision qualifiée de mesure de prophylaxie et justifiant son attitude par les « exigences impératives de la profession médico-hospitalière ». Dans un arabe qui oublie un instant son classicisme pour redevenir purement dialectal, Ali Belhadj se gausse des justifications de l'A.N.P. en ironisant sur l'état d'hygiène des hôpitaux algériens, ce qui déchaîne les rires de l'assemblée. « A cela comme au reste, assène-t-il, nous opposerons la même résistance. » Puis, il aborde un point qui, depuis l'instauration du multipartisme, fait l'objet d'une polémique permanente entre le F.I.S. d'une part, les autorités et les autres partis politiques, de l'autre ; « On affirme que la mosquée ne doit appartenir à aucun parti politique. Nous disons d'accord... mais notre prédication est celle de l'islam. Les mosquées sont à Dieu. C'est le lieu de la parole sainte, de la parole de vérité. Et l'imam propage la parole de Dieu qui est au-dessus des autorités. » L'orateur affirme avec hauteur son indifférence à l'image d'extrémiste que les médias ont coutume de donner de lui. « Tout ce que l'on peut dire de moi à la télévision, dans les journaux ou à travers le monde me laisse de marbre. Oui, j'estime que tout parti qui s'éloigne des préceptes de Dieu, du Coran et de la Sunna représente le parti du diable. Je le dirai et je le répéterai, que cela plaise ou non. Quant à la question de la démocratie, je maintiens que, dans une nation musulmane, le pouvoir suprême ne saurait être ailleurs qu'entre les mains de Dieu. Nous ne croyons pas au pouvoir du peuple sur le peuple mais au pouvoir de Dieu sur le peuple. Jamais le contraire. »

Versets coraniques, appel à la miséricorde et à la bénédiction divines, le tribun enflammé redevient humble imam pour conduire la prière dont l'heure a sonné. Sous le ciel intensément bleu et dans un vibrant *Allahou Akbar*, les milliers de fidèles ploient le corps, la tête plaquée contre le sol. La prière achevée, les femmes autour de nous rajustent leur hijab en vérifiant qu'aucun cheveu ne s'en est échappé au cours des génuflexions, plient leur petit tapis et se dirigent vers la sortie. Serrées les unes contre les autres nous nous engouffrons dans le passage par lequel nous sommes arrivées mais à peine avons-nous parcouru quelques mètres que le mouvement déjà lent s'arrête complètement. Coincées au milieu de cette marée de voiles et empêtrées dans les nôtres sous l'impitoyable soleil de la mi-journée, nous atteignons rapidement les bords de la suffocation. Mon foulard glisse légèrement sur ma tête. « Pourquoi ne te couvres-tu pas correctement les cheveux », m'apostrophe d'un ton rude l'une des femmes en constatant que mon couvre-chef déroge aux règles strictes du hijab. Faisant mine de ne pas comprendre, je m'abstiens de lui répondre. D'ailleurs, que lui répondre ? Que je n'en ai strictement rien à fiche de ce maudit foulard qui m'étouffe déjà bien assez comme ça. Le geste eût été beau, mais je ne me sens en vérité guère capable de bravoure au cœur de cette foule tendue. Les minutes s'écoulent de plus en plus longues. Cette insupportable immobilité n'en finit plus. Que se passe-t-il ? s'enquiert-on enfin. Une voix à l'avant nous apprend que des femmes du service d'ordre bloquent la sortie sous prétexte qu'il faut d'abord laisser les hommes se disperser avant de passer à notre tour. Le bouquet ! Non seulement on nous confine dans un petit coin misérable comme des malpropres mais, maintenant, il faut en plus attendre que ces messieurs passent ! Et dire qu'il est écrit dans le Coran que « le Paradis est sous le talon des mères » ! Je doute que le bon Dieu, s'Il est témoin de la considération avec laquelle celles-ci sont traitées, accorde Sa bénédiction à ceux qui se targuent ici de glorifier Sa parole ! « Il n'est pas question d'attendre davantage. Nous, on s'en va », s'énervent deux femmes en commençant à jouer des coudes pour se frayer un chemin. Nous les imitons aussitôt. Une fois parvenues jusqu'au cordon établi par un trio de mounaqqabates, gantées et voilées de noir de la tête au pied, celles-ci tentent encore de nous retenir en s'exclamant — en français ! — « Ce que vous faites là n'est pas correct » mais, sourdes à leurs protestations, d'un coup de coude, nous forçons leur barrage. Ouf, de l'air, il était plus que temps.

Malkiya à l'école de son fils

Sur le chemin du retour, après voir regagné le cadre protecteur de la voiture, je me retourne vers Malkiya pour lui demander son opinion sur ce prêche, histoire de voir comment elle y réagit, elle qui pratique l'islam à la lettre. « Je ne l'ai pas beaucoup apprécié, me répond-elle. Sur la forme, un point en particulier m'a vraiment exaspérée : c'est cette manière qu'il avait de jurer à chaque instant. Pour moi, un bon musulman ne doit pas invoquer en permanence le nom du bon Dieu pour arguer de sa bonne foi. Cela ne le rend pas très crédible. Sur le fond, la parallèle qu'il a établi entre le Prophète et ses califes et lui et son équipe est très dérangeant. Que cherchait-il ainsi ?

A placer son action au même niveau que celle de Sidna *Mahomet, salallah allih wa salem* ? (''Notre Seigneur Mahomet, la prière de Dieu soit sur lui et la paix''). C'est choquant. Il ramène tout à lui. Pour un prêche religieux, je trouve qu'il n'y a pas été beaucoup question de religion. Au lieu de faire appel à la patience, il pousse les gens à la révolte.

— Et toi, tu penses qu'en Islam l'appel à la patience doit primer ?

— Tant qu'on n'est pas attaqué, oui ! Lui, son attitude est d'abord et surtout offensive. Pour ma part, j'estime que le devoir d'un musulman est de pratiquer la religion le plus parfaitement possible, d'accomplir son travail à la perfection aussi bien au niveau professionnel que familial, d'être juste... Quant au reste, chacun doit être libre de vivre l'islam à sa façon. Je n'ai pas à imposer ma manière d'être à mon voisin. »

Malkiya considère avec une grande circonspection la politisation de l'Islam. Elle le précise d'ailleurs tout de suite, la politique, ce n'est pas ce qui la passionne le plus ; elle n'adhère à aucun parti. Bien sûr, ses sympathies se sont dirigées naturellement vers le F.I.S. au moment de sa création car un parti se posant comme le défenseur des préceptes religieux ne pouvait être selon elle qu'une bonne chose pour l'épanouissement de l'islam dans le pays. Le cours des événements va rapidement la faire revenir sur ce sentiment.

« On s'est aperçu que, parmi les adhérents du F.I.S., il y a des individus qui ne comprennent rien à l'islam. Des jeunes désœuvrés comme les ''hittistes'' [5], parfois même des repris de justice, des paumés qui, parce qu'ils se sont laissé pousser la barbe et mis un kamiss, croient tout savoir et se croient tout permis. Le F.I.S. compte aussi des militants sincères, mais la présence de gens bornés en son sein dessert la cause qu'il défend. Et je ne voudrais pas, moi, que ces gens-là arrivent un jour au pouvoir. »

Cette attitude puise en fait sa source dans un incident dans lequel son fils s'est trouvé impliqué lors du ramadan.

Tous les soirs du mois de jeûne, les fidèles participent à la mosquée aux *tarawihs* [6]. Ali, le fils de Malkiya, est médecin et un garçon d'une très grande piété. Aussi faisait-il partie des gens désignés par le comité de la mosquée du quartier pour conduire la prière lors de ces tarawihs. Or, un soir, un groupe de jeunes ont exigé que Ali cède la place à leur prêcheur bien que, dans le programme établi par le comité de la mosquée, c'était à lui de prendre la parole. Devant ce qui n'était qu'un coup de force dans le but d'accaparer le contrôle de la mosquée, une violente dispute a éclaté. Ce soir-là, les fidèles sont retournés chez eux sans prier. Ulcéré par ce type de procédé, inadmissible à ses yeux dans un lieu de culte et de recueillement, Ali s'est dès lors retiré de toute autre participation à des activités religieuses. « Il a été profondément meurtri et déçu, raconte sa mère. Pendant plusieurs jours, il s'est enfermé dans un silence total. Après cela, il nous a annoncé qu'il ne voterait pour personne. Le F.I.S., comme les autres... »

Dans la stratégie politique des islamistes, le contrôle des mosquées représente un enjeu primordial, elles sont l'instrument privilégié de la mobilisation populaire. Des luttes féroces opposent pour cette raison les tenants de l'Islam officiel aux tenants de l'Islam contestataire, celui-ci se subdivisant en outre en plusieurs tendances rivales. Verbale en règle générale, la violence devient parfois physique jusqu'à atteindre des situations extrêmes, pouvant déboucher sur la mort d'homme (il est arrivé qu'un iman se fasse poignarder par son rival en pleine mosquée).

S'il est une question dont les deux cousines, Rabéa et Malkiya, évitent soigneusement de discuter, c'est de religion. Alors que la simple vue d'un hijab révulse Rabéa, toujours vêtue avec une sobre élégance, Malkiya a depuis bientôt dix ans remisé définitivement pantalons et maillots de bain pour s'en tenir aux longues robes amples des « mouhajjabates ». Pourtant, toutes deux ont grandi dans un même milieu, traditionnel tout en étant ouvert à la culture occidentale, reçu une éducation similaire et suivi un cursus scolaire et universitaire en français uniquement. Pour lire le Coran, Malkiya, aujourd'hui encore, doit recourir à une édition bilingue français-arabe. Pendant de longues années, tout comme Rabéa, Malkiya n'eut de l'islam qu'une pratique réduite, se limitant au seul jeûne du mois de ramadan. Elle ne récitait ni ses prières ni ne connaissait aucun verset coranique, en dehors de la *Chahada**. Le tournant qui s'opéra dans sa vie s'amorça le jour où un petit garçon, haut comme trois pommes, l'interpella de sa voix fluette : « Dis, maman, pourquoi tu ne pries pas ? » C'était Ali. Il avait six ans. « Sa question était si inattendue, se souvient Malkiya, que j'en suis restée interloquée. Ne sachant que lui répondre, j'ai dit : ''Écoute, mon fils, le jour où tu me verras assise à ne rien faire, tu pourras me poser cette question. Mais pas maintenant.'' Je venais tout juste d'entreprendre mes études de pharmacie, j'avais comme prétexte le fait de devoir étudier. Cinq ans plus tard, dès que j'ai décroché mon diplôme, il est revenu à la charge : ''Et maintenant, maman ?'' m'a-t-il à nouveau questionnée. Je n'avais plus aucun argument valable à lui opposer. Je lui ai alors promis de faire ce qu'il me demandait. »

L'expérience vécue par Malkiya avec son fils ne constitue pas en soi un cas isolé. Les exemples de parents interpellés par leurs enfants sur leur pratique religieuse abondent car, s'il est un domaine que les islamistes ont su investir avec succès, c'est incontestablement celui de l'enseignement. La politique d'arabisation poursuivie par l'Algérie dès le début des années 60 en est grandement responsable. Répondant à la légitime ambition de redonner la priorité à la langue arabe sur le français dans un souci d'indépendance culturelle à l'égard de l'ancienne métropole, elle avait pour défaut majeur de ne pas s'inscrire dans une planification à long terme suffisamment étudiée. La conséquence en a été un enseignement dont la qualité laissait beaucoup à désirer. Une fois parvenus sur le marché du travail, les étudiants des filières arabophones se sont aperçus avec amertume que leur formation ne leur permettait pas d'accéder aux fonctions les plus rémunératrices et les plus valorisées. Ils ont dès lors grossi les rangs des intellectuels sous-employés. Un grand nombre d'entre eux se sont tournés vers l'enseignement. Leur sentiment de frustration et leur rancœur contre les francophones, mieux lotis qu'eux en matière d'emploi, en ont fait des proies idéales pour les islamistes. Conditionnés dès leur plus jeune âge par des maîtres d'écoles formés de manière rudimentaire, qui leur donne de l'islam une image simpliste et réductrice, d'un islam où le spectre du châtiment prime sur la notion d'amour et de miséricorde (« Maman, c'est vrai que ceux qui ne font pas le ramadan sont pendus par les paupières et jetés ensuite dans le feu par le bon Dieu ? »

demande tel autre petit garçon à sa mère), les enfants se sont transformés en juges et censeurs de leurs parents. Quand on se définit comme un musulman, que peut-on en effet répondre à un enfant qui vous demande pourquoi vous ne priez pas, alors que c'est là un des cinq devoirs d'un musulman, et qu'il le sait ?

Ainsi culpabilisés, nombreux sont ceux qui, comme Malkiya, introduisent une nouvelle rigueur dans leur pratique de l'islam pour ne pas se déjuger aux yeux de leur enfant. Poussée par son fils, Malkiya commence donc à prier. Son mari, non-pratiquant jusque-là, est entraîné lui aussi dans le même sillage. Malkiya achète un Coran bilingue, le lit peu à peu, part avec sa famille au complet à La Mecque mais continue à se baigner et à s'habiller comme à l'accoutumée. Le dernier pas, elle l'accomplit... en France.

« Mes nouvelles lectures m'avaient fait prendre conscience que le hijab était une obligation pour la femme musulmane. En 1980, le plus âgé de mes fils, atteint depuis la naissance d'un handicap moteur, a dû aller en France suivre un traitement de longue durée. Je l'ai accompagné, et nous avons séjourné pendant un an à Paris. Ce n'était pas la première fois que je voyageais en Europe mais c'était la première fois que j'y restais aussi longtemps. Cette expérience a été déterminante ; j'ai été profondément choquée par le côté superficiel et matérialiste qui régit les relations humaines. Partie habillée à l'européenne, je suis revenue vêtue à ''la musulmane''. J'ai le sentiment d'avoir perdu beaucoup d'années quand je mesure le degré de sérénité que j'ai atteint depuis que j'ai adopté le hijab. Je me sens en totale harmonie avec moi-même. Désormais, même l'idée de la mort ne m'effraie pas. »

Cette nouvelle manière de se vêtir ne handicape-t-elle pas dans ses mouvements ? « Pensez-vous, réplique-t-elle, maintenant que je m'y suis habituée, je me trouve beaucoup plus à l'aise qu'avant. Je sens que je vis mieux, que je respire mieux que dans mes anciennes tenues. Je peux même courir si je le veux car, sous ce manteau, je porte un pantalon. » Fermement convaincue que le hijab est une obligation religieuse et que l'extérieur étant un reflet de l'intérieur, tout est important, elle estime qu'une femme musulmane ne peut prétendre à la perfection religieuse tant qu'elle est « dévoilée ». « Une musulmane qui ne se couvre pas est une musulmane à qui il manque quelque chose. Cela ne veut pas dire que c'est une mauvaise musulmane. Je n'ai pas, moi, à la juger, car elle n'a de compte à rendre en fin de compte qu'au bon Dieu. » Elle estime que sa tenue actuelle, bien que non traditionnelle (« Le haïk n'est pas pratique pour travailler ») se rapproche plus des mœurs et coutumes algériennes que la jupe ou la robe occidentales. « Cette mode-là est totalement importée. Si nous avions été colonisés par des Saoudiens, elle ne se serait pas développée de la sorte. C'est la *habaya* qui serait alors considérée comme la norme. »

Inutile de faire parler Malkiya des tenants et aboutissants juridiques de la Charia. D'un petit sourire contrit, elle se débarrasse de ma question en avouant une ignorance « coupable » dans ce domaine par « manque d'intérêt ». « Ce qui m'importe dans l'islam, c'est avant tout son esprit. On a trop tendance à réduire la Charia aux règles juridiques alors que ces dernières ne constituent qu'une toute petite partie du corpus islamique et on néglige les préceptes moraux et spirituels, autrement importants. Je vais vous avouer quelque chose, et que Dieu me pardonne ; je ne me sens pas du tout concernée par des sourates comme *El Nissa* ou *El Bakara*[7]. Je les écoute par respect pour le Coran mais, franchement, ce ne sont pas mes sourates préférées ! Il y a certaines choses là-dedans qui me choquent profondément mais, comme elles viennent de Dieu, je ne me permettrais jamais de les discuter. Je les accepte en me disant qu'il y a sans doute des paramètres qui m'échappent. Il est impossible que Dieu soit injuste ! »

Malkiya travaille comme pharmacienne laborantine dans un hôpital. « Rester à la maison pour m'occuper uniquement de la cuisine et du ménage ? Quelle horreur ! Je ne pourrais jamais le supporter. Et puis, dans notre situation économique actuelle, c'est purement inconcevable. » Les philippiques de Ali Belhadj sur le travail de la femme ? Elle éclate de rire : « Je ne voudrais pas le vexer mais... Ali Belhadj n'est pas un personnage que je prends au sérieux. »

L'islamisme bon teint

En cette heure matinale, le vaste hall en marbre de l'hôtel Aurassi est rempli de mines renfrognées. Est-ce la perspective de débattre pendant quatre jours d'un sujet aussi grave que le « futur islamique » qui rend les doctes personnes ici réunies si moroses ou simplement mon regard qui se départit de toute objectivité dès lors que la proportion d'hommes dans un lieu dépasse une certaine limite ? Debout au milieu de ces messieurs dont les tenues varient du costume trois-pièces à la gandoura et au kamiss, je me fais l'effet d'être une espèce en voie de disparition. Au bout d'un moment cependant, les premières femmes font leur apparition. Elles sont deux et dûment voilées. La porte vitrée de l'hôtel poussée, elles bifurquent sur la droite pour s'asseoir dans un petit coin en retrait. Au fur et à mesure que l'heure de l'ouverture du colloque se rapproche, quelques autres, guère plus d'une dizaine, les rejoignent. Toutes mouhajjabates.

« L'islam ne se mesure pas à la taille de la barbe ou du kamiss... A l'heure où les musulmans doivent s'ouvrir sur le monde avec une foi et une pensée positive, où la bataille entre l'islam et ses adversaires doit se livrer sur le terrain de la pensée et de l'économie, où une réforme spirituelle, politique et sociale des sociétés islamiques est nécessaire, certains musulmans continuent à privilégier le détail sur l'essentiel, persistent à considérer la femme comme une tare, un vice et à appliquer un islam incapable de fournir le pain et les armes. »

C'est par cette critique sévère des courants islamiques radicaux, formulée par une autorité religieuse de grande notoriété, l'imam islamiste égyptien Mohamed El Ghazali, que s'ouvre une heure plus tard la conférence sur l'avenir de l'Islam. Organisée par un organisme basé à Londres, le Centre d'études du futur islamique, avec l'assistance de l'Institut algérien d'études de stratégie globale, cette manifestation, à laquelle une quarantaine de penseurs, de chercheurs et de théologiens musulmans ont été conviés, entend aborder la question fondamentale des causes de la stagnation actuelle du monde islamique et des moyens qui doivent être mis en œuvre pour relever le défi du sous-développement... Après l'allocution remarquée du cheikh

Ghazali à laquelle un autre éminent théologien égyptien, cheikh El Gardahoui, a fait écho en souhaitant que « l'éveil islamique dans certains pays musulmans s'inspire de l'Islam du progrès scientifique, du développement et de la pensée et du travail » et en regrettant que « certains dans leur démarche ne retiennent de l'Islam que son aspect dissuasif au détriment de son message de mansuétude et de miséricorde », les organisateurs ont tenu à adresser des remerciements appuyés à l'Algérie pour son hospitalité. Une hospitalité d'autant plus remarquée que parmi les participants sont présents les deux figures de proue des mouvements islamistes tunisien (El-Nahda) et soudanais (El Dawa), Rachid El Ghanouchi et Hassan El Fourati. Par contre, si le professeur Mahfoudh Nahnah, le président de l'Association islamiste algérienne, « El Irchad wa El Islah » (''Orientation et réforme'') est là, Abassi Madani, le leader du F.I.S., a curieusement été oublié.

S'il est un point que les médias se sont empressés également de relever, c'est bien celui du choix d'Alger pour la tenue de ce colloque en cette conjoncture particulière. Le directeur du centre, le professeur Mohamed El Hachimi, n'en a pas fait mystère : « Ce choix, a-t-il dit lors d'une conférence de presse, concorde avec les mutations en cours en Algérie. »

En acceptant et en soutenant en ce moment précis la tenue d'une telle manifestation sur son territoire, l'objectif du gouvernement paraît assez clair : combattre le F.I.S. sur son propre terrain, avec ses propres alliés, en s'opposant au discours politique de celui-ci avec un autre discours se voulant, lui, fondé sur la raison et le savoir. Une attitude qui s'inscrit dans la politique de monopolisation du terrain religieux poursuivie de longue date par le F.L.N. Depuis l'indépendance, l'État algérien a toujours tenu à se présenter comme un État soucieux de sa religion et de ses préceptes. L'importance de la dimension islamique de la guerre de libération a constamment été mise en avant par le F.L.N. L'islam est reconnu par la Constitution comme religion d'État, le président de la République doit être obligatoirement de confession musulmane mais le choix du socialisme a forcé les dirigeants à un délicat et permanent jeu d'équilibre entre, d'une part les croyants fervents et, d'autre part, les militants d'un socialisme pur et dur.

Tous leurs efforts ont visé à convaincre les uns et les autres qu'entre les deux notions il n'y avait aucune contradiction. Mieux encore qu'elles relevaient pratiquement du pléonasme. L'explication et la justification des choix politiques par l'appel à l'islam est une pratique dont il a été fait abondamment usage. Toutefois, on assiste depuis 1980 avec le président Chadli Benjedib à un infléchissement plus marqué dans le sens de l'islam au fur et à mesure qu'au sein de la société les courants fondamentalistes ont acquis de l'ampleur. Déjà, sous le président Boumediene, pourtant héraut du socialisme algérien, des choix fondamentaux comme l'arabisation de l'enseignement ou symboliques comme le remplacement du dimanche par le vendredi comme jour de repos allaient dans le sens des revendications islamistes.

Dans le domaine du symbolique, le président Chadli a fait un pas supplémentaire par rapport à ses prédécesseurs ; tous les discours présidentiels commencent désormais par la formule religieuse « Au Nom de Dieu, clément et miséricordieux » à laquelle jamais auparavant ni Boumediene ni Ben Bella n'avaient recouru. Quant aux actes concrets, c'est sous sa présidence que le code de la famille, maintes et maintes fois repoussé sous la pression des femmes depuis 1962, est finalement promulgué en 1984. Sous sa présidence également qu'un vaste programme de construction des mosquées est poursuivi. Une multiplication de lieux de culte que les autorités auront beau jeu par la suite de dénoncer, une fois qu'elles en auront perdu la maîtrise au profit des islamistes. Pour contrer ces derniers, dont le mouvement, quoique non structuré et sans figures marquantes, faisait de plus en plus parler de lui, elles n'hésitent pas à nommer à la tête de la grande université islamique de Constantine, un membre égyptien de la confrérie des Frères musulmans, le cheikh Mohamed El Ghazali (celui-là même qui ouvre le colloque), faisant dire à certains que « seul le diable peut être plus habile que le régime ».

Pour les opposants au F.L.N., la manipulation par celui-ci de la religion est un des principaux facteurs qui ont contribué à la montée en puissance des islamistes. A leurs yeux, le F.L.N. n'est autre que le père du F.I.S. « A qui la faute si les mosquées destinées à la prière, à la méditation et à la communion spirituelle sont aujourd'hui devenues des lieux d'endoctrinement et de mobilisation politique, écrit Hocine Aït Ahmed[8], l'une des dernières figures historiques de la guerre d'indépendance et chef du Front des forces socialistes. A qui la faute, sinon au F.L.N. ? qui pendant quelque trois décennies les a utilisées comme relais à sa propagande afin d'asseoir son monopole politique. Il a politisé l'Islam et continue malgré tout de le politiser dans le seul but de rendre indiscutable et sacrée sa prétention à détenir la seule vérité possible... En ouvrant la mosquée à la démagogie politique, il vient de s'en faire évincer. Une orthodoxie chasse l'autre. Le rempart a cédé. Mais c'est l'Algérie qui hérite en définitive des conséquences de cette politique d'amalgame et de manipulation de la religion, payant par ailleurs le prix de plus d'un quart de siècle de dépolitisation profonde et quasi générale...[8] »

Après un passage remarqué dans la salle de conférence pendant la séance d'ouverture, Abassi Madani repart au bout d'un moment en laissant sur son passage une petite phrase assassine à l'intention de qui de droit. « On verra, dit-il, ce que de l'Islam des salons ou de l'Islam des *khaymates* (tentes), le peuple préférera. » De part et d'autre, le message est passé : entre le pouvoir et les islamistes, la bataille s'étend sur tous les fronts.

Autour de l'immense table ovale, ils étaient trente-neuf plus une : Asma Ben Kadar. C'est à elle qu'est revenue la lourde responsabilité de nous représenter, nous les éternelles absentes des cercles de pouvoir et de savoir. A elle aussi de dénoncer avec fermeté cet état de fait, en axant sa critique essentiellement sur le regard porté par le mouvement islamiste sur les femmes. Ce mouvement pourtant, elle s'en revendique membre sans l'ombre d'une hésitation. Le hijab impeccablement porté, cette jeune docteur en mathématiques versée dans l'étude des sciences islamiques ne craint pas d'élever la voix. « Le mouvement islamiste, accuse-t-elle, a échoué à offrir de la femme l'image véritable qui est la sienne et à lui proposer des modèles valorisants. La faiblesse doctrinale, l'étroitesse d'esprit et l'insuffisance de compréhension de bon nombre de ses adeptes ont conduit à placer les prescriptions de la Charia sur la femme dans un étau de terrorisme intellectuel et d'extrémisme, tant et si bien que certains en sont venus à voir en elle un ordre consacrant l'hégémonie de l'homme sur la femme et faisant de celui-ci son ennemi. »

Enfonçant le clou, elle s'écrie : « Au temps de la Jahilya, on enterrait vivantes les petites filles. Alors que l'islam, dès sa venue, s'est élevé avec force contre ces pratiques inhumaines et les a interdites, on assiste aujourd'hui à une renaissance de ces pratiques sous une forme nouvelle : l'enterrement mental. Au nom de l'islam, on ensevelit psychiquement la femme en tuant son ambition, en étouffant ses dons et en réduisant à néant son effort pour se construire la forte personnalité islamique qu'elle doit posséder. Nous relevons certaines expressions indirectes de cet anéantissement dans la forte opposition qu'elle rencontre à l'égard de son travail à l'extérieur du foyer, l'incitation à se contenter d'une instruction élémentaire et son isolement du mouvement de production intellectuelle, culturelle et sociale. Dès lors, nous disons qu'il est impérieux de dégager la femme de cet étau afin qu'elle puisse devenir un élément islamique efficient qui participe à la résolution des problèmes de la société musulmane. »

Après avoir énuméré les conditions à remplir pour parvenir à cette situation et défini les domaines où la femme selon elle doit être présente en priorité, Asmaa Ben Kadar conclut son intervention en exhortant les islamistes à une action dans ce sens afin que la femme retrouve au sein du mouvement et de la société la place à laquelle elle a droit. Les messieurs qui l'entourent acquiescent à ses paroles avec une belle unanimité. Ils sont tellement d'accord avec son intervention qu'ils lui délèguent séance tenante la charge de présider la commission suivante. S'il ne tenait qu'à eux, sûr qu'on n'en serait plus là depuis bien longtemps déjà ! La pause-café arrive.

Je médite les belles paroles de la conférencière en m'acheminant vers la sortie quand, tout près de moi, un ordre nerveux lancé par une voix masculine me fait sursauter : « Dégagez la porte, il faut laisser passer les femmes. » Je me tourne. Une barbe noire pleine de courroux s'agite. Mon sang ne fait qu'un tour. « Pourquoi voulez-vous qu'on nous dégage le passage ? » ne puis-je m'empêcher de m'exclamer. Furieuse, la barbe se hérisse davantage. « Si vous voulez vous mélanger aux hommes, ça vous regarde, me répond l'homme en me fusillant du regard. Elles, pour leur part, ne le désirent pas. » Recroquevillées dans leur hijab, les femmes en question attendent effectivement en silence qu'on leur dégage le passage, tel un troupeau de brebis craintives comptant sur son berger pour le protéger des loups. Un proverbe marocain dit : « Tape sur l'eau jusqu'à ce qu'elle durcisse. » Il est merveilleusement à propos.

Quelques jours plus tard, une fois le colloque achevé et le chapelet des pieuses résolutions égrené, je retrouve Asmaa Ben Kadar chez elle. Ouverte au dialogue comme son intervention le laissait supposer, elle a accepté sans aucune difficulté de me recevoir, toute de jean vêtue que je sois, pour débattre avec moi de ses positions sur la femme et l'islam. Le souvenir du comportement de ce groupe de femmes en hijab au colloque est encore présent à ma mémoire. Je relate l'incident à Asma, curieuse de savoir ce qu'elle en pense. « Il y a quelque temps, me répond-elle, je me suis rendue à une conférence donnée par un grand *alem**. Alors que les hommes occupaient la salle centrale, les femmes avaient été installées dans une pièce séparée pour suivre sur un petit écran la conférence, transmise grâce à un circuit interne de vidéo. Je suis retournée immédiatement sur mes pas, refusant d'assister à cette conférence dans de pareilles conditions. Cet exemple rejoint le vôtre. Tous deux mettent parfaitement en relief l'impérieuse nécessité de clarifier le sens des prescriptions islamiques. Du temps du Prophète, hommes et femmes étaient ensemble à l'intérieur de la mosquée. Certaines femmes ont pris part au combat contre les *koufars** aux côtés de leurs frères.

On cite le cas de celle qui a défendu le Prophète et accompagné les *sahaba**. Ou cette autre, évoquée par le cheikh El Ghazali qui a voulu traverser les mers pour aller jusqu'en Inde participer au djihad. S'il s'était trouvé alors un de nos extrémistes d'aujourd'hui, il lui aurait dit : « Qu'est-ce que cela signifie ? De quoi te mêles-tu ? Voyager avec des hommes sur un bateau, te mélanger à eux... tu veux créer la *fitna ?* Rentre à la maison ! » Les extrémistes que l'on rencontre maintenant n'ont d'ailleurs plus que ce mot de fitna à la bouche. Le drame de l'Islam, et du mouvement islamiste maintenant, est que les gens qui appellent à la dawa ne sont pas suffisamment formés dans les sciences islamiques. Dans tous les autres domaines, que ce soient la santé, l'architecture ou l'ingénierie, seules les personnes spécialisées en la matière font autorité. Par contre, le premier venu s'octroie le droit de parler de la Charia et de l'interpréter à sa manière. L'une des causes de la mauvaise image du mouvement islamiste à travers le monde vient de là. Celui qui clame que la femme doit rester à la maison et ne pas en sortir, d'où a-t-il tiré cela ? Des complexes qui existent en lui sans aucun doute. Pas de l'islam en tous les cas. Le problème en ce qui concerne la femme ne relève pas du domaine du fiqh, mais de celui de la psychologie masculine. L'homme ne parvient pas à voir en elle autre chose qu'une femelle *(ounsa)*. La question est de savoir comment on peut modifier chez lui cette perception et l'amener à lui reconnaître sa qualité d'être humain. Tant qu'il persistera dans cette vision, il est illusoire de croire que la situation de la femme changera. » Asma le reconnaît sans hésitation aucune : ce facteur a été déterminant dans sa décision de porter le hijab. Comme tant d'autres, elle a grandi dans une famille dont la pratique n'était que traditionnelle. C'est l'entrée de sa sœur aînée à l'université et la découverte par celle-ci du discours islamiste qui va progressivement lui mettre le pied à l'étrier islamiste.

« Quand ma sœur a commencé à rallonger ses robes et à porter un foulard sur la tête, nous ne comprenions pas ce que cela signifiait. De temps à autre, je l'accompagnais à certaines rencontres ou manifestations religieuses. Chaque année, le ministre des Affaires religieuses organisait des colloques sur la pensée islamique auxquels participaient les plus grands *oulémas* du monde. Comme ils étaient ouverts aux étudiants, j'en suis devenue assidue à partir de 1980. L'idée du hijab a germé dans mon esprit en 1982 quand j'ai commencé à m'interroger sur les questions du rapport hommes-femmes, de leur égalité et de la liberté de la femme. Je suis arrivée à la conclusion que le hijab était le meilleur moyen pour moi d'acquérir ma liberté. Puisque l'homme est incapable de voir autre chose en moi qu'une femelle, de me parler de manière naturelle et respectueuse, j'ai décidé d'éliminer ce qui éveille ses désirs et ses envies. En couvrant mon corps, je me présente à lui de manière à ce qu'il ne s'intéresse qu'à mon esprit, à mon comportement, bref, à ce qu'il me considère comme un être humain. En me libérant de son regard, j'affirme ma liberté. C'est la raison pour laquelle je considère le hijab comme un élément essentiel de cette liberté. J'étais si profondément convaincue que c'était là une nécessité imposée par le contexte local dans lequel je vivais que je n'ai pas eu besoin d'aller vérifier dans les textes si c'était vraiment une obligation coranique ou pas. Jusqu'à aujourd'hui, je ne connais pas par cœur les ayat et les hadith relatifs au hijab malgré ma formation, car je n'ai pas fait de recherches spécifiques les concernant. Je n'ai pas abordé le hijab par le biais de l'obligation religieuse mais par celui de la nécessité sociale. Par la suite, je me suis rendu compte que tout ce que je sentais intuitivement comme étant juste, je le retrouvais par la suite dans le Coran. Quand cette situation se reproduit régulièrement, elle crée en vous une conviction profonde. Je suis infiniment convaincue à présent que l'islam est la ''solution''. Des femmes extraordinaires, notre histoire en est riche. Mais leur souvenir est occulté. Elles sont ensevelies dans l'oubli. Qui dans notre pays se souvient de Fatma Nsoumeur[9], une des héroïnes les plus illustres de notre histoire ? Elle a mené la lutte contre les Français à la tête de dizaines de milliers d'hommes. Le niveau le plus difficile à atteindre est celui du commandement militaire. Elle l'a assumé. Elle a livré plusieurs batailles contre l'ennemi sans qu'aucun des hommes qu'elle menait au combat conteste son commandement. Le nom de l'émir Abdelkader est célèbre à travers le monde entier. Pas le sien. Jeanne d'Arc, Thatcher, Indira Gandhi... on connaît. Fatma, on ne connaît pas. Pourquoi ? Parce que les musulmans ont honte de célébrer leurs femmes, de les élever, de leur reconnaître de l'importance. »

Son teint de lait a rosi. A la voir ainsi s'enflammer, on se croirait devant l'une de ces jeunes Algériennes qui militent pour les droits de la femme. Mais, attention, qu'on ne s'y trompe pas : dès qu'il s'agit de préceptes islamiques explicitement définis comme le sont les règles du statut personnel (polygamie, héritage, répudiation, etc.), Asmaa redevient une islamiste intransigeante ; il ne saurait être question de s'en écarter. Les appliquer en respectant l'esprit de la loi oui, les abolir ou simplement les réformer dans le but de protéger la femme des abus dont ils peuvent être l'objet, non. Cette conception définit par conséquent son attitude à l'endroit du Code de la famille dont la lutte pour l'abrogation constitue l'axe central du combat des associations féminines. « Je le considère, dit-elle, comme valable à 70 % car 70 % de son contenu relèvent de la Charia. Ces 70 % là ne sont pas discutables. Ce n'est pas le cas des 30 % restant. L'article 52 [10] par exemple, ne peut pas se justifier par la Charia, car jeter une mère et ses enfants à la rue est en contradiction flagrante avec l'esprit de la Charia. Je n'ai là par contre aucune objection à ce qu'il soit amendé. » Asmaa se reconnaît-elle comme islamiste ? Oui dans la mesure où elle défend l'idée d'un retour à un islam débarrassé de ses scories et d'une société musulmane régie par la seule loi divine, mais elle condamne l'extrémisme et croit en la nécessité de procéder par étapes. « En brûlant les étapes, on risque de compromettre l'objectif même que l'on vise. Si les gens qui exercent le pouvoir islamique ne comprennent pas celui-ci à sa juste valeur, le retour à la case de départ ne fait pas l'ombre d'un doute. Il faudrait parvenir au préalable à une situation où la société tout entière revendique l'instauration d'un État islamique et l'application de sa Charia. » Dans un premier temps, estime-t-elle, il est impératif de « rouvrir la voie de l'*ijtihad* fermée depuis tant de siècles. Elle seule permettra d'apporter une réponse aux situations nouvelles qui se sont créées et d'éviter, une fois qu'elles auront été analysées, les erreurs du passé. Des ijjtihadat doivent être effectués dans tous les domaines de la vie. Si nous voulons un jour parvenir à instaurer réellement un État islamique, c'est dans ce sens qu'il faut travailler et non pas perdre son temps à discuter de futilités. »

Interrogée sur les actes d'intolérance qui se sont multipliés depuis quelques mois dans la société, en parallèle avec la montée de l'islamisme, elle reconnaît — après cependant avoir précisé que dans le cadre d'une campagne électorale, il était difficile d'imputer la responsabilité de ces actes à un camp déterminé — l'existence d'éléments extrémistes au sein de ce mouvement. « Mais, dit-elle, l'extrémisme naît de l'absence de liberté. » Si la liberté existait depuis le début, on n'arriverait pas à ce type de situation. Asmaa cependant est profondément convaincue qu'il est impossible, inconcevable que l'islam s'impose par la force. La dawa ne peut pas se faire sur la base du territoire intellectuel. On ne peut pas forcer les gens à se comporter d'une certaine manière, traiter une femme de *kafira* parce qu'elle ne porte pas le hijab. Même celui qui ne prie pas ne peut pas être considéré comme un *kafir*... Nous devons être des *douat* et non des *koudates* (des gens qui appellent à l'islam et non des juges). Qui nous a autorisés à investir le cœur des hommes ? Seul Dieu est à même de savoir ce qui existe au fond de chacun. Nous, nous n'avons aucun droit de chercher à y pénétrer. »

Asmaa suit son propre petit bonhomme de chemin et elle refuse de faire sienne toute interprétation qui va à l'encontre de ses convictions personnelles. « Chacun, estime-t-elle, doit prendre l'islam à sa source, effectuer sa propre recherche et n'accorder de crédit qu'aux oulémas modérés. Au regard de mon expérience personnelle, je peux affirmer que le courant le plus modéré est actuellement le plus populaire en Algérie. Ce n'est pas parce qu'on ne le voit pas qu'il n'existe pas. » Quant à la femme, Asmaa estime qu'il lui faut imposer sa présence si elle veut que sa situation se transforme. « Personne ne nous fera de cadeau, et personne ne viendra nous chercher. Cette question en fait ne devrait pas être abordée sous l'angle féminin ou masculin mais sous celui de l'intérêt de la cité musulmane. Il est impossible à la société d'évoluer si la femme demeure arriérée. Tant que les hommes continueront à considérer cette question à travers le prisme de leurs complexes et la femme à travers celui du féminisme, nous n'arriverons à rien. »

Sur le campus de Blida

> *« Nous, résidentes de la cité Ben-Boulaïd de Blida, alarmées par la montée d'un terrorisme au quotidien, dénonçons vivement les agissements d'un groupe d'individus se réclamant d'une certaine police islamique dont certains sont armés de couteaux. Ils sont accoutrés de djellabas, chéchias et portent une barbe. Ces gens nous imposent leur morale, leurs valeurs au besoin par la force... et ceci se passe sous le*

> *regard passif de la police. Dans la nuit du 3.4.90, ces individus ont voulu interdire à un groupe de résidentes de se rendre à une conférence scientifique organisée à l'extérieur de la cité en les empêchant de monter dans le bus. Malgré leurs intimidations, ces résidentes ont persisté dans leur volonté. Un de ces ''rédempteurs''* (sic) *les a alors agressées en fouettant l'une d'elles au ceinturon et en lui ordonnant d'ôter son hijab sous prétexte qu'elle n'était pas digne de le porter (cette étudiante mouhajjaba est connue à la cité universitaire pour sa tolérance). Ces représentants de l'''ordre nouveau'' font en sorte que les chauffeurs de taxi et de bus refusent leur service aux étudiantes. Ils usent de violence pour contraindre les parents et les amis des résidentes à leur remettre leurs pièces d'identité à chaque visite. Des menaces de mort ont été proférées à l'encontre des étudiantes. Maintenant que la démocratie est remise en cause, que nos droits sont bafoués alors que nous venons à peine d'accéder au pluralisme et à la liberté d'expression, nous appelons l'ensemble des forces progressistes et démocrates à se mobiliser pour que les autorités prennent en charge ce problème et soit combattue cette intolérance. » (Communiqué publié dans le mensuel* L'Avenir, *organe du Rassemblement pour la culture et la démocratie, RCD, n° 6, avril 90.)*

Devant l'entrée de la cité Ben Boulaïd, ils sont cinq à monter la garde ; deux policiers, raides dans leur uniforme bleu roi, et trois islamistes en kamiss blanc. Appuyés contre les grilles, ils nous regardent fixement sans bouger. Le crépuscule peaufine le décor en le sculptant de ses ombres.

Fouillant dans mon sac, je m'aperçois avec agacement que, dans ma précipitation, j'ai tout simplement oublié l'essentiel, le papier portant le nom des étudiantes témoins de l'agression du 3 avril. Or, comme il n'a pas été possible de les joindre par téléphone (elles n'en ont pas), ces dernières ne sont même pas informées de ma visite. Si ces cerbères ne demandent chez qui je me rends, je serai bien en peine de leur répondre. Que faire ?

A ce moment même, deux jeunes filles à l'allure décidée passent le portail et avancent dans notre direction. Je les accoste aussitôt pour leur faire part de mon embarras. Connaissent-elles les étudiantes que je recherche ? « Vous avez de la chance, me murmure la plus brune. L'une d'elles est ma compagne de chambre. Venez, je vais vous conduire jusqu'à elle. » Les hommes de l'entrée n'ont rien perdu de notre manège. Une fois à leur niveau, l'un des gardiens nous arrête. « Ils vont chez Yamina, lui dit avec fermeté l'étudiante. — Elle, d'accord, à condition qu'elle laisse un pièce d'identité mais pas lui », réplique-t-il en enjoignant l'ordre à l'ami qui m'a servi de chauffeur de rester à l'extérieur des grilles.

L'approche des élections du 12 juin a provoqué durant le ramadan de cette année une poussée de fièvre islamiste comme jamais l'Algérie n'en avait connue auparavant. Agressions, menaces, enlèvements, recrudescence de la violence au quotidien, en particulier contre les femmes qui ne portent pas le hijab ont transformé ce mois du pardon et de la miséricorde en un mois de l'intolérance et de la peur.

A Bou-Saada, une des premières grandes oasis sahariennes, à 250 km d'Alger, les maisons de cinq veuves, dont l'unique tort était de vivre seules avec leurs enfants, furent brûlées et saccagées par des extrémistes. A Bord-el-Kiffan (ex-Fort-de-l'Eau), dans la banlieue algéroise, une mère et sa fille ont été terrorisées et menacées de mort pendant plusieurs jours jusqu'à ce qu'elles s'en aillent sans que personne ait osé réagir. A Alger, un « commando » de « barbus » s'est attaqué à une discothèque pour tenter d'imposer la fermeture de ce « lieu de dépravation ». Un restaurant du port ouvert à midi pour les rares touristes de passage à Alger a dû fermer sous la menace. A plusieurs reprises, ces intégristes ont tenté de s'opposer, parfois avec succès, à des spectacles ou à des concerts jugés impies. Mais ce sont les cités universitaires de jeunes filles qui ont fait l'objet de leur plus grande attention. En dehors de celle de Blida, où l'agression de l'une d'entre elles a amené les résidentes à se mobiliser et à alerter les médias, des dizaines d'autres ont été soumises à la surveillance étroite de milices qui filtraient les entrées et bloquaient les sorties sous l'œil impavide des autorités.

Recueillir sur place le témoignage de ces jeunes filles sur lesquelles la pression islamiste s'exerce en dehors de toute légalité était indispensable. Plus que tout autre, ce petit voyage à Blida me fit prendre conscience de ce qu'une victoire des islamistes pouvait concrètement signifier sur le plan des libertés individuelles dans la réalité quotidienne. La jeune fille à laquelle je dois d'avoir pu pénétrer à l'intérieur de la cité s'appelle Hoda. Mon arrivée impromptue ne l'étonne pas. D'autres journalistes, nationaux et internationaux, se sont succédé ici depuis que les résidentes, refusant de se laisser intimider, se sont mobilisées pour alerter l'opinion publique et ce, au grand dam de l'administration, furieuse de voir son laxisme révélé au grand jour. « Ils nous ont dit, raconte Hoda, si vous êtes de bonnes patriotes, vous devez taire ces incidents. Cela ne fait que rajouter de l'huile sur le feu. Les ennemis de l'Algérie chercheront à en tirer profit. Mais il était hors de question pour nous de continuer à subir en silence les exactions de ces barbus qui pour la plupart sont des repris de justice. »

Tout comme Hoda, Yamina n'est pas partisane du silence et de la passivité. Réagissant doublement aux événements de par sa conscience politique (elle milite au R.C.D.) et sa conscience de femme, son attitude, à l'image de celles de ses camarades, témoigne de la résistance et du courage des jeunes étudiantes algériennes dans leur refus de se laisser déposséder de leur liberté. Si les islamistes entendent imposer leur vision de l'islam par la force, il est certain qu'avant de soumettre ces jeunes filles, qui se souviennent de la vaillance de leurs mères, une incommensurable énergie devra être déployée.

Dans cette petite ville de 150 000 habitants située à 50 km d'Alger, les 1 400 résidentes de la cité Ben-Boulaïd se savent de tout temps le point de mire de la population. Elles sont accoutumées à voir leur comportement épié et décortiqué dans les moindres détails. Tant que cette immixtion permanente dans leur vie quotidienne se limitait au regard, les étudiantes avaient appris à l'ignorer. Mais il est venu un jour où la parole s'est substituée au regard. Arrachant Blida à son ronron habituel, les détenteurs de la Parole vraie ont investi les rues tels de preux chevaliers lancés à la poursuite du Mal. Un Mal qui, on le sait, ne trouve pas meilleur refuge que sous le jupon des femmes. Les résidentes de la cité Ben-Boulaïd allaient très vite, en cette année 90, l'apprendre à leurs dépens. « Les intimidations ne datent pas d'aujourd'hui, se souvient Yamina. L'année dernière, déjà, des résidentes avaient été en butte à l'agressivité des islamistes sans que personne n'ose vraiment réagir. Mais cette année, les choses ont pris une tournure inimaginable. Bien avant l'agression du 3 avril, un climat d'insécurité régnait aux abords de la cité et dans la ville. Les "barbus" étaient partout. Avec l'arrivée du mois de ramadan, leur nombre s'est accru. S'instituant "police islamique", ils se sont mis en tête de nous interdire toute sortie après 18 heures. Seul le groupe de résidentes qui se rendait à la mosquée pour prier les *tawarihs* était épargné. Les autres, dès qu'elles mettaient le nez dehors, étaient insultées et menacées à l'arme blanche. Les "barbus" allaient jusqu'à fouiller le sac des filles qui se rendaient au hammam pour s'assurer qu'elles ne mentaient pas. »

A la cité Ben Boulaïd comme dans les autres campus algériens, deux courants politiques se disputent le terrain : la gauche, au sens large du terme, et les islamistes. Yamina et ses camarades, qui militent dans le premier camp, décident de faire front. Mobilisant les résidentes contre les agissements de cette "police" islamiste, elles organisent un premier *sit-in* de protestation devant l'entrée de la cité sous l'œil goguenard des barbus. « Pendant deux heures, nous avons chanté et scandé nos mots d'ordre. Certaines filles étaient tellement furieuses qu'elles n'ont pas hésité à les prendre violemment et directement à partie. » Comme me l'explique mon interlocutrice, « le plus important était de montrer que nous n'avions pas l'intention de céder à leurs menaces. Aussi était-il impérieux pour nous de maintenir tout le programme d'activités que nous nous étions fixé. » A l'occasion du ramadan justement, un collectif d'enseignants composé dans une large mesure de militants progressistes s'était constitué pour créer des animations culturelles durant tout le mois. La première semaine, celles-ci se déroulèrent à l'intérieur de la cité mais la conférence prévue pour ce fameux 3 avril se tenait au centre culturel de la ville. Or la pression des islamistes sur les étudiantes ne s'exerçait pas uniquement à l'extérieur de la cité. « Nous rencontrons les pires difficultés avec l'administration chaque fois que nous voulons organiser une activité. Théoriquement, nous avons droit à un bus quatre fois par mois pour nos sorties de groupe. Pour cette conférence, elle a refusé de nous en accorder un. Il fallait que nous nous y rendions par nos propres moyens. »

Aller assister à cette conférence prenait la forme d'un défi. Elles sont douze en définitive à tenir coûte que coûte à le relever. Pour éviter de trop se faire remarquer par les intégristes, elles quittent la cité par petits groupes. Par mesure de sécurité, quelques étudiants les accompagnent mais en les suivant à distance respectable. « Près d'une centaine de barbus de 17 ans à 40 ans, se remémore Yamina, étaient postées tout le long de la route. Cinq ou six nous talonnaient à pied et à motocyclette. Nous avions prévu de prendre l'autobus. Mais une fois à l'arrêt, quand celui-ci est arrivé, ils ont dit au conducteur de ne pas nous prendre parce que nous étions des prostituées qu'ils se chargeaient de remettre dans le droit chemin. Au lieu de réagir, celui-ci leur a obéi et il est reparti en nous abandonnant sur place. Quant au second bus, ils en ont tout bonnement bloqué les portières pour nous empêcher de monter. Refusant de nous avouer vaincues nous avons entrepris de continuer notre chemin à pied, bien que le centre culturel soit assez éloigné. Nous n'étions pas très rassurées parce que la nuit commençait à tomber et que la route était peu fréquentée. A un moment donné, ils nous ont encerclées. Nos camarades garçons avaient disparu de notre vue. Nous sûmes par la suite que d'autres intégristes les bloquaient à l'arrière. C'est là que l'un d'eux s'en est pris à Khadija, une étudiante qui, bien qu'étant communiste, porte le hijab. Il a commencé à l'insulter en lui criant : ''Sale pagssite[11], enlève ce hijab, tu n'as pas le droit de le porter.'' Puis avec sa ceinture, il l'a fouettée. Ce fut la panique. Notre premier réflexe fut de nous jeter sur les premières voitures qui passaient pour les arrêter. Eux, continuant avec la même stratégie que celle adoptée avec le conducteur du bus, disaient aux automobilistes que nous étions des prostituées. Heureusement, cette fois-ci, personne ne les a crus. Pendant que certains nous ramenaient en voiture, d'autres conducteurs sont partis directement à la gendarmerie pour la prévenir.

Quand nous sommes revenues à la cité, l'agresseur de notre amie était à nouveau là sur sa motocyclette ; il avait eu le culot de nous suivre. J'ai crié au policier en faction devant la porte : "Regardez, c'est celui-là, attrapez-le." Eh bien, il l'a laissé repartir sans broncher. C'est vous dire l'attitude de la police ! »

Après avoir conduit la jeune fille agressée à l'hôpital où un certificat pour coups et blessures fut dressé et avoir déposé une plainte au commissariat, les étudiantes convoquent immédiatement une assemblée générale pour définir la marche à suivre. Dès le lendemain, elles alertent les médias, les associations féminines et la Ligue algérienne des droits de l'homme qui prend le dossier en main. Un grand rassemblement est organisé à l'université avec la collaboration des étudiants ainsi qu'un nouveau *sit-in* devant l'entrée de la cité. La mobilisation est générale. Trois jours plus tard, les résidentes obtiennent gain de cause : la « police islamiste » lève le camp.

Se partageant les fonctions à l'intérieur de la structure syndicale de la cité, les islamistes et les « modernistes » livrent bataille par activités interposées. « En dehors du noyau dur des véritables militantes, nous n'avons aucun problème avec les simples *moultazimats**. Certaines d'ailleurs, bouleversées par ce qui s'était produit, ont manifesté une grande solidarité à notre égard. Il leur arrive de participer à nos activités parce que celles-ci sont très ouvertes. Les filles islamistes par contre ne parviennent pas à réunir les deux camps car leur travail est un travail exclusivement idéologique. Mais elles sont très bien structurées et font preuve d'une discipline à toute épreuve. Chez nous, pour la moindre question, il y a débat, ce qui nous vaut de discuter et de nous chamailler pendant des heures. Les filles islamistes disposent en outre d'un grand avantage sur nous ; elles sont très aidées de l'extérieur. Quand elles organisent par exemple une activité, elles bénéficient de tout le matériel nécessaire ; vidéo, magnétoscope, sono, etc. Le jour où le personnel du restaurant a fait grève, les repas leur sont parvenus de la mosquée. Par ailleurs, elles sont capables à notre égard d'une très grande virulence. Ainsi quand nous faisons des activités qui leur déplaisent, elles prennent directement la parole à la mosquée pour les dénoncer. »

La nuit est tombée sur la cité. Sous la lumière tremblante des lampadaires, les allées qui relient les différents pavillons entre eux sont désertes. Malgré l'approche de l'été, aucune résidente ne profite de la douceur de la nuit pour se promener avant d'aller se coucher. « Depuis ces incidents, l'ambiance est devenue détestable », m'explique Yamina en m'acompagnant chez Khadija, l'étudiante agressée.

Bien qu'il soit à peine 21 h 30, Khadija dort à poings fermés. Malgré un petit pincement au cœur, nous la réveillons, et c'est l'esprit embrumé de sommeil qu'elle répond brièvement à mes questions avec des mots simples et clairs : « Pourquoi porter le hijab et adhérer au P.A.G.S. serait-il contradictoire ? dit-elle. Le communisme n'est pas une religion et il n'est pas nécessaire d'être athée pour lutter contre l'oppression. Or le P.A.G.S. est le parti de la classe opprimée. Je suis une fille issue de cette classe-là et je crois à la lutte des classes. Si une fille de la classe laborieuse n'adhère pas à ce parti, qui va y adhérer ? Qui va défendre les opprimés ? » Je lui rappelle que c'est là aussi ce que le Front islamique promet de faire. Elle hausse les épaules : « Sur le terrain des luttes sociales, ce sont toujours les gens du P.A.G.S. que j'ai vus, jamais ceux du F.I.S. ou les autres islamistes. »

Khadija portait le hijab avant d'adhérer au P.A.G.S. L'une comme l'autre de ces décisions résultent d'un choix personnel. « Dans ma famille, dit-elle, je suis la première et la seule à porter le hijab. Personne ne m'y a contrainte. Je l'ai mis par conviction intime après avoir lu les versets coraniques s'y rapportant. »

Comment réagit-on à la revendication islamiste de retour à la Charia islamique à tous les niveaux de la vie politique et sociale quand on est à la fois communiste et moultazima ? « Si la Charia doit un jour être appliquée, ce n'est certainement pas de la façon dont ils procèdent ici, affirme Khadija, qui, en dépit de son engourdissement, s'emporte. Certainement pas par la violence ! L'islam est d'abord une manière d'être, de se comporter avec autrui. C'est bien beau de porter le hijab et la gandoura, mais est-ce pour cela que l'âme se purifie ? Si demain, le Front islamique du salut prend le pouvoir en quoi moi, aurai-je changé ? En quoi l'injustice aura-t-elle changé ?

Le patron continuera toujours à opprimer l'ouvrier. Ce n'est pas parce qu'on aura appliqué la Charia que le travailleur mangera soudain à sa faim. Avant de parler de religion, réglons d'abord les problèmes économiques. »

Difficile d'accuser Khadija d'occidentalisme : elle est arabophone. Cela ne l'empêche pas de dénoncer un code qui, dit-elle, sous prétexte de Charia jette les femmes à la rue et autorise la polygamie. Haranguant soudain un homme imaginaire, elle s'exclame dans un arabe dialectal pur cru : « Mon frère, tu ne peux épouser quatre femmes que si tu es capable de te montrer juste avec elles. Or le Coran lui-même te dit que ce n'est pas possible. » Sans prôner nécessairement son abrogation, Khadija estime que le Code de la famille doit être discuté par toutes les parties concernées. « Cet individu, qui veut épouser quatre femmes ou répudier celle qu'il a, n'a jamais pris la Charia en considération. Et qui le favorise dans ses excès ? Le Code de la famille. L'islam prêche le dialogue au sein du couple. Chez nous, quand l'homme en a assez de sa femme, il la jette dehors. Ce n'est pas ça "s'inspirer de la Charia". »

Une fois encore, le proverbe l'habit ne fait pas le moine (ou la nonne...) s'impose dans toute sa vérité. L'islam, même vécu avec une grande ferveur, n'interdit pas l'ouverture d'esprit et la tolérance. Et je suis d'autant plus admirative devant la détermination d'une fille comme Khadija, qu'en choisissant d'affirmer un double engagement, en apparence antinomique, elle s'expose à une double incompréhension.

Abbassi Madani, ou le discours de miel...

Le doigt sur la sonnette, j'hésite une fraction de seconde avant d'appuyer. Deux coups brefs. Les yeux rivés sur les barreaux de la porte, j'attends qu'elle s'ouvre. Elle s'ouvre. D'abord toute grande. Pas pendant longtemps. A peine a-t-il posé sur moi des yeux ronds comme des billes que le portier la tire déjà vers lui de manière à en réduire au maximum l'entrebâillement. Je réprime un sourire. Mon appréhension s'est envolée. Comment pourrais-je continuer à avoir peur quand un grand gaillard comme celui-là réagit à la manière d'une petite vieille devant un loubard de quartier ! Le pauvre, il faut le comprendre : avec mes cheveux lâchés et mon indécente « nudité », je ne suis rien de moins qu'une de ces âmes damnées de Satan. D'une voix ferme, je me présente en expliquant le motif de ma visite ; rencontrer le cheikh Abassi Madani. « Il n'est pas là ce matin. Téléphonez-lui demain », me répond l'homme précipitamment en faisant le geste de refermer aussitôt la porte. Je l'arrête. « Écoutez, lui dis-je, voilà dix jours que j'essaie chaque jour de le joindre par téléphone. Je quitte Alger dans quarante-huit heures. Il me faut impérativement le rencontrer avant mon départ. Appelez-moi l'un de vos responsables. » J'ai mis dans ma voix tout ce que je possède d'autorité. « Bon, attendez », me fait-il, en se décidant à aller chercher quelqu'un d'autre non sans avoir au préalable refermé la porte. Il revient accompagné d'un second personnage. Je débite à nouveau mes explications en prenant cette fois-ci un malin plaisir à m'étonner de ce sens de l'hospitalité qui consiste à recevoir une personne, venant d'un autre pays — frère de surcroît — en la laissant sur le palier de la porte.

« Vous comprenez, bredouille-t-il, c'est parce qu'il y a des hommes à l'intérieur.

— Ça ne me dérange pas », lui dis-je. Intérieurement, je ris comme une petite folle.

« Oui, mais nous, ça nous dérange, réplique-t-il. Très bien, ajoute-t-il cependant, venez. »

Je le suis. Dans le hall qui fait office de salle d'attente, une quinzaine d'hommes sont assis. Il n'est pas question, bien entendu, de les perturber en leur imposant ma présence. Je suis introduite dans un premier bureau vide où il m'est demandé d'attendre. Mais, cinq minutes plus tard, son propriétaire étant de retour, j'atterris dans une espèce de pièce-débarras au milieu d'un amoncellement de boîtes en carton. Le Front islamique du salut n'a pas prévu, semble-t-il, de lieu de réception pour les visiteuses. Elles ne sont, il est vrai, pas des plus attendues. Mais soyons honnête. Malgré cet accueil si « particulier », je suis rapidement reçue par le représentant du cheikh. Et malgré l'évidente envie de celui-ci de me bouter dehors sans plus de cérémonie, j'obtiens le rendez-vous que j'étais venue chercher. Le cheikh Abassi Madani, joint par téléphone à son domicile, accepte de me recevoir. A une condition : que je sois chez lui dans la demi-heure qui suit. « Il vous attend à onze heures trente précises, me lance d'un ton rogue son représentant. Soyez chez lui ni cinq minutes trop tôt, ni cinq minutes trop tard. » A vos ordres, mon capitaine ! Je lui décoche mon sourire le plus radieux — et lui, en retour, le plus pincé —, le remercie de sa compréhension aussi chaleureusement que son regard glacé me le permet, salue tout le monde à la ronde, le portier en particulier, et dévale quatre à quatre les escaliers.

Abassi Madani et le F.I.S., dont il est le chef et le porte-parole, ont émergé sur un terreau préparé de longue main. Le mouvement islamiste algérien — jusque-là le moins connu des mouvements islamistes maghrébins — dont est né le Front islamique du salut, formation qui, en l'espace de quelques mois, est devenu sinon la plus importante force politique du pays, du moins l'une des principales, a déjà une longue histoire.

« A partir de ce moment précis, le musulman n'acceptera plus d'être un objet muet dirigé par les capitales de l'Est et de l'Ouest. » Quand ce 11 mars 1989 à Kouba, le cheikh Abdelbaki, un vieux routier de la prédication, annonce la constitution du Front islamique du salut, c'est la victoire des vaincus d'hier qui est signée. Si, pendant les toutes premières années de l'indépendance, un équilibre provisoire s'était instauré entre l'establishment religieux représenté alors par les anciens de la vénérable Association des oulémas et le pouvoir, celui-ci est grandement compromis en 1964 quand les voix de la gauche laïcisante l'emportent au sein du F.L.N. Forts de la légitimité révolutionnaire conférée par la guerre d'indépendance, les dirigeants n'hésitent plus à privilégier l'option politique qu'ils ont choisie — le socialisme — sur l'appartenance religieuse. Une solution de compromis est toutefois recherchée ; elle aboutit à la laborieuse définition de la doctrine du « socialisme islamique ». Evacuées toute référence à la lutte des classes et toute condamnation explicite de la propriété privée, le socialisme ainsi aseptisé est jugé à même de recevoir la caution d'un islam dont, par ailleurs, la vocation égalitariste est abondamment mise en avant. Mais ce mariage entre socialisme et Islam n'est pas au goût de tout le monde et certainement pas de celui des disciples d'Ibn Badis [12] que sont les cheikhs Abdellatif Soltani et Mohamed Sahnoun. Ces héritiers de l'Association des oulémas, parce qu'ils sont les premiers à désavouer une alliance jugée contre nature et à y manifester leur opposition, sont considérés de ce fait comme les fondateurs du mouvement islamiste algérien.

Si quelques dates jalonnent ici et là, pendant les deux premières décennies de l'indépendance, l'histoire de ce qui mérite alors plus le nom de mouvance que de mouvement, il faudra attendre les années 80 avant de voir celui-ci émerger réellement de la marginalité dans lequel le monolithisme du pouvoir l'avait cantonné. En 1964, la branche la plus radicale de l'Association des oulémas donne naissance à un premier groupe militant, El Qiyam (''les Valeurs''), dont le guide, Malek Bennabi, est directeur de l'enseignement supérieur, philosophe, écrivain et nationaliste chevronné. Affichant une vocation exclusivement culturelle, cette association revendique l'islamisation de la société. Elle se fait connaître par des cycles de conférences et la publication d'une revue très moralisatrice. Dissoute en 1966, elle est définitivement interdite en 1971 à la suite de dérapages qui se sont traduits notamment par des violences exercées à l'égard de jeunes Algériennes en raison de leur tenue vestimentaire. A la différence des clercs traditionnels instruits surtout en langue arabe, le groupe qui se forme autour de Malek Bennabi est constitué d'abord d'intellectuels francophones nourris de pensée occidentale et à même de la critiquer de l'intérieur. Ensuite, avec la politique d'arabisation poursuivie par le gouvernement — une politique qui exauce l'une des principales revendications islamistes — les militants musulmans vont se recruter essentiellement parmi les étudiants des filières arabophones.

Les deux pôles de structuration de la mouvance islamiste sont alors la mosquée et l'université. Aux imams rétribués par l'État, dont le prêche prérédigé est envoyé par le ministrère des Affaires religieuses, se substituent progressivement des prêcheurs « libres » payés à partir de fonds privés. Bien que censés constitués par les donations des fidèles de la mosquée, ces fonds proviennent le plus souvent de la trésorerie d'associations islamiques de bienfaisance qui essaiment à travers le pays. C'est lors de ces prêches que sont formulées les premières critiques

— d'abord voilées, ensuite féroces diatribes — à l'égard de l'action gouvernementale (la nationalisation des terres, par exemple) en même temps qu'une dénonciation assidue de la décadence des mœurs. Entre 1970 et 1980, l'action des adeptes de la mouvance islamiste se porte surtout sur le financement de la construction de nouvelles mosquées et la rétribution des imams « libres ». A l'université, le clivage entre « progressistes » et « islamistes » se dessine. La cristallisation du courant islamiste va s'opérer principalement autour de la question de la codification du statut personnel. La discussion autour de ce thème sert dès lors de prétexte à de violentes confrontations entre les étudiants francophones favorables aux droits de la femme et proches pour la plupart du P.A.G.S. (Parti de l'avant-garde socialiste, héritier du parti communiste) et les étudiants arabophones, partisans du respect scrupuleux du droit musulman. Marginal à l'intérieur de l'enceinte universitaire au début des années 60, le courant islamiste, fin 70, est en voie de renverser en sa faveur le rapport des forces. Parmi les manifestations islamistes à retenir de la décennie 70, il faut citer en 1974 la publication (au Maroc !) par le cheikh Soltani d'une virulente dénonciation du socialisme de Houari Boumediene. François Burgat, auteur d'une étude sur l'islamisme au Maghreb [13], écrit à son sujet : « En s'attaquant aux ''principes destructeurs importés de l'étranger'', Soltani se situe dans la droite ligne de la relecture critique de l'apport occidental qui charpente le discours islamiste. Par contre, face à l'égalitarisme du discours de l'État, son terrain d'expression se concentre sur la sphère morale chère aux fondamentalistes. Il stigmatise surtout la ''dégradation des mœurs'', mal suprême dont la consommation d'alcool, la mixité, le peu de considération pour la religion... » En 1976, quelques premières escarmouches avec le pouvoir sont à signaler, au cours desquelles se distingue un professeur de sociologie formé en Angleterre, un certain... Abassi Madani.

En 1978, des cercles de réflexion se forment sur les lieux de prière dans les mosquées de Laghouat, d'Oran et de Sidi-Bel Abbès : on y discute des exigences de l'élaboration d'un État islamique. 1979 : la révolution iranienne ouvre à ces groupes les campus et donne un coup de fouet au mouvement. Dès le début des années 80, l'activisme islamiste passe à un cran supérieur. En mars 81, un magasin vendant de l'alcool est détruit. Quelques mois plus tard, la première mort d'homme est enregistrée : lors d'une attaque contre une mosquée occupée par une trentaine de personnes pour protester contre l'arrestation d'un des leurs et à partir de laquelle des appels à la guerre sainte était lancé, un policier a été tué. En novembre 82, une grève des étudiants donne lieu à de violents affrontements entre étudiants marxistes et islamistes dans l'enceinte de la faculté algéroise. Une vaste répression est déclenchée. Au cours d'une prière de protestation qui réunit près de 5 000 personnes dans la cour de l'université, les militants islamistes diffusent un *bayan* (communiqué, tract) condamnant l'attitude anti-islamique du régime. Les vieux cheikhs Mohamed Sahnoun et Abdelatif Soltani ainsi que Abbassi Madani sont arrêtés. Les premiers sont relâchés au bout de huit jours, le troisième n'est libéré qu'en 84. Le régime, que les islamistes ne paraissaient pas jusque-là beaucoup inquiéter, menace « ceux qui utilisent l'islam comme tribune pour semer le doute sur les acquis des masses et porter atteinte à la dignité des personnes... » (Burgat)[14]. Le mouvement islamiste ne s'en trouve pas pour autant entravé. Dans chaque ville, dans chaque université, se fondent non pas une mais plusieurs associations islamiques portant les noms les plus divers. Faute d'une attitude commune à l'égard du pouvoir et d'un leader reconnu de tous, l'émergence d'un mouvement structuré à l'échelle nationale n'est pas encore à portée de main. Pourtant, comme en témoignent en 1984 les obsèques du cheikh Soltani qui rassemblent quelque vingt mille militants et sympathisants islamistes, le mouvement ne manque pas d'adhérents. Entre 1982 et 1987, une tentative est faite dans ce sens. Plusieurs groupuscules disséminés à travers différents points du pays fusionnent pour donner naissance au Mouvement islamique algérien de Mustapha Bouyali. Plus que par une assise doctrinale, le M.I.A. se distingue par des opérations de commando destinées à frapper l'opinion publique et à défier les autorités. La mort de son « émir », Mustapha Bouyali, lors d'une embuscade en 1987, et l'arrestation de ses principaux membres le décapitent. A défaut de réussir à unifier leurs rangs, les islamistes pratiquent avec succès la politique de l'entrisme dans les institutions. Quand on considère le long processus qui a conduit l'État, depuis 1982, à s'islamiser et à renoncer peu à peu aux options de l'Algérie révolutionnaire, il est difficile de ne pas faire le lien entre cette mutation et la présence de plus en plus active d'islamistes au sein des structures de pouvoir.

Les événements sanglants d'octobre 88 leur offrent une formidable occasion de sortir de l'ombre et de s'afficher ouvertement sur le terrain politique et social. Bien qu'ils ne soient pas à l'origine du soulèvement populaire — leur responsabilité directe n'est, du moins, pas prouvée — ils prennent aussitôt le train en marche. Le 10 octobre, après la prière du vendredi, ce sont des milliers de jeunes qu'un Ali Belhadj entraîne devant les chars. Cinq mois plus tard, au lendemain de la révision constitutionnelle qui autorise la création des « associations politiques », le Front islamique du salut naît. C'est le premier parti islamiste dans les pays arabes — hormis la Jordanie — à être légalisé. Les ambitions du F.I.S. ne sont pas minces : il ne vise à rien moins que représenter tous les musulmans d'Algérie. Donc tous les Algériens. Dans son programme, le F.I.S. se propose de « substituer l'islam aux idéologies importées et de travailler à l'unité des rangs islamiques et à la préservation des fondements et des acquis de la Oumma ».

Dans la foulée de cette création, le vieux cheikh octogénaire Mohamed Sahnoun, dernier représentant de l'Association des oulémas et figure morale du mouvement, constitue sa Ligue de la Dawa islamique. Pénétrée de l'idéal réformiste et nationaliste d'Ibn Badis, cette ligue se présente comme une association apolitique, qui prône la « voie de la prédication scientifique » et de « l'éducation des masses » comme moyens de consolidation de l'islam. Sur le même registre, une autre personnalité islamiste (emprisonnée déjà pour son activisme en 1976 sous Boumediene), Mahfoud Nahnah, professeur de philosophie, fonde l'association El Irchad Wa El Islah, dont l'objectif est « la réforme progressive, pacifique et globale de la société algérienne sur la voie de l'application de la Charia ».

Mais si le F.I.S. a échoué à s'agréger les plus modérés, il n'a pas non plus réussi à réunir toute l'aile dure du mouvement. Il serait fastidieux sinon impossible d'énumérer tous les groupuscules qui occupent la scène islamiste. Citons toutefois l'association Es Souna wa Charia (''Tradition et loi religieuse'') implantée dans les grandes villes du nord du pays, qui aurait des liens avec le Hezbollah pro-iranien et le mouvement extrémiste Ettakfir wa el Hijra (''Excommunication et émigration'') qui s'active dans les quartiers les plus déshérités d'Alger. Le nom de ces deux associations est fréquemment évoqué à propos des actes d'intolérance qui se sont produits ces derniers temps, durant le mois de ramadan 90. Plus souterrains, les membres des Jamaat ettabligh (Groupes de diffusion du message islamique) sont présents de façon sous-jacente au sein du F.I.S. ou disséminés dans les quartiers populaires. Formés à l'école spirituelle de l'Indo-Pakistanais Maulana Abou El Aaala El Mawdoudi, qui recommande une « purification et une reconstruction de la pensée islamique », les Jamaat ettabligh se distinguent par un prosélytisme actif. Cette profusion d'associations islamistes se traduit par une lutte intestine — et parfois violente — pour le contrôle des mosquées. Avant de parvenir à rassembler tous les musulmans, le Front islamiste du salut devra d'abord parvenir à se faire reconnaître par tous les siens.

« Le premier immeuble après le premier pont d'Hydra », nous y sommes enfin. « Tous les chauffeurs de taxi savent où habite le cheikh Madani », m'avait-on déclaré avec un brin de suffisance au bureau du F.I.S. Manque de chance, celui qui m'y conduit ne fait pas partie de ces heureux individus. Quand je lui ai précisé que cette adresse si vague était celle du chef du F.I.S., son regard s'est figé dans le rétroviseur. Mon apparence, il est vrai, ne laissait pas supposer une pareille destination. Cette précision cependant ne l'aida pas davantage à trouver son chemin. Une fois parvenus dans le quartier, nous arrêtâmes le premier barbu croisé sur la route. Lui, il savait. Onze heures trente ne sonnent que dans cinq minutes. J'essaie vainement de les mettre à profit pour définir un axe à l'entretien qui m'attend, mais impossible de rassembler mes idées. Mon esprit ne fonctionne plus. Les questions qui s'y bousculaient il y a quelques minutes à peine l'ont déserté. Ce n'est pas le trou de mémoire, pis, le blocage des méninges ! Confortablement mis dans son ample gandoura blanche, Abassi Madani me reçoit avec un paternel « *Tafadali ya bounayati* » (Sois la bienvenue, ma fille). A la différence de Ali Belhadj, dont le visage anguleux et le regard enflammé renvoient une image conforme à l'idée que l'on peut se faire du personnage, ce professeur d'université de cinquante-neuf ans, propulsé en quelques mois à l'avant-scène de l'actualité, présente la mine débonnaire d'un bon père de famille. Son fils, un adolescent tout blond dont l'allure se rapproche plus de celle du « tchi-tchi »[15] que du « frérot », est d'ailleurs là à ses côtés ainsi que deux autres invités. Des hommes, cela va de soi.

Dans ce salon spacieux, je me vois installée à une distance plus que respectable de mon interlocuteur. Ajouté à cela quatre paires d'yeux fixés sur moi et la voix du cheikh assourdie par le brouhaha de la rue qui monte par la fenêtre grande ouverte dans son dos, je ne pouvais rêver conditions meilleures pour mener à mal mon entretien !

Le 20 avril 1990, le Front islamique du salut avait appelé ses partisans à défiler dans les rues de la capitale jusqu'au siège de la présidence de la République pour remettre au président Chadli Benjedid une pétition en quinze points contenant les revendications de l'organisation. Cette manifestation, impressionnante par son ampleur et son impeccable organisation, fit frissonner les Algériennes (les non-islamistes, du moins) ; sur les centaines de milliers de participants qui marchèrent dans un silence religieux, aucune présence féminine n'était enregistrée. Un avant-goût de la place réservée aux femmes en cas d'accession du F.I.S. au pouvoir était ainsi donné.

Les raisons de cette absence sont évidentes. Curieuse néanmoins de voir comment un homme comme Abassi Madani la justifie, j'attaque l'entretien sur cette première question.

« Vous me demandez pourquoi les femmes étaient absentes à cette manifestation ? me répondit-il avec un air faussement surpris. Mais parce qu'elle avait été précédée par une autre qui leur avait été spécifiquement consacrée. Vous n'en avez pas entendu parler ? s'étonne-t-il avant de poursuivre une fois que j'eus acquiescé : La manifestation du mois de décembre était centrée en priorité sur la question de la femme et sur des questions sociales d'une manière générale. Elle ne présentait aucun risque. Par contre, la manifestation du 20 avril était éminemment politique. Elle pouvait dégénérer. Or la femme est ce que nous avons de plus cher. Nous refusons de l'exposer au danger. »

Qu'en termes galants ces choses-là sont dites ! Je me sens toute chose, bibelot précieux et fragile. Mais au lieu de m'incliner devant un tel esprit chevaleresque, mon impertinence me fait oser une petite remarque : « Durant la guerre d'indépendance, je crois savoir pourtant que la femme algérienne, par sa participation active à la lutte, s'est trouvée plus d'une fois exposée au danger. Au danger de mort en particulier. »

Je suis vraiment une imbécile finie car je n'ai rien compris à la subtilité de son propos. Mon honorable interlocuteur m'explique patiemment que lui et ses partisans n'acceptent de laisser courir des risques à la femme qu'en cas « d'ultime nécessité ». Il est vrai qu'entre recevoir un coup de matraque et sauter sur une bombe, la différence est notable. « De plus, le 20 avril, les femmes avaient une lourde tâche qui les attendait : la préparation du *ftour* (repas de rupture du jeûne) pour les *saïmins* (ceux qui jeûnent). Pendant qu'une partie était rassemblée dans les mosquées pour le prêche, l'autre cuisinait dans les maisons. Le soir, grâce à elles, un million cent cinq plats étaient prêts. Ce fut un jour grandiose ! » Le visage de M. Madani se teinte d'une profonde commisération devant mon incapacité à partager son emballement. « *Ya bounayati* (Oh ! ma fille), il te faut savoir que la femme algérienne n'est pas une femme *mouhamaja* (ensauvagée). »

Mes capacités de compréhension étant ce qu'elles sont, j'insiste lourdement. « Ainsi donc, pendant que les hommes manifestaient pour leurs revendications politiques, les femmes sont restées dans les mosquées et dans les maisons pour préparer à manger.

— Oui, c'est bien cela. (Il doit me prendre pour une demeurée.)

— J'en conclus que, dans votre organisation, la femme ne participe pas à l'activité politique.

— Tu te trompes, ma fille (je crois que je commence à déplaire à M. Abassi Madani. Je n'ai plus droit au mélodieux *ya bounayati* (''ma petite fille'') mais à un *binti* (sec et passablement rugueux.) Les femmes, chez nous, sont organisées. A l'intérieur du Front, il existe des cellules féminines comme il existe des cellules masculines. Les femmes bénéficient de tous leurs droits. Si tu avais lu notre liste de revendications, tu aurais pu constater que l'un de ses points justement mettait l'accent sur le droit de la femme à la considération et au respect à la maison comme à l'usine. La question féminine ne doit pas faire l'objet de surenchère. La femme existe chez nous en politique.

— Il ne semble pas que jusqu'à présent la pratique du Front en ait fourni beaucoup d'exemples ?

— Tu es dans l'erreur. (Mon cas semble vraiment désespéré.) Avant-hier par exemple, nous avions un meeting à Mostaganem. Vous ne pouvez pas vous imaginer, dit-il en se tournant vers ses deux autres convives, le nombre de femmes qui étaient présentes parmi l'assistance. Elles ont posé des questions et nous leur avons répondu. Il y avait même des enfants qui étaient là... »

La participation politique des femmes serait par conséquent du même registre que celle des enfants, ai-je envie de rétorquer. Refrénant cette nouvelle impertinence, je change de sujet en abordant la question de ce fameux code de la famille qui divise l'Algérie en deux camps. Les islamistes s'étant fait les porte-drapeau du premier, je demande à leur chef si un texte comme celui-ci, qui permet de jeter une mère et ses enfants à la rue en cas de divorce, respecte véritablement l'esprit de l'islam.

« Le Code de la famille n'est pas islamique à cent pour cent me répond Abassi Madani en se débarrassant vite fait bien fait de la question. Ma fille, continue-t-il avec une voix grave, l'islam ici est *madloum* (victime innocente). » Il me regarde longuement. « Je vais te poser une question, me dit-il en renversant les rôles. Considères-tu que l'Islam dans ce pays gouverne ou est gouverné ? »

Le voilà enfin sur son terrain. Il jubile. Avec cette question, il me contraint à me découvrir.

Je tente une réponse vague : « On ne peut affirmer ni qu'il gouverne ni qu'il soit gouverné. Tout dépend de l'angle sous lequel on le considère », dis-je, essayant vainement de ne pas me laisser entraîner dans un débat dont je sais ne pas avoir la maîtrise — toujours cet handicap à théoriser en arabe classique...

Il est heureux. « Ah ! ma fille, s'exclame-t-il avec emphase. En tant que chercheur, il te manque l'objectivité. Il faut être objectif. Ne regarde pas la vérité uniquement à travers ton prisme... Fais l'effort de regarder la vérité telle qu'elle est. » Cette fois, je joue délibérément la provocation : « Mais quelle est la Vérité ? N'existe-t-il qu'une seule vérité ? » (A-t-on idée de demander une pareille chose à un adepte de la Vérité absolue ?)

Comme c'était prévisible, il explose. « Mais, bien entendu, tu veux relativiser la vérité, s'indigne-t-il. Notre opinion peut être relative mais pas la Vérité. Pour venir jusqu'à moi, tu as su quelle route emprunter. Il en est de même pour la Vérité. On ne peut la trouver en dehors de ses voies. » Le professeur de philosophie qu'il est déclame désormais. Cette fois, je suis complètement éjectée. J'ai déjà des difficultés à suivre dans ses nuances une discussion normale en arabe classique. Alors une discussion philosophique ! Je ne comprends plus rien à ce qu'il raconte. Il le sait parfaitement, les difficultés des francophones dans le débat théorique en arabe n'étant un mystère pour personne, mais c'est là un moyen sans pareil de me rabaisser, de m'humilier. Il y réussit très bien. Si sur mes lèvres, un sourire ironique s'est dessiné, au fond de moi, c'est le sentiment désagréable de m'être métamorphosée en idiote du village qui m'étreint. « Quand tu cherches du poisson, peux-tu espérer le trouver au fond du désert ? Si on veut rechercher la Vérité, il faut la rechercher à sa place et non ailleurs. » Sa brillante démonstration achevée, dont, à ma grande honte, je n'ai saisi que les grands axes, je ramène la discussion sur ce sujet bassement terre à terre des femmes jetées à la rue à cause d'une loi dite d'inspiration islamique et à propos duquel cet éminent philosophe ne m'a toujours pas donné de réponse concrète...

Dans la voix de mon interlocuteur, la montée de l'exaspération s'affirme. « Ma fille, (le ''*ya binti*'' a définitivement remplacé le ''*ya bounayati*''), cette question n'est pas une question de code mais de situation sociale. Il y a là non pas seulement des individus mais des familles entières jetées à la rue. Ce n'est pas la simple modification du Code qui peut résoudre le problème. C'est tout un contexte politique et social qui doit être modifié. Le Front islamique recherchera l'injustice où qu'elle soit et la combattra. Tu fais des recherches. Tu dois donc savoir qu'il est difficile d'imputer une seule cause à un phénomène. Il faut déterminer les différents facteurs et leur interaction pour expliquer une situation.

— Il n'empêche que l'article 52 a achevé d'aggraver la situation des femmes dans ce pays. »

Cette fois, il s'emporte pour de bon : « Tu m'excuseras, mais les situations d'injustice dans ce pays sont nombreuses. »

Puisqu'il s'agit de femmes, une de plus ou une de moins en effet, cela ne change pas grand-chose. Mais je suis là essentiellement pour parler de mes consœurs, je persiste donc sur le même terrain : « Depuis mon arrivée à Alger, j'ai enregistré chez un certain nombre de femmes un sentiment de peur en ce qui concerne votre mouvement.

— Quelles femmes ? réplique-t-il aussitôt.

— Les femmes qui ne portent pas le hijab, bien entendu.

— Et d'après toi, quelles sont les causes de cette peur ? »

Décidément, Abassi Madani a bien du mal à rester dans la peau de l'interviewé. « As-tu lu la presse française ? Comment parle-t-elle du Front islamique ? Ces femmes auxquelles tu fais référence ne lisent que la presse française. »

Abassi Madani ne dissimule plus son exaspération. « Je ne sais, dit-il en s'adressant à l'assistance, si elle est étudiante, chercheuse ou journaliste ? » avant de revenir à moi : « Ma fille, je ne sais comment te parler car tu n'as ni l'attitude du chercheur ni celle du journaliste. Alors, s'il te plaît, pose-moi une question précise et ne me fatigue pas. »

Faisant le gros dos sous sa volée de sarcasmes, je lui répète calmement ma question :

« Pourquoi les femmes ont-elles peur de vous ?

— Écoute, ma fille, si nous devons parler de la femme, nous devons dans un premier temps la définir dans le temps et dans l'espace. La femme n'existe dans l'absolu qu'au niveau philosophique. Dis-moi quelle est sa communauté, je te dirai quelle est sa situation. Toi, tu t'es présentée comme une Marocaine. Donc une fille du Maroc. Du peuple marocain. Or le peuple marocain est musulman. Et la femme musulmane a une personnalité musulmane. Où se trouve l'injustice ? Dans l'islam ou dans le contexte politique, social, économique ? Revenons au domaine et corrigeons-le en fonction du droit islamique. Quant à cette peur dont tu parles, que veux-tu que je t'en dise ? Si elle est motivée par notre prochaine accession au pouvoir, je répondrais : comment peut-on craindre quelque chose qui ne s'est pas encore produit ?

— Puisque vous parlez d'accès au pouvoir, si vous y arrivez obligerez-vous toutes les femmes à porter le hijab comme ce fut le cas en Iran ?

— Non, ma fille, non, non, non, ce que tu dis là est *haram* (péché). L'islam ne s'applique pas par la voie de la force. Ma propre fille, je ne l'ai pas obligée à porter le hijab. Elle y est venue d'elle-même. L'État est pour tout le monde, ma fille, et il est nécessaire de respecter le droit de tous. Comment peut-on imposer le hijab à une femme qui ne le veut pas ? Même si on venait à la forcer, elle le porterait en apparence mais le trahirait en pratique. Ai-je refusé de te recevoir alors que tu es venue sans hijab ? J'étais pourtant libre de ne pas te recevoir. Qui m'a obligé à te faire face comme à ma propre fille ? Si je n'ai pas exercé de pression sur toi aujourd'hui, comment peux-tu imaginer que je puisse le faire sur d'autres demain ? »

Quand à douze heures quinze précises, je prends congé de Abassi Madani, je suis exténuée. Exténuée et démoralisée. Jamais mes lacunes en arabe classique ne m'ont autant handicapée. Jouant avec les riches subtilités de la langue, Abassi Madani a eu tout le loisir de contourner mes questions chaque fois qu'il le désirait sans que je puisse le contrer efficacement. Le temps de l'entretien étant de plus limité, je repars avec dans mon petit panier et les questions non posées et les questions mal posées. Mais c'était ça ou ne pas le rencontrer du tout. Je pourrai toujours dire à mes amies algériennes que Abassi Madani s'est engagé, au cas où il arriverait au pouvoir, à ne pas leur imposer de hijab... Par contre, pour ce qui est de la mixité à l'école ou au travail, c'en sera fini. Chaque sexe aura ses écoles et ses universités. « Le droit islamique, a-t-il dit, interdit la mixité car celle-ci est la voie qui mène à la *zina* (adultère). Quant au travail, il est du droit de la femme, reconnaît-il... à condition qu'il s'exerce dans l'ambiance convenable. »

Vous avez compris, mesdames, fini les patrons ! A vous les patronnes et la douce ambiance du sérail !

Les filles du F.I.S.

Malgé le hijab blanc qui lui encadre le visage, mon accompagnatrice est jolie comme un cœur. Quand elle sourit — et elle sourit tout le temps — deux adorables fossettes creusent ses joues rondes. Un mot en français pour deux en arabe, Soraya butine d'une langue à l'autre avec cette aisance qui nous est si particulière, à nous autres Maghrébins. Encore une fois, une fois de plus parmi tant d'autres depuis le début de ce voyage, je me sens désarçonnée. Quand celui dont les conceptions sont aux antipodes de la vôtre et dont la simple existence est vécue comme une menace, quand cet autre est différent de vous à tous les niveaux, il est facile de s'en débarrasser psychologiquement en le reléguant dans un univers lointain. Mais quand, par sa manière d'être, de se comporter, de parler, de rire... il vous renvoie une image similaire à la vôtre, il devient impossible de se réfugier dans cette illusion. Cette jeune fille enjouée et pleine de vie qui me fait face, en quoi serait-elle différente de moi ? Pourtant, l'idéologie à laquelle elle adhère nous projette à des années-lumière l'une de l'autre. Elle fait de nous des adversaires sur le plan idéologique. Pour ses premiers pas dans la profession, Soraya, qui achève des études en journalisme, a choisi d'écrire dans le journal du parti vers lequel tendent ses sympathies : et ce journal n'est autre que *El Mounkid* « le Sauveur » le journal du F.I.S.

Après le « père », je m'en vais en sa compagnie à la découverte des « filles » du F.I.S. La veille, j'avais profité de mon passage dans le bureau de celui-ci pour demander à rencontrer — outre Abassi Madani — quelques-unes des militantes du Front. Comme Soraya était présente dans le local à ce même moment, elle fut chargée d'organiser cette rencontre et de m'accompagner chez les *akhawates* (sœurs).

Profitant du trajet entre le centre d'Alger où nous nous étions fixé rendez-vous et le quartier périphérique de Hussein-Dey où nous nous rendons, nous faisons plus ample connaissance. Soraya est le cas type de l'étudiante gagnée à l'islamisme par prosélytisme. Elle raconte : « Étant de Constantine, j'ai habité la cité Ibn-Aknoun quand je suis venue étudier à Alger. Les chambres y étaient très petites. Aussi, pour faire ma prière, j'avais pris l'habitude de me rendre à la mosquée que nous avions sur place. Jusque-là, je n'étais pas ce qu'on peut vraiment appeler une bonne pratiquante. Je faisais ma prière parce qu'il fallait la faire, un point c'est tout. A la mosquée avant la prière, avant surtout *Salat-el-achaa* (prière de la nuit), il se constituait toujours des cercles de discussion. Un groupe de akhawates les animait. Au cours du mois de ramadan, j'ai prié avec elles. A leur contact, ma manière de prier a changé. Ce n'était plus simplement un acte formel mais un véritable engagement spirituel. Dès ce moment-là, j'ai décidé de mettre le hijab. Ma mère, une femme traditionnelle pourtant qui porte la *mlaya* (cape noire traditionnelle), en a été horrifiée. »

Aujourd'hui, Soraya adhère sans restriction aux objectifs du Front islamique : « Je souhaite qu'il parvienne au pouvoir car je souhaite l'application de la Charia et l'instauration d'un État islamique. » Mais Soraya tient cependant à préciser qu'elle n'est pas une militante du F.I.S. Juste une sympathisante, qui en défend les idées non parce que, dit-elle, ces idées sont celles du parti mais parce qu'elles sont en premier lieu les siennes propres. Comme celles se rapportant au travail de la femme...

Le 23 février 1989, une déclaration a porté peut-être plus de tort aux islamistes que la plus violente des répressions politiques ; l'entretien accordé par Ali Belhadj au journal algérien *Horizons,* à la veille de la révision constitutionnelle [16]. Dans cette interview étalée sur une pleine page, l'imam de la mosquée de Bab-el-Oued et membre fondateur du F.I.S. a répondu avec sa franchise habituelle aux questions posées sans chercher à les contourner. A la différence de Abassi Madani, qui enrobe généralement ses réponses de manière à offrir une image de modération et de tolérance, Ali Belhadj n'a que faire des contorsions politiciennes ; il exprime sans ambages sa pensée en laissant aux autres le soin de réparer les dégâts... Sur le travail de la femme, voici ce qu'il dit : « Si nous sommes dans une société islamique véritable, la femme n'est pas destinée à travailler, et le chef de l'État doit lui attribuer à travers le Beit-el-Mal (le Trésor public) une rémunération. Ainsi, elle ne quitte pas son foyer afin de se consacrer à la grandiose mission de l'éducation des hommes... » Ou encore : « ... Il faut savoir une chose ; le lieu naturel d'expression de la femme est son foyer. Si elle est contrainte de sortir, il y a des conditions ; ne pas côtoyer d'hommes et travailler dans un milieu exclusivement féminin. » Une femme agent de police est à ses yeux quelque chose d'inconcevable. Au journaliste qui lui lance que certaines pilotent bien des avions, Ali Belhadj rétorque qu'« elles veulent dépasser leur nature de femme et concurrencer l'homme sur le terrain de ce dernier ». Après la publication de tels propos, il ne restait à ceux qui présentent les islamistes comme les ennemis jurés de la femme, guère de chose à rajouter. Pour étayer leur thèse, Ali Belhadj avait fait de l'excellent travail.

Ce numéro d'*Horizons* en main, je soumets les paragraphes cités plus haut à Soraya en lui demandant comment, en tant que femme, universitaire et sympathisante du F.I.S. elle réagit à la lecture de pareilles affirmations. « Tout d'abord, me répond-elle, ces points de vue sont des points de vue personnels qui n'engagent que leur auteur (que celui-ci soit le numéro deux du Front ne l'émeut guère). Maintenant, en ce qui me concerne, je vous dirai que le jour où je me marierai, mon souhait sera de rester à la maison. » Elle répète : « Et cela, indépendamment de ce que peut penser Ali Belhadj. Récemment, j'ai fait une étude pendant six mois sur les crèches. Je me suis rendue compte que leurs inconvénients étaient bien plus importants que leurs avantages. Mes enfants, le jour où j'en aurai, où vais-je les mettre ? Et puis si j'en fais, ce n'est pas pour les donner aux autres. J'en suis responsable. » Persuadée d'exprimer une pensée libre, Soraya développe devant moi un raisonnement bâti sur l'argumentation chère aux islamistes : « Je n'ai pas étudié juste pour travailler... Mes études vont m'aider à mieux élever mes enfants... La femme doit se diriger vers un certain type de métier comme l'enseignement ou la médecine, pour soigner d'autres femmes, en particulier, mais le travail n'est pas un besoin vital... »

Soraya a des difficultés à concevoir qu'il puisse être une source d'épanouissement pour la femme et la notion de « droit » au travail défendu par les associations féminines se confond dans son esprit avec celle « d'obligation ». « Ces associations estiment, dit-elle, que la femme "doit" travailler. Or la Charia ne l'y contraint pas. » Il est intéressant de noter à travers cet exemple comment en jouant sur ces deux notions de droit et d'obligation, les islamistes parviennent à déformer le sens d'une position adverse dans le but de la mettre en contradiction avec la Charia et d'avoir ainsi une arme pour mieux la combattre.

Cette notion de « droit » ainsi définie, Soraya ne l'en accepte pas pour autant comme une notion intangible. « Ce droit au travail, à partir de quelle nécessité va-t-on l'expliquer ? Un besoin matériel ou un besoin de sortir tout simplement ? En tant que droit humain ? Seul Dieu définit les droits de l'homme. Ce n'est pas à un chef d'État ou à une organisation quelconque de définir et d'octroyer des droits à la femme. Les droits de la femme lui sont venus avec l'islam. Pas avant et pas après. » Je lui rappelle que si, en effet, la Charia ne contraint pas la femme à travailler, elle ne le lui interdit pas non plus...

Pour appuyer mes dires, je lui cite l'exemple illustre et incontournable de Khadija, la première femme du Prophète, qui passait pour une commerçante avertie. « Khadija, me répond-elle alors, avait des biens certes, mais elle ne sortait pas pour commercer. Ses affaires, elle les dirigeait par le biais d'intermédiaires. Les hadith disent d'elle qu'elle était une mère et une femme au foyer. » L'histoire, vue et corrigée par les islamistes, ainsi l'apprend-on à l'ombre des mosquées ; que l'on soit analphabète ou universitaire n'a pas l'air d'y changer grand-chose.

Parvenues à la cité Bajarah où la cellule féminine du F.I.S. vient d'ouvrir son local, il nous faut encore trouver le bâtiment n° 59 qui l'abrite. Un jeune que nous interrogeons au passage se propose de nous y conduire. Ses cahiers sous le bras montrent qu'il est lycéen. « Vous allez chez les gens du F.I.S. ? Ici, à la cité, nous, vous savez, nous commençons à en avoir assez des barbus et de leur *la yadjouz*[17]. Sous prétexte qu'il porte la barbe et le kamiss, n'importe lequel d'entre eux veut nous imposer sa loi. Or tout ce qu'ils savent faire, c'est décréter du matin juqu'au soir que tel truc est halal et que tel autre est haram. Si c'est ça leur islam, on n'en veut pas. D'ailleurs, maintenant, on ne les écoute plus. »

Je jette un coup d'œil furtif à ma compagne. Faisant mine de ne pas prêter attention aux paroles de l'adolescent, elle continue à marcher en silence. La cité Bajarah offre le même visage que la plupart de ces ensembles immobiliers qui enserrent

Alger d'une ceinture de laideur ; des bâtiments aux façades pelées entourés de terrains vagues, où dans la poussière, les enfants s'éparpillent en essaims bruyants. « Voilà, c'est ici. » Une mimique moqueuse se dessine sur le visage du lycéen : « Amusez-vous bien ! »... et il s'éloigne, le nez pointé vers le ciel.

Un bureau, deux chaises et quatre murs nus ; en dehors de leur foi, les militantes du F.I.S. ne disposent pas encore de grand-chose pour meubler les trois malheureux mètres carrés de leur local. « Nous n'avons pas beaucoup de place ici pour nous réunir, nous déclare en s'excusant l'une des deux jeunes femmes qui nous accueillent. Venez, nous allons rejoindre les autres akhawates. Elles nous attendent chez moi, juste là à côté, dans le bâtiment d'en face. » Je me doute que des consignes ont dû être données pour que soit réuni un état-major de choc. Pour un état-major de choc, c'en est un en effet. Serrées les unes à côté des autres dans le petit salon rectangulaire de l'appartement où nous sommes introduites, elles sont dix. J'avale ma salive de travers. Il n'est déjà pas aisé de parvenir, en tête-à-tête, à établir un échange véritable avec une interlocutrice islamiste quand on se situe au bord opposé. Alors, avec dix d'un coup... J'ai presque envie de rebrousser chemin sur-le-champ avant de m'apercevoir que mes interlocutrices sont toutes aussi tendues que moi mais pour une autre raison ; cette rencontre est leur premier contact avec les médias. « Vous êtes la première personne à venir nous rendre visite. Et bien entendu, la première "non-islamiste". »

Soucieuse des formes malgré le cadre familial du lieu où nous sommes réunies, la responsable du groupe tient avant que ne débute l'entretien à faire une brève allocution pour me souhaiter la bienvenue, précédée comme cela se doit de la récitation d'un verset coranique. Le ton formel ainsi donné à la rencontre est accentué par l'utilisation exclusive de l'arabe classique. Quels objectifs poursuit-on quand on est une militante dévouée du Front islamique du salut ? Ils se résument en une priorité : éveiller la femme à l'Islam et consolider sa foi. S'il est un domaine où l'égalité des sexes est absolument parfaite, c'est dans le devoir de tout croyant de se faire le messager de la parole divine. « Dieu a confié aux hommes comme aux femmes le soin de porter son message divin aux humains. Nous agissons tous au sein du Front islamique dans cette perspective. Les gens ne connaissent l'islam que de manière superficielle. Ils en ignorent les sens profonds. Notre mission à nous est de rendre la femme consciente de sa religion, consciente des raisons de son existence. Pourquoi Dieu l'a-t-il créée ? Pourquoi Dieu nous a-t-il créées si ce n'est pour l'adorer ? »

La consolidation de la foi de la femme étant la première étape, vient ensuite son éducation d'une manière générale car éduquer la femme, c'est éduquer par ricochet la société tout entière. D'où, outre leur prosélytisme, l'activité des militantes islamistes dans les domaines éducatif et social. Et dans le domaine politique, qu'en est-il ? « La politique est le domaine des hommes, Dieu ayant défini à chacun des sexes son rôle et sa place dans la société. Nous ne disons pas que nous ne devons pas avoir des points de vue politiques ni qu'à l'avenir nous ne les donnerons pas, notamment en ce qui concerne la femme, mais au stade actuel la priorité n'est pas là. »

Sur la question du travail féminin, la réponse ne s'écarte pas de la plus pure orthodoxie. Ma manière de formuler la question est elle-même jugée inadéquate : « Vous ne devez pas nous demander ce que nous pensons du travail de la femme mais quels sont les commandements de Dieu en la matière. Et nous vous répondrons que ce que la Charia veut, nous le voulons. Nous ne rejetons pas le travail de la femme — d'ailleurs nous sommes toutes des femmes actives — tant que ce travail ne s'effectue pas au détriment de l'éducation et de la formation des générations car c'est la responsabilité suprême dont Dieu nous a chargées. Tant que les limites définies par la Charia sont respectées. » Limites qui ont noms : hijab et séparation des sexes.

Quant au Code de la famille, cause de tant de polémiques, leur premier réflexe est de dénoncer la méconnaissance que celles qui en exigent l'abrogation ont du fiqh (la jurisprudene islamique). L'une d'entre elles, qui à plusieurs reprises déjà s'est distinguée par son ton enflammé, s'emporte : « Si l'on questionne ces femmes sur les conditions posées par le Coran à la polygamie ou au divorce, je suis certaine qu'elles seraient incapables de répondre parce que ces femmes ne sont nourries que de culture occidentale. Moi, en tant que femme musulmane, je me soumets à la Charia et applique toutes ses règles avec bonheur, car Dieu n'est injuste avec personne. Si la femme savait combien l'islam l'a honorée au point que son mari, s'il mord dans une cerise, doit lui en donner la moitié, jamais elle ne s'en détournerait. Notre pays a été envahi par les idées occidentales mais, Dieu merci, la femme algérienne commence à revenir à l'islam, et c'est cela qui dérange l'Occident aussi bien à l'est qu'à l'ouest. »

Et ces Algériennes qui disent leur peur du F.I.S. ? Fantasmes que tout cela ? « Si la femme est musulmane, je doute qu'elle craigne l'Islam car sa nature de femme ne peut que la pousser à le rechercher. Et le peuple algérien est un peuple musulman. Malheureusement, certaines sont parties à l'étranger et elles y ont subi des lavages de cerveau. Parce qu'elles ont troqué l'ancien cerveau pour un nouveau qu'elles se sont payé, elles viennent philosopher sur l'Islam en l'accusant de tel ou tel méfait. Mais ces femmes ne sont pas représentatives des Algériennes car les Algériennes patriotes n'ont pas peur de l'islam. »

Sa tirade achevée, je précise à celle que dans ma tête j'ai nommée « la petite » (elle ne doit guère avoir plus de vingt ans, et c'est une véritable boule de nerfs) que cette appréhension féminine ne vient nullement de l'islam, ces femmes se posant pour la plupart elles aussi comme musulmanes, mais du mouvement islamiste. « Pourquoi me disent-elles alors, cette distinction entre l'islam et le mouvement islamiste ? C'est la même chose. Cette volonté de les dissocier montre comment les adversaires du mouvement tentent de manipuler l'opinion publique. » Les agressions ? « Ce n'est pas parce qu'un homme porte une barbe que c'est un ''frère''. Tout cela entre dans le cadre de la campagne qui vise à éloigner le peuple algérien du mouvement islamiste. Mais, heureusement, les gens qui y adhèrent ne sont pas atteints par ces manœuvres de sabotage. »

Lasse d'entendre se répéter les mêmes arguments, j'abrège la discussion au bout de deux heures non sans avoir essayé toutefois de les faire parler de leur propre vécu. Peine perdue. Le cours magistral n'incluait pas les digressions personnelles. Au moment de me lever pour partir, elles me retiennent : il est hors de question de m'en aller sans avoir pris le thé. Et là, miracle de l'hospitalité, l'ambiance se transforme. En un clin d'œil, la table est couverte de gâteaux. Des gâteaux faits maison que l'on veut tous me faire goûter. Pour comparer avec ceux du Maroc. La raideur des unes et des autres tombe. Elles sont toutes adorables de gentillesse. On rit, on plaisante comme si aucun fossé ne nous séparait.

L'enregistreur éteint, l'arabe dialectal et le français ont immédiatement remplacé l'arabe classique qui m'avait été assené de bout en bout de la conversation. Maintenant seulement il aurait pu être intéressant de discuter. Mais il est trop tard. La nuit commence à tomber. Chacun doit repartir chez soi. Je leur demande si elles souhaiteraient pouvoir dialoguer avec les autres femmes, celles qu'elles considèrent comme des « occidentalisées ». « Oui, me disent-elles, nous le souhaiterions. » La virulence est tombée. Restent des femmes ni plus ni moins fanatiques que d'autres. Tout juste un peu trop prisonnières du sentiment enivrant de posséder la Vérité.

Elles marchent pour la démocratie

Pour accompagner son fils, la vieille dame a étrenné sa robe des grands jours, celle dont les couleurs chatoyantes chantent le mieux la Kabylie. Sa menotte fripée blottie dans la grande main ferme de l'aîné, elle s'applique à marcher au même rythme que les autres. Ses pauvres jambes rechignent sous l'effort mais elle est tellement fière d'être là, tellement fière d'accompagner de ses you-you stridents les chants et les slogans qui fusent de toutes parts qu'elle en oublie la fatigue. La démocratie pour l'Algérie ? Oui, elle veut encore être de cette bataille-là.

En l'espace de quelques heures, Alger a changé de visage. Elle a rasé ses barbes, rangé ses voiles et chassé sa nervosité. L'heure est à la liesse. Cheveux au vent, les femmes battent le pavé aux côtés des hommes, redevenus, le temps d'une marche, des compagnons. Le pari n'était pas déraisonnable : en ce jeudi 10 mai 1990, ils sont des dizaines de milliers à relier en un immense cordon humain les places au nom combien symbolique

du
1er-Mai et des Martyrs. Les poitrines se gonflent d'espoir pendant que les voix, pour une fois à l'unisson, scandent les mêmes mots : « Vive la démocratie ! », « A bas la violence ! », « Non au fascisme ! ». La rue, aujourd'hui, est leur. Rien ne leur interdit plus de rêver que, demain, et tous les après-demain qui naîtront, il en soit à nouveau de même.

Quand d'une voix timide, quatre petits partis de gauche émirent l'idée de cette marche, bien des épaules, de désabusement, se haussèrent. Il est vrai qu'alors tous les Algériens un tant soit peu démocrates étaient sous le choc de la démonstration de force organisée le 20 avril par les islamistes. Venant couronner un mois de ramadan marqué de l'empreinte de ces derniers, cette manifestation avait atteint le but escompté : impressionner et donner l'illusion que les jeux étaient faits, irrémédiables. Mais passé le premier cap du découragement, la petite idée fit son chemin ; pour en adopter le principe, de nombreuses associations se joignirent aux quatre partis initiateurs. En pointe, les associations féminines. Il fallait faire front, absolument, impérativement, devant le nouveau totalitarisme qui se profilait à l'horizon. L'imminence de ce danger réussit le tour de force de balayer, le temps d'une marche, les divergences partisanes qui empêchaient jusque-là le mouvement démocratique d'émerger de ses limbes et d'apparaître comme une force politique avec laquelle on doit compter. A éparpiller ses voix, il avait fait douter de sa réelle existence. L'Algérie des démocrates était aphone parce qu'elle ne croyait pas en elle. Ce 10 mai, en réunissant sous le plus petit dénominateur commun, à savoir la défense de la démocratie, des gens d'horizons sociaux et idéologiques différents, lui a rendu sa voix. Et sa confiance dans ses capacités.

Parmi les Algériens amoureux des libertés, il y a, plus amoureuses encore, les Algériennes. Sous la petite pluie fine, inattendue pour la saison et considérée de ce fait comme un heureux présage, ce sont elles qui exhortent les manifestants par une infatigable énergie à chanter et à scander les mots d'ordre. Présentes sous toutes les banderoles de la tête à la queue de la marche, elles ont, en sus, leur propre carré ; le carré formé par les militantes des associations féminines. Celles que le président du Front islamique du salut, Abassi Madani, nomme avec mépris « les éperviers du néo-colonialisme »[18]. Les cibles privilégiées de la diatribe islamiste. Dans l'histoire ancienne des Arabes, les femmes venaient sur le champ de bataille, cheveux dénoués et poitrines dénudées, haranguer les soldats pour qu'ils arrachent la victoire. Dans la lutte pour la démocratie en Algérie, les femmes n'ont pas attendu d'y être conviées pour monter en selle. La défense de leurs droits, elles ne l'ignorent pas, passe d'abord par la défense de la démocratie.

Elles sont femmes et elles parlent de liberté. Elles sont femmes et elles refusent la soumission. Elles sont femmes et elles ne veulent pas se taire, c'est là plus qu'aucun Ali Belhadj ne saurait jamais accepter. Du haut de son *minbar* (chaire), lui et ses compagnons sont à court de mots suffisamment forts pour dénoncer, jour après jour, leurs turpitudes. Symboles de tout ce qu'ils condamnent, les islamistes réservent aux représentantes des associations féminines leurs boulets les plus rouges. Des boulets qu'ils n'ont pas attendu aujourd'hui pour tirer. On se souvient que l'un des thèmes privilégiés du discours islamiste est la dénonciation de la décadence des mœurs. Au regard des islamistes, le comportement de ces jeunes femmes en est l'exemple type. Mais entre les femmes « modernistes » et les fondamentalistes au sens le plus large, l'affrontement se cristallise en priorité depuis trois décennies autour d'une question centrale : le Code de la famille. Son adoption en 1984 par l'Assemblée nationale populaire (A.N.P.) est une victoire indéniable pour ces derniers.

De 1962 à nos jours, le mouvement des femmes en Algérie s'est toujours identifié au combat permanent contre toute tentative de promulgation d'un Code de la famille. Plutôt qu'une codification du statut personnel dont elles avaient de solides raisons de se méfier, les femmes « modernistes » préféraient demeurer dans une situation, qualifiée de vide juridique par certains juristes, où le juge avait la latitude de se référer à diverses sources de droit, à savoir la Charia mais aussi le Code civil français et le droit coutumier. Dès 1963, le premier projet de codification est déposé sur le bureau du président Ben Bella. Aussitôt, les *moujahidates*[19], encore fortes de leur légitimité révolutionnaire, se mobilisent pour en exiger le retrait. Plusieurs tentatives seront ainsi repoussées entre cette date et 1981, chaque fois sous la pression des femmes. Comme la société dans son ensemble, les femmes butent sur l'absence de canaux d'expression à travers lesquels faire entendre librement leurs voix. L'Algérie vit alors sous le régime du parti unique. Toutes les organisations sont placées sous l'égide du F.L.N. Les premières années, l'Union nationale des femmes algériennes (U.N.F.A.) conserve une certaine indépendance par rapport au pouvoir. Jusqu'en 1973, c'est elle qui avec le concours des femmes universitaires et de la magistrature, orchestre la riposte contre les projets de code. Mais au fil du temps, elle se transforme progressivement en simple courroie de transmission du F.L.N. Quand, en 1979, de nouvelles rumeurs circulent sur un nouveau projet, le mouvement féminin, devant la carence de l'U.N.F.A., s'aligne sur les femmes syndicalistes. A l'intérieur de l'U.G.T.A. (Union générale des travailleurs algériens) les enseignantes d'Alger constituent « le groupe des femmes travailleuses », tentant d'utiliser ainsi la structure syndicale pour exprimer des revendications féminines. Mais rapidement elles se heurtent aux mêmes difficultés que celles rencontrées avec l'U.N.F.A. A l'université, dernier lieu d'expression possible, va alors naître le collectif indépendant des femmes d'Alger.

Dans cette structure sans aucune existence légale, les femmes concentrent leurs efforts pour recueillir l'information sur les projets de code en cours d'étude et organiser la mobilisation. Malgré ses maigres moyens et son caractère informel, ce collectif réussira pendant un certain temps à se faire entendre. Ainsi, sous sa pression, les autorités reviennent sur une mesure en passe d'être instaurée et selon laquelle les femmes ne devaient plus être autorisées à voyager seules à l'extérieur du territoire national. Dans un contexte politique où toutes les libertés d'expression sont étouffées, ce n'est pas une mince victoire.

Mais les événements de Kabylie surviennent. Avec eux s'abat à la fin de l'année 80 une terrible répression sur l'université d'Alger. La faculté est investie par la police qui dissout tous les collectifs tolérés jusqu'alors. Le dernier petit espace de liberté est supprimé. Les militantes ne désarment pas pour autant. A la rentrée universitaire, à défaut des locaux de la faculté, elles se réunissent à la cité. Fin 81, une nouvelle rumeur leur parvient : le quatrième projet de code est soumis par le gouvernement à l'A.N.P. pour discussion et adoption. « Nous revendiquions en premier lieu le droit à l'information, explique l'une des principales actrices de ces combats sans cesse répétés, Khalida Messaoudi, présidente de l'Association pour l'émancipation et le triomphe des droits de la femme. Ce code se discutait et se préparait dans le plus grand des secrets alors qu'il met en cause l'avenir de la société tout entière et de la femme en particulier. C'était en partie contre cela que nous nous élevions. Nous parvenions certes à obtenir de l'information mais par bribes et uniquement par voies détournées. »

Dans un premier temps, les femmes tentent d'obtenir de l'U.N.F.A. une copie du projet. Malgré une occupation des locaux par un groupe d'une soixantaine de femmes, elles repartent bredouilles. Décidant de passer outre l'interdiction de manifester, elles se rassemblent le 28 octobre devant l'Assemblée nationale, munies d'une pétition contre le vote du code. « Au regard des moutures du projet qui avaient fini par nous tomber entre les mains et de la nature de plus en plus claire du F.L.N., nous nous doutions fort bien de ce qu'il allait en sortir », poursuit Khalida Messaoudi. Elles demandent à être reçues par le président de l'A.N.P. ou par sa commission juridique. Les autorités font la sourde oreille. Quinze jours plus tard, le 16 novembre, elles sont de retour, non plus à cent mais à quatre cent cinquante femmes. La télévision est là, les photographes aussi. Une première ! Oh miracle, la commisison juridique daigne les recevoir... pour, comme le résume de manière lapidaire Khalida, leur « jeter un os ». « Ils nous ont demandé de proposer des amendements à un texte dont ils ne voulaient pas nous révéler le contenu. La proposition était grotesque mais le but de la manœuvre très clair : nous diviser. Ils ont réussi en partie car certaines d'entre nous se dirent prêtes à accepter le compromis. »

La grande majorité maintient la pression. Le 14 décembre 1980, nouveau rendez-vous devant l'A.N.P. Cette fois la réponse s'exprime par l'envoi d'une cargaison de flics armés de matraques. Or se trouvaient présentes parmi les manifestantes quatre anciennes moujahidates. Elles sont suffoquées par la réaction des autorités. Comment, se disent-elles, dans une

Algérie indépendante, les policiers osent-ils frapper des femmes ? Elles se solidarisent aussitôt avec les manifestantes et, une semaine plus tard, appellent leurs autres compagnes de lutte à une assemblée générale. A l'issue de cette rencontre, 300 moujahidates présentes décident d'envoyer une lettre ouverte au président de la République. Dans cette lettre, elles adhèrent à la cause défendue par leurs jeunes consœurs en dénonçant la pratique du secret qui entoure le vote du code mais vont encore plus loin dans les revendications. Des revendications qu'elles définissent en six points : le droit inconditionnel de la femme au travail, la majorité au même âge que l'homme, l'abolition de la polygamie, l'égalité devant la loi en matière de divorce, la protection efficace de l'enfance et le partage égal du patrimoine commun.

Entre-temps, Khalida Messaoudi et ses camarades n'ont pas baissé les bras. Puisque manifester devant l'Assemblée nationale populaire leur vaut une réaction musclée, elles changent de lieu et choisissent les marches de la Grand-Poste pour s'adresser directement à la population avec banderoles et tracts à l'appui. Le 22 janvier, le président de la République retire le projet de code. C'est la quatrième victoire féminine sur le code. Mais la dernière également.

Quand, en 1984, le pouvoir algérien revient sur le sujet, il prend soin de ne rien laisser au hasard. La future promulgation intervient au lendemain d'une répression sans précédent. Tout ce que le paysage politique algérien compte de figures militantes, de l'extrême droite à l'extrême gauche, est mis sous les verrous. Les femmes, on s'en doute, ne sont pas les dernières de la liste. Menée quasi clandestinement, l'adoption du Code de la famille s'effectue dans un black-out total afin d'éviter toute nouvelle mobilisation féminine. Un beau matin, en ouvrant le journal *El Moudjahid,* les femmes apprennent qu'elles ne devront plus se battre contre un projet mais contre un texte qui a force de loi. Par une coïncidence très curieuse, les militantes emprisonnées sont libérées deux jours après cette promulgation.

Ce Code de la famille non seulement est inspiré de la Charia mais d'une de ses lectures les plus étroites ; il est significatif de la politique d'islamisation poursuivie par le président Chadli Benjedid depuis son accession à la présidence. Après vingt ans d'atermoiements sur cette question délicate, le pouvoir algérien a tranché dans le sens des fondamentalistes, espérant peut-être par cette importante concession désamorcer la bombe islamiste. Au vu de l'évolution politique en cours, il ne semble guère avoir réussi. Bien au contraire.

Comment lutter contre une loi quand on ne dispose d'aucun instrument légal ? Les femmes comprennent que, désormais, leurs petits coups d'éclat ne leur serviront plus à grand-chose. Le 8 mars suivant, elles manifestent certes par un rassemblement au lieu de la mort, durant la guerre d'indépendance, d'une héroïne en compagnie d'un homme et d'un enfant. « Les bombes n'ont pas fait de différence entre le petit Omar, Hassiba et Ali. Pourquoi aujourd'hui vous, vous en faites ? » crient-elles à l'adresse des autorités. Elles savent toutefois que celles-ci n'ont cure de leur colère. Pour agir vraiment, une réelle structure, une association à même de mener une action d'information et de mobilisation à l'échelle nationale est nécessaire. Le code des associations de l'époque leur permet bien d'en constituer une. Mais pas de la faire fonctionner. Pour cela, l'aval du parti est indispensable. Et cet aval, nul n'entend le leur accorder.

Entre-temps, les islamistes investissent jours après jours le terrain social ; les femmes deviennent leurs boucs émissaires favoris. Les actes d'agressions à leur égard se multiplient dangereusement, mais les plaintes féminines sont tues, les autorités faisant preuve à cet effet d'un laxisme qui frise la complicité. « Avant le 5 octobre, les femmes avaient une peur bleue des islamistes, raconte Feika, militante des droits de la femme. Elles étaient "les bêtes à abattre". On les rendait responsables du chômage des hommes, de la corruption (c'est pour satisfaire leur goût pour la luxure que les hommes volent...) de tout... Sous les vitupérations de Ali Belhadj, des commandos se constituaient à partir des mosquées. Des frères brûlaient leurs sœurs avec le bout des cigarettes pour les contraindre à porter le hijab. Des rumeurs sur des cas de vitriolage se sont mises à circuler, ajoutant à la panique. Quand les plus courageuses osaient porter plainte, au commissariat, on les faisait aller et venir sous l'œil des islamistes qui étaient là à les surveiller. Résultat : elles abandonnaient. Des études ont montré une augmentation alarmante, à partir de 1980, des dépressions nerveuses et des suicides féminins. Et nous, nous ne pouvions rien faire ! »

Les événements d'octobre — leurs lendemains, du moins — sont apparus comme une véritable libération pour les femmes. Comme pour les partis, la libéralisation politique entraîne un foisonnement d'associations féminines. Il s'en crée dans toutes les villes du pays au point d'atteindre la vingtaine en 1990. « Le 8 mars 89, quand nous sommes sortis dans la rue pour célébrer la Journée internationale de la femme, nous avons enfin pu dire m... à Ali Belhadj. Il n'était plus question pour nous de continuer à nous laisser faire. Nous allions nous battre. Plus question non plus de fuir l'Algérie. Nous n'avions plus peur d'eux. »

Si, dans leur grande majorité, l'abrogation du Code de la famille est la raison d'être de ces associations, la dénonciation des actes d'intolérance monopolise dans un premier temps leurs efforts. En mars 89, elles se font recevoir par le Premier ministre pour demander à ce que les autorités assument avec plus de vigueur leur devoir de protection des libertés individuelles. Et d'exiger que leur soit accordé un minimum de moyens matériels (temps d'antenne à la TV, locaux, subventions) pour pouvoir véritablement s'exprimer. Le manque de moyens grève en effet lourdement leurs possibilités d'action. Elles n'ont pas de local, pas d'argent, pas de canal médiatique véritable. Seul le dévouement des membres ne fait pas défaut. Elles se démènent tant et si bien qu'elles réussissent la gageure d'accroître l'animosité des islamistes à leur égard. A chacune de leurs manifestations, elles les font littéralement sortir de leurs gonds. Le mois de décembre 89 par exemple se distingue par une véritable « partie de ping-pong » entre les deux parties. La première semaine, dans une déclaration à l'A.F.P., le F.I.S., à travers son porte-parole Abassi Madani, s'en prend violemment à elles en affirmant que leurs manifestations représentent « un des plus grands dangers qui menacent le destin de l'Algérie ». Ces manifestations sont, dit Madani « un défi à la conscience du peuple algérien et consacrent le reniement des valeurs d'une nation. Ces femmes, qui sont manipulées, sont les éperviers du néo-colonialisme et l'avant-garde de l'agression culturelle. »

Une semaine plus tard, ces mêmes associations organisent en collaboration avec le R.A.I.S. (Rassemblement algérien des intellectuels et des scientifiques) un rassemblement contre « l'intolérance et l'intégrisme ».

La réponse islamiste est foudroyante. Le jeudi suivant, au même endroit, le vieux patriarche, le cheikh Sahnoun invite « tout citoyen attaché à sa religion et à sa patrie à participer en compagnie de son épouse, de sa fille, de sa sœur et de sa mère » à une contre-manifestation pour protester contre « la recrudescence des agressions à l'égard de l'islam et des musulmans en Algérie ». Séparation des sexes oblige, pendant que les hommes défilent en rangs serrés dans une artère parallèle, les femmes se regroupent face au siège de l'Assemblée nationale. Sur les banderoles qu'elles brandissent, les manifestantes réaffirment leur islamité en proclamant leur adhésion au Code de la famille et leur rejet des associations des femmes « modernistes ». « En aucun cas, ces associations ne peuvent nous représenter. Elles ne doivent plus jamais parler en notre nom », lance l'une de oratrices dans une intervention en français. (Pour être comprises de tous, leurs prises de parole s'effectuèrent en arabe, en kabyle et en français.) Aux dires des observateurs, c'était là le plus grand rassemblement de femmes jamais vu depuis l'indépendance du pays.

Dans cette société algérienne en pleine ébullition, la population féminine se divise elle aussi en deux camps. D'un côté, celui des mères, des épouses, des sœurs et des filles, aligné sur celui des pères, des frères, et des époux. De l'autre, celui des femmes. Des femmes tout court. Des femmes qui revendiquent une identité qui ne se définit pas par rapport à l'homme mais une identité qui existe par elle-même. Une identité de femme pleine et entière. Si, aujourd'hui, pour ces femmes-là, un kamiss blanc et une barbe noire stigmatisent l'adversaire, celui-ci ne se traduit pas par cette seule expression caricaturale. Il sait tout aussi bien se glisser dans le costume de la « modernité ». Car l'adversaire à combattre, c'est d'abord et avant tout cette mentalité multiséculaire qui emprisonne les êtres dans des carcans rigides et dresse les sexes l'un contre l'autre comme si, pour survivre, l'un se devait obligatoirement d'anéantir l'autre. Et cette mentalité-là, hélas ne sévit pas que dans le camp des partisans de Dieu.

Conclusion

Au début de ce siècle, une femme a inscrit son nom dans l'histoire en osant un geste, un geste infime mais de ces actes suprêmes qui font basculer le temps ; sur la passerelle du bateau qui la ramenait dans son pays après une participation à une conférence internationale, face à la foule présente sur le quai, elle dévoila fièrement son visage. C'était Hoda Charaoui, la première « féministe » du monde arabe, et l'action se passait en 1923 dans l'Égypte du roi Farouk.

Au Maroc, feu Mohamed V fit réitérer le geste de Hoda à la princesse Lalla Aicha en 1947 lorsqu'il la chargea de prononcer un discours officiel le visage découvert. En prenant la décision de dévoiler sa propre fille, le souverain marocain, à la fois chef de l'État mais également chef religieux en sa qualité de « Emir el mouminine » (commandeur des croyants) affirmait sa volonté de faire des Marocaines des citoyennes à part entière. C'est dire la puissance symbolique de ce geste : pour les femmes, se libérer du voile signifiait rompre avec l'exclusion et la réclusion et chaque voile arraché constituait une victoire dans la voie de l'émancipation féminine.

Le hijab (et non le niquab) n'est pas ce voile de jadis qui faisait de la femme une ombre sans visage. Il n'empêche. Il est difficile pour des esprits modernistes de le percevoir autrement que comme une pure régression, un retour à la case départ, à ces temps si peu lointains où l'univers féminin s'arrêtait aux murs du gynécée. Erreur, répondent ses adeptes qui affirment au contraire avoir acquis grâce à son port une plus grande aisance dans leurs mouvements. Hier symbole de claustration, aujourd'hui instrument de libération, une telle mutation paraît pour le moins surprenante.

Quand on examine les témoignages des mouhajjabates, une constante retient immédiatement l'attention : l'importance du rôle joué par le désir d'échapper à l'agressivité masculine dans la décision de porter le hijab. Pour beaucoup de représentants de la gent masculine, la pénétration par les femmes de l'espace public a été vécu comme un empiétement intolérable de ce qu'ils considèrent être leur territoire exclusif. Contraints et forcés d'accepter la marche du temps, ils s'y résignent mais se font fort parfois de faire payer aux inopportunes le prix de leur scandaleuse audace. Puisque ces dernières ont choisi délibérément de se placer en dehors des frontières inviolables du « harim » (dans la maison, lieu réservé aux femmes et interdit à tout homme autre que le maître de céans), ils s'estiment libérés du devoir de les respecter. Or en se revoilant, les femmes rétablissent d'une certaine manière le code traditionnel, obligeant par cette parade les hommes à se soumettre à nouveau à ses normes. Donc à les respecter comme avant. Avec cette différence essentielle que leur présence, à elles femmes, se maintient dans l'espace public.

Mais le hijab n'est-il pas cependant le premier pas dans le sens d'un retour des femmes à la maison ? Un processus inverse à l'évolution en cours se serait ainsi mis en place : on commence d'abord par barricader la femme derrière des métrages de tissu, puis on limite progressivement son champ d'action avant de la renvoyer tout bonnement à ses fourneaux. Certains islamistes comme en Algérie où ils parlent de verser un salaire à la femme au foyer ne font pas mystère de leurs intentions à ce propos. La faiblesse des infrastrucures sociales conjuguée à l'absence de participation de l'homme aux tâches ménagères rend dans nos sociétés le problème de la double journée de travail auquel la femme est confrontée particulièrement aigu. Pour celle-ci, le travail salarié se présente plus souvent comme un surcroît de fatigue que comme un facteur d'épanouissement. Mais il serait erroné d'en déduire qu'une femme, parce qu'elle est islamiste aspire à se cantonner au rôle de mère et d'épouse. Sur ce point, le facteur déterminant n'est pas tant le degré d'engagement religieux que le niveau d'instruction de l'intéressée. Si celui-ci lui permet d'exercer une activité professionnelle valorisante, il y a fort à parier que son approche de la question rejoindra plus celle d'une non-mouhajjaba cadre que celle d'une consœur voilée mais analphabète. Et il ne fut pas rare au cours de ce voyage de rencontrer des femmes en hijab déterminées à se battre bec et ongles contre quiconque tenterait de les empêcher de continuer à travailler.

Si sur la question du travail féminin, des divergences apparaissent entre les islamistes selon qu'ils soient « radicaux » ou « modérés », aucun d'entre eux n'ose franchement s'opposer au principe de l'instruction des femmes. Cela ne signifie pas que dans la réalité de leur pratique, ils n'y contreviennent pas, mais il est néanmoins important qu'au niveau du discours, ce principe ne soit pas remis en question. Les islamistes se recrutent d'ailleurs essentiellement dans les milieux scolaire et universitaire. Or que constate-t-on chez les étudiantes islamistes ? Elles sont studieuses, très studieuses. D'une manière générale, les statistiques montrent que les taux de réussite scolaire féminins sont supérieurs aux taux masculins. Chez les étudiantes islamistes, l'engagement religieux accroît davantage encore la motivation à l'égard des études, d'autant plus que par ses contraintes, il réduit leur possibilité de distraction.

Insister sur l'importance de l'instruction peut paraître superflu tant son évidence est claire mais dans le cas présent, ce point constitue plus que jamais un formidable facteur d'espoir. A l'heure où l'on parle de régression du statut de la femme, de retour en arrière sous la poussée islamiste, il est bon de garder ce facteur présent à l'esprit. Il n'y a réellement amélioration du statut de la femme que lorsque le niveau économique et social de celle-ci lui permet de connaître et de défendre ses droits. Analphabète et pauvre, elle est autant démunie aujourd'hui qu'hier face à l'arbitraire de l'homme. Quant à la femme islamiste, il est faux de croire que son engagement religieux la replace dans la position de nos mères. La différence est fondamentale : sa connaissance des textes islamiques et son niveau d'instruction font que l'homme ne peut plus aussi aisément qu'avant lui imposer sa seule perception de l'islam. Elle est en mesure de la discuter et de la contester malgré le fait que le domaine de l'interprétation des textes demeure toujours la chasse gardée des hommes. Certes, en tant que rigoureuse pratiquante, elle se soumet à la définition islamique des rôles. Mais si elle est consciente de ses devoirs, elle l'est également de ses droits.

A l'ère de la parabole, croire que l'on puisse encore se recroqueviller sur soi est illusoire tant l'ouverture sur le monde est inévitable. Les notions de liberté et d'égalité sont les valeurs de ce siècle. Être islamiste n'y rend pas nécessairement hermétique. L'esprit des mouhajjabates comme celui des autres, s'en imprègne en dépit des apparences et des discours. Pour de multiples raisons, sociales et personnelles, ces femmes ont cherché refuge dans l'islam. Panser les blessures d'une modernité douloureusement vécue, assouvir la soif d'absolu engendrée par le désert actuel des utopies, fuir les contradictions d'une société en pleine mutation en se barricadant derrière un code sécurisant parce que familier, créer une possibilité de communication avec l'homme, cet inconnu, par le biais du combat pour un même idéal quitte à occulter les problèmes cruciaux du couple, le hijab c'est tout cela et tant de choses encore. Mais ce tissu opaque, cette soumission intransigeante aux normes islamiques sont-ils véritablement ce que l'on redoute : le couperet impitoyable qui s'abat sur les espoirs d'émancipation de la femme musulmane. Dans quelle mesure au contraire ne portent-ils pas en eux les germes cachés d'une nouvelle subversion féminine ? En militant pour un islam idéal, ces femmes investissent, avec la bénédiction masculine, la citadelle religieuse. Et si, une fois leurs positions bien installées sur ce terrain, elles se mettaient en tête de procéder à leur propre lecture de l'islam ? Une lecture féminine de cet islam si longtemps accaparé par les hommes.

Bien malin qui pourrait alors les accuser d'« occidentalisme ».

Notes

Égypte

1. « La femme dans la campagne égyptienne ». *Peuples méditerranéens* n° 41-42, p. 135, Égypte : Recomposition.

2. L'un des plus grands réalisateurs égyptiens actuels (*Adieu Bonaparte, Le Sixième jour,* etc...)

3. Du nom de trois frères dont la faillite a révélé l'énorme escroquerie des sociétés « islamiques » en Égypte. A fait la une des journaux nationaux et internationaux en 1989. Porta un coup très dur à l'image de marque des islamistes car beaucoup de petits épargnants se sont retrouvés du jour au lendemain complètement dépossédés de leurs économies.

4. Considérée comme la première féministe arabe. Elle a eu le geste célèbre en 1923 d'arracher publiquement son voile alors qu'elle revenait d'une conférence internationale sur la femme organisée par « l'Alliance internationale pour le suffrage des femmes » en compagnie d'une autre figure féminine égyptienne marquante, Ceza Nabaraoui. C'était également la première fois que des musulmanes participaient en Europe à une pareille manifestation. L'Union féministe égyptienne (U.F.E.) créée par Hoda Chaaraoui en 1923 fut la première organisation féminine à militer pour les droits et l'émancipation de la femme dans le monde arabe.

5. Sultane mamelouke qui, en 1250, assuma la fonction suprême en Égypte à la mort de son mari El Malik El Saleh. Son règne toutefois fut très bref : il s'acheva au bout de quatre-vingts jours car le calife refusant de la reconnaître, elle fut déposée par les Mamelouks qui l'avaient au départ portée au pouvoir. Pendant ses quelques mois de règne, Chajarat El Dorr, comme n'importe quel souverain musulman

vit la monnaie frappée en son nom et plus symbolique encore, la khotba dite en son nom.
Voici, rapportée par Fatéma Mernissi dans son ouvrage *Les sultanes oubliées*, la formule de prière que récitaient les Égyptiens sous son règne éclair :
« Qu'Allah protège l'Instance bénéfique, la Reine des Musulmans, la Bénie du Monde terrestre et de la Religion, la Mère de Khalil Al Mustacimiya, la compagne du sultan al Malik El Saleh. »

6. Politique d'ouverture économique pratiquée par le président Anouar El Sadate qui rompait ainsi radicalement avec le dirigisme de son prédécesseur.

7. L'école malékite, l'école hanbalite, l'école hanifite et l'école chaféite.

8. Dans le dialecte égyptien et dans ce cas précis, le concept de *ismaa* s'écarte du sens religieux premier de « perfection », « d'impeccabilité » pour désigner le pouvoir de divorcer qu'accorde l'homme à la femme au moment de la conclusion de l'acte de mariage. En matière de divorce dans le droit musulman, si l'homme n'a aucune difficulté à répudier sa femme, lorsque la demande est émise par cette dernière, c'est un véritable chemin de croix quand il y a opposition catégorique de l'époux. Munie de la ismaa, la femme, comme l'homme, peut divorcer sur-le-champ. En pratique, très peu de femmes osent réclamer la ismaa pour la simple raison qu'il est mal venu de parler de séparation alors qu'on est censé s'unir pour la vie. Au Maroc, cette notion de ismaa est totalement méconnue des femmes.

9. « Excommunication et émigration ». Nom d'une association islamiste extrémiste proche des assassins du président Anouar El Sadate.

ÉMIRATS ARABES UNIS

1. Longue tunique blanche portée par les hommes du Golfe et qui s'est exportée un peu partout à travers le monde arabe (le *kamiss* en Algérie).

2. Qualificatif sous lequel sont désignés les émigrés en provenance du monde arabe, permettant ainsi de les distinguer des étrangers originaires du sub-continent asiatique.

3. Masque noir en tissu ou en cuir que porte la jeune fille dès sa puberté. Il aurait été importé des Indes plusieurs siècles auparavant. A commencé à disparaître depuis vingt - vingt-cinq ans chez les citadines mais on le retrouve encore aujourd'hui chez les bédouines et les nouvelles citadines.

4. Le Tristan arabe. Héros avec Leyla, sa bien-aimée, de la poésie anté-islamique.

5. Plat traditionnel égyptien à base d'un légume vert gluant.

KOWEÏT

1. Jean et Simone Lacouture et Gabriel Dardand. *Les émirats mirages*. Le Seuil, 1975.

2. Professeur d'éducation islamique (littéralement ''volontaire'').

3. Les islamistes refusent d'ordinaire de serrer la main à une femme car ils estiment que tout contact physique avec cette dernière, même s'il ne s'agit que d'un simple toucher doit être proscrit en raison des risques de fitna (*).

4. Petit-fils du Prophète par sa fille Fatima et qui mourut tragiquement à Karbala en 680 dans une insurrection contre Yazid, fils de Moâwiya (Moâwiya est le cinquième calife, celui à partir duquel cette charge cessa d'être élective pour devenir héréditaire) dont les chiites contestaient la légitimité. Le nom de « chiite » dérive du mot arabe « partisan ». Les chiites sont les partisans de Ali, le gendre du prophète. Pour eux le calife aurait dû être automatiquement pris parmi les descendants directs de Ali et de Fatima. Les persécutions dont fut victime la famille de Ali, et notamment l'assassinat de Hussein à Karbala les ont profondément marqués. Chaque année, le souvenir de cet événement est commémoré le 10 du premier mois de l'année par des processions au cours desquelles ont lieu des flagellations.

5. Selon le Coran : « Les croyants et les croyantes ordonnent le Bien et pourchassent le Mal. »

6. La première femme du Prophète. Celui-ci ne prit aucune épouse tant qu'elle vécut.

7. (613-678). Fille de Aboubeker, compagnon du Prophète et premier calife orthodoxe. Aïcha fut l'épouse favorite du Prophète. Épousée à neuf ans à la mort de Khadija, elle fut veuve à dix-neuf ans. Elle occupe une place de premier plan dans l'histoire musulmane en raison de l'attachement que lui portait le Prophète et de sa propre personnalité.

LIBAN

1. Une répression impitoyable s'est abattue en février 1982 sur les Frères musulmans syriens qui constituaient une opposition radicale au régime alaouite de Hafez El Assad. Celui-ci n'a pas hésité à noyer

dans le sang le soulèvement de la ville de Hama, bastion sunnite dont ils avaient fait leur fief. Le nombre des victimes de cet effroyable massacre se situerait entre 10 000 et 30 000 morts.

2. Alliance de partis "progressistes" libanais.

3. Accord signé par le Liban et Israël conséquemment à l'invasion de 1982. Contresigné et garanti par les Américains, il prévoyait le retrait de toutes les forces israéliennes du Liban contre des garanties de sécurité de la frontière nord d'Israël. Mais cet accord ne connut pas d'application, Israël ayant conditionné l'exécution de ses termes à un retrait total des forces syriennes. Il fut dénoncé par le président libanais Amine Gémayel en mars 1984.

4. Le général Michel Aoun était commandant de l'armée libanaise et Sélim Hoss, ancien Premier ministre d'Amine Gémayel. Quand la présidence de ce dernier s'achève en septembre 1988, le Liban se retrouve dans une situation de vacance de pouvoir car les camps musulman et chrétien s'opposent sur les modalités de l'élection d'un nouveau président, les premiers réclamant au préalable une révision constitutionnelle que les seconds se refusaient à accepter. Devant cet état de fait, le général chrétien Michel Aoun argue qu'il a été nommé par le chef de l'État sortant, président du Conseil par intérim. Refusant de lui reconnaître cette qualité, le camp musulman charge le sunnite Sélim Hoss de continuer à assumer sa précédente fonction. Le Liban reste ainsi sans président de la République mais avec deux chefs de gouvernement. Le 14 mars 1989, le général Aoun bombarde l'Ouest ; il veut dit-il « libérer le pays de l'envahisseur syrien » (les Syriens étant les alliés conjoncturels des musulmans). Beyrouth va alors vivre deux mois d'une rare violence, les deux camps se livrant de part et d'autre à un bombardement intensif et ininterrompu.

5. Le mouvement chiite de Nabib Berri.

6. S'applique historiquement à la Grande Syrie. Aujourd'hui il est utilisé dans la région pour désigner Damas.

7. L'enseignement privé est particulièrement développé au Liban.

8. Quartier chrétien de Beyrouth-Est.

9. Fondée en 1866 par des missionnaires protestants américains, c'est l'une des plus vieilles et plus illustres universités de Beyrouth. Beaucoup d'hommes politiques et d'intellectuels du monde arabe s'y sont succédé.

10. Guide spirituel du Hezbollah.

11. Les chiites dispensent la femme de tuteur matrimonial ; en matière d'héritage, si un homme meurt en ne laissant que des filles, celles-ci

héritent entièrement de sa fortune. Ce n'est pas le cas chez les sunnites où les parents mâles, même éloignés ont aussi des droits sur l'héritage.

12. Le mariage temporaire est l'un des différents types d'union matrimoniale de la période pré-islamique. Voilà, rapporté par Fatima Mernissi dans *Sexe, idéologie et islam* (p. 76), ce qu'écrit à son propos l'imam Muslim, un traditionaliste de grand renom ; « Mut'aa... était un mariage temporaire. L'homme disait à la femme : ''Je vais prendre du plaisir avec toi pendant quelque temps en échange d'une certaine somme d'argent''. On appelait cette union Mut'aa (plaisir) du fait que son principal but était exclusivement la satisfaction du plaisir sexuel, c'est-à-dire sans la procréation ou autres fins habituellement demandées du mariage. Le mariage Mut'aa fut interdit par le Livre et la Sunna ». Un autre, Tamidi, décrit l'aspect pratique d'une telle union ; « La mut'aa était pratiquée au début de l'islam : l'homme arrivait dans une communauté où il ne connaissait personne, il épousait une femme durant une période équivalent au séjour qu'il se proposait d'y faire. Elle protégeait ses biens et s'occupait de ses affaires. »

13. Massacres pratiqués en 1982 sur les civils des camps palestiniens de Sabra et Chatila par la milice chrétienne avec la complicité de l'armée israélienne lors de l'occupation de Beyrouth par celle-ci.

14. Camp palestinien de 50 000 personnes détruit en 1976 par la milice libanaise soutenue par l'armée syrienne après un siège de plusieurs mois et cinquante-deux jours de bombardements intensifs. Plusieurs milliers de Palestiniens et de Libanais, des civils dans leur quasi-majorité, y périrent.

15. Damour, petite ville chrétienne au sud de Beyrouth dont les habitants ont été massacrés ou chassés par les milices islamo-progressistes.

TURQUIE

1. « Le père des Turcs », nom donné à Mustapha Kemal (1881-1938), le fondateur de la Turquie moderne. L'objectif de Mustapha Kemal en abolissant en 1922 le sultanat et en proclamant la république en 1923 est de créer une nation turque de type occidental. Il procède dans ce but à la laïcisation des institutions. Le califat est supprimé. Une législation et un enseignement laïques sont mis en place. L'alphabet arabe est remplacé par l'alphabet latin.

2. Chercheur français. Spécialiste de l'Islam auquel il a consacré de nombreux travaux. Auteur de *L'islamisme radical*.

3. Le premier à avoir interdit le port du voile en Turquie fut Mustapha

Kemal parce qu'il le considérait comme un symbole d'obscurantisme. Devant la montée des courants islamistes en Turquie, le gouvernement né du coup d'État militaire de 1980 a réactivé cette vieille interdiction pour l'étendre au port du hijab (appelé « turban » en turc) et de la barbe à l'intérieur des établissements publics. L'université étant le premier lieu visé par cette mesure, une agitation estudiantine s'en est suivie. Ces dernières années, cette agitation s'est amplifiée jusqu'à déborder du campus universitaire sur la scène sociale et politique. Sous la pression des uns et des autres, le gouvernement a effectué plusieurs volte-face, autorisant puis interdisant en fonction de la situation. Alors que les étudiantes islamistes revendiquent le droit de se voiler au nom de la liberté individuelle et des principes démocratiques, les laïcs purs et durs agitent le danger que représente l'acceptation d'une telle revendication pour l'héritage kémaliste.

4. L'article 163 de la Constitution interdit l'existence des partis religieux et prévoit des poursuites contre tous ceux dont le militantisme islamique porterait atteinte à l'État kémaliste.

5. Les quatre premiers califes ou « khoulafa el rashidine » (les califes bien guidés), à la différence de leurs successeurs furent désignés et non pas investis par voie d'hérédité. Avant d'être calife, ils furent les compagnons de lutte du Prophète. C'est à leur califat que les fondamentalistes font référence quand ils parlent de la société islamique idéale. Il n'en demeure pas moins que sur les quatre, trois sont morts assassinés.
Le premier khalife fut Aboubeker (mort en 634). Lui succéda Omar Ben Khatab (mort en 644), Othman Ben Affan (mort en 656) puis Ali Ben Abi Taleb (598-661).

6. Hassan El Banna, théoricien islamiste et fondateur de l'organisation égyptienne « El Ikhouan el mouslimoun » (les Frères musulmans), considérée comme la matrice du mouvement islamiste contemporain. Créée en 1928, cette organisation est interdite en Égypte en 1954. Décimés par Nasser, tolérés puis à nouveau combattus par son successeur, les Frères musulmans n'en ont pas moins constitué une force politique exerçant son influence sur tout le monde arabe. Premiers « islamistes », leur objectif est l'accès au pouvoir pour reconstituer politiquement la Oumma (*) selon les principes les plus stricts. Hassan El Banna, en étant assassiné en 1949 en plein Caire a pris la figure d'un martyre.
Il en est de même pour Sayed El Qotb pendu par Nasser. A la différence de Hassan El Banna qui est d'abord un homme d'action, Sayed El Qotb est l'idéologue du mouvement. Son ouvrage *Maalim fi tarik* (Jalons sur le chemin) constitue un livre de chevet pour la plupart des islamistes actuels.

7. Parmi les mesures prises par Mustapha Kemal en instaurant la république en Turquie, celle que l'on retient comme l'une des plus importantes fut le remplacement de la Charia par un code civil, copié sur le code civil suisse. Cela signifia pour la femme l'abolition de la polygamie et de la répudiation ainsi que l'instauration de l'égalité en matière de divorce, d'héritage et de témoignage. Mais le code civil continue néanmoins à refléter le point de vue traditionnel : le mari est le chef de famille, la femme doit suivre son époux qui seul décide du domicile et son consentement lui est nécessaire pour pouvoir travailler.

8. « Que la prière d'Allah soit sur lui et la paix ! ». Formule rituelle qui suit obligatoirement l'évocation en arabe du nom du Prophète.

ALGÉRIE

1. Depuis 1975, le Maroc et l'Algérie par Polisario interposé (mouvement sahraoui pour l'indépendance du Sahara occidental), se sont livré une guerre larvée à propos du Sahara, le premier affirmant la marocanité de ce territoire et revendiquant son rattachement à la mère-patrie, le second contestant cette marocanité et prônant le droit à l'indépendance des Sahraouis. Depuis quelques années, la tension est retombée entre les deux pays que préoccupe la construction du « Grand-Maghreb », d'autant plus que l'organisation d'un référendum sous l'égide des Nations Unies pour donner à la population sahraouie la possibilité de se prononcer sur son devenir est en préparation.

2. « Le jardin de la Victoire ». Gigantesque complexe de restaurants, cabarets et commerces dont le luxe a été maintes et maintes fois dénoncé.

3. De « Frère musulman ». Appellation donnée par les Algériens aux islamistes.

4. Sous les ciseaux des stylistes marocains, la djellaba qui traditionnellement tombait jusqu'aux chevilles, fait l'objet des variations les plus diverses.

5. Littéralement les « souteneurs de mur ». Surnom donné aux jeunes désœuvrés qui passent leurs journées appuyés contre un mur (hitta) dans la rue.

6. Prières surérogatoires du mois de ramadan.

7. *El Nissa* (les Femmes) et *El Bakara* (la vache). Sourates coraniques.

8. Éditorial de l'organe du F.F.S. (Front des forces socialistes) (n° 1, 1990).

9. Héroïne kabyle qui participa en 1850 à la résistance en Grande Kabylie contre les troupes françaises.

10. Code de la famille, chapitre 1 : du divorce. « Si le juge constate que le mari aura abusivement usé de sa faculté de divorcer, il accorde à l'épouse le droit aux dommages et intérêts pour le préjudice qu'elle a subi. Si le droit de garde lui est dévolu et qu'elle n'a pas de tuteur qui accepte de l'accueillir, il lui est assuré ainsi qu'à ses enfants, le droit au logement selon les possibilités de l'époux. »

11. Militante du P.A.G.S. (Parti de l'avant-garde socialiste marxisant)

12. (1889-1940) Théologien algérien. Fondateur de l'Association des Oulémas algériens. A l'origine du mouvement réformiste El Islah. Durant leur lutte pour l'indépendance, les Algériens ont fait leur sa célèbre trilogie : « l'Islam est ma religion, l'arabe ma langue et l'Algérie ma patrie. »

13. *L'islamisme au Maghreb*, éditions Karthala. p. 147.

14. S'inspire du groupe égyptien dont faisait partie l'assassin du président Anouar El Sadate. Cf. note 9, p. 324.

15. Sobriquet donné aux enfants de la bourgeoisie occidentalisée.

16. Quelques mois après les événements d'octobre 1988, le président Chadli Benjedid appela les Algériens à se prononcer par référendum sur la révision constitutionnelle. Le journal *Horizons* consacra son numéro du 23 février 1989 à l'exposé de la position des dirigeants des principaux courants politiques algériens sur cette question.

17. Expression du dialecte algérien dont la traduction littérale est « ne passe pas ». Formule favorite des islamistes par laquelle ils écartent tout ce qui d'après eux est condamnable au regard de l'islam.

18. Interview accordée à l'A.F.P. (Agence France-Presse). Dépêche du 8 décembre 1989.

19. Féminin de moujahid (combattant de la foi). Femmes ayant participé à la lutte pour l'indépendance de l'Algérie.

Glossaire

Abaya : sorte de longue cape noire portée notamment par les femmes du Golfe.

Açl : racine, fondement, origine.

Adel, *adoul* : notaire.

Ajar : gratification divine.

Alem, ouléma : savant, érudit en matière religieuse islamique.

Awra : nudité. Toutes les parties du corps susceptibles d'éveiller le désir. Selon les fondamentalistes, le corps de la femme est entièrement « awra » à l'exception du visage et des mains.

Aya : verset coranique.

Bidaa : innovation blâmable (par opposition à *Sunna,* tradition).

Borqua : masque féminin en cuir noir.

Chahada : profession de foi du musulman : « J'atteste qu'il n'y a pas d'autre divinité que Dieu et que Mohamed est l'Envoyé de Dieu ».

Charia : la loi divine fondée sur le Coran et la Sunna.

Daroura : nécessité.

Dawa : appel à la foi, prédication musulmane.

Dechdacha : longue robe blanche des hommes dans la péninsule Arabique.

Fakih, foukaha : jurisconsulte.

Fetwa : avis juridique autorisé rendu par les oulémas et fondé sur le Coran et la Sunna.

Fiqh : jurisprudence musulmane.

Fitna : discorde, tout ce qui est susceptible de déstabiliser la société, d'engendrer des troubles, de provoquer la guerre civile et d'offrir de la sorte l'opportunité aux ennemis de l'islam d'attaquer la Oumma. Ce terme est utilisé par extension pour stigmatiser les conséquences sur l'équilibre social d'un comportement féminin qui éveille le désir sexuel de l'homme.

Frère : Frère musulman.

Hadith : récit de la Tradition musulmane rapportant un acte ou une parole du Prophète. Les hadiths font autorité après le Coran en matière de foi islamique.

Hadj : pèlerinage à la Mecque que le Coran impose aux musulmans, lorsqu'ils en ont les moyens, au moins une fois dans leur vie. Titre octroyé à celui qui l'a accompli.

Halal : permis par la loi divine (viande égorgée par exemple).

Haram : interdit par la loi divine.

Hijab : voile recouvrant les cheveux.

Ijjtihad : effort personnel de recherche. Capacité à interpréter le Coran. A été codifié dans l'Islam sunnite par les quatre écoles juridiques.

Ismaa : impeccabilité, perfection, protection, tutelle.

Jahiliya, gahiliya : période anté-islamique considérée par la doctrine musulmane comme le temps de l'ignorance et de la barbarie.

Kafir, Koufar : impie, infidèle.

Khawaga : étranger non musulman et parfois celui qui l'imite.

Kholwa : aparté d'un homme et d'une femme. On parle de « kholwa » quand un homme et une femme non mariés se retrouvent seuls dans un lieu isolé.

Khimar : voile, châle.

Madhab, madahib : courant de pensée, écoles juridiques.

Mahr : dot.

Mahrem : Homme interdit à une femme en raison des liens de sang (père, frère, oncle, etc.) et qui doit lui servir d'accompagnateur quand elle sort de chez elle. L'Arabie Saoudite par exemple n'autorise pas les femmes non ménopausées à pénétrer sur son territoire si elles ne sont pas accompagées d'un « mahrem ».

Mektoub : écrit.

Mouhajjaba : femme portant le hijab.

Moultazima : observant. Engagée. Appellation par laquelle les femmes qui portent le hijab aiment à se nommer.

Mounaqquaba : celle qui porte le hijab.

Mouqualidin ou « *maraj taqlid* » : « sources d'imitation ». Traditioniste. Dans la hiérarchie chiite, ceux qui ont autorité pour promulguer des lois dans tous les domaines.

Moutawa : volontaire et par extension professeur de religion musulmane.

Néquab : voile du visage.

Oumma : la communauté musulmane universelle.

Sahaba : le groupe des compagnons du Prophète.

Safira : celle qui ne porte pas le hijab.

Sdak : douaire versé par l'homme à la femme au moment de la conclusion de l'acte de mariage au Maghreb.

Sunna : ensemble des faits et dires du Prophète Mahomet, codifiés par la Tradition musulmane.

Tafsir : exégèse coranique.

Tarawih : prières surérogatoires pratiquées tous les soirs du mois de Ramadan.

Tazamout : enfermement sur soi, rigorisme.

Zina : fornication, adultère, acte sexuel hors mariage.

Bibliographie

Aktar, O. Cengiz. *L'occidentalisation de la Turquie : essai critique.* L'Harmattan.

El Ashmawy, Muhammad. *L'islamisme contre l'islam.* Le Caire. La découverte/El fikr.

Asha, Ghassam. *Du statut inférieur de la femme en islam.* L'Harmattan.

Ait Sabbah, Fatna. *La femme dans l'inconscient musulman.* Paris. Le Sycomore.

Balta, Paul. *L'islam dans le monde.* Le Monde/La Découverte.

Bouhdiba, Abdelwahab. *La sexualité en islam.* Presses universitaires de France.

Boulares, Habib. *L'islam : la peur et l'espérance.* Lattès.

Brière, Claire et Carré, Olivier. *L'islam, guerre à l'Occident ?* Autrement. 1983.

Brière, Claire. *Liban, guerres ouvertes 1920-1985.* Ramsay.

Burgat, François : *L'islamisme au Maghreb.* Karthala.

Carré, Olivier et Michaud, Gérard. *Les Frères musulmans : 1928-1982.* Collections archives.

Carré, Olivier. *Mystique et politique : lecture révolutionnaire du Coran par Sayyid Qutb, frère musulman radical.* Les éditions du Cerf.

Publiés sous la direction de Olivier Carré et Paul Dumont. *Les radicalismes islamiques.* Tomes 1 et 2. L'Harmattan.

Charnay J.P. *L'islam et la guerre : de la guerre sainte à la guerre juste.* Fayard/Géopolitique et stratégie.

Cheikh Bouamrane et Louis Gardet. *Panorama de la pensée islamique.* Sindbad.

Corm, Georges. *L'Europe et l'Orient.* La Découverte.
Géopolitique du conflit libanais. La Découverte.

Dejeux, Jean. *Femmes d'Algérie.* La boîte à documents.

Delafon, Gilles. *Beyrouth : les soldats de l'islam.* Stock.

Étienne, Bruno. *L'islamisme radical.* Hachette.

Fenoglio, Irène. *Défense et illustration de l'Égyptienne.* Le Caire. C.E.D.J.

Sous la direction de Goltan Altan. *La Turquie en transition : disparités, identités, pouvoirs.* Maisonneuve-Larose.

Kepel, Gilles. *Le Prophète et Pharaon : les mouvements islamistes dans l'Égypte contemporaine.* La Découverte.

Lewis, Bernard. *Islam et laïcité : naissance de la Turquie moderne.* Fayard.

Mernissi, Fatima. *Le harem politique : le Prophète et les femmes.* Albin Michel.
Sultanes oubliées : femmes chefs de l'État en islam. Albin Michel.

Morsi, Magaly. *Les femmes du Prophète.* Mercure de France.

Mrabet, Fadéla. *La femme algérienne.* Maspero.

Roux, Jean-Paul. *Histoire des Turcs : deux mille ans du Pacifique à la Méditerranée.* Fayard.

Rugh, Andréa B. *Family in contempory Egypt.* The American University of Cairo.

Seurat, Michel. *L'esprit de barbarie.* Esprit/le Seuil.

Saadaoui, Nawal. *La face cachée d'Ève. Les femmes dans le monde arabe.* Éditions des femmes.

Remerciements

Il m'est impossible ici de tous les nommer mais sans leur soutien constant, ce voyage aurait difficilement pu se réaliser : alors à vous, mes amis, d'ici ou d'ailleurs, d'aujourd'hui ou d'hier, un grand merci.

Dans chaque pays traversé, une porte s'est ouverte devant moi. Pour leur chaleureuse hospitalité, merci à Soumya Lotfi, Younes Bennis, Saadia Zinnedine, Dounia et Karim Radi Benjelloun, les familles Sammar, Tabbara et Aïd.

Jean-Pierre Péroncel-Hugoz et Jacques Bertoin ont été les premiers à me faire confiance : ce sont des choses qui ne s'oublient pas.

Merci également à Jean-Luc Allouche pour sa minutieuse relecture et à Maurice Partouche pour ses permanents encouragements.

Merci enfin à la compagnie Royal Air Maroc à travers son directeur général Said Ben Ali pour sa collaboration.

H.T.

Table des matières

Achevé d'imprimer le 20 décembre 1990
dans les ateliers de Normandie Impression S.A.
à Alençon (Orne)
N° d'imprimeur : 902833
Dépôt légal : décembre 1990

Imprimé en France

ISBN 2-7158-0817-8
432007